Galdós

y

la historia

Ottawa Hispanic Studies
General Editors: José Ruano and Nigel Dennis

Published Titles

1 *Galdós y la historia*, edited by Peter A. Bly.

2 *Studies on Ramón Gómez de la Serna*, edited by Nigel Dennis.

Forthcoming:

3 *El mundo del teatro español en su Siglo de Oro: ensayos dedicados a John E. Varey*, edited by José M. Ruano de la Haza.

4 Rodolfo Borello, *El peronismo en la narrativa argentina*.

Galdós
y
la historia

Editado por

Peter A. Bly

Ottawa Hispanic Studies 1

Dovehouse Editions Canada

1988

Canadian Cataloguing in Publication Data

Main entry under title:
Galdós y la historia

(Ottawa Hispanic Studies ; no. 1)
Bibliography: p.
ISBN 0-919473-83-0

1. Pérez Galdós, Benito, 1843-1920–
Criticism and interpretation. I. Bly, Peter   II. Series.

PQ6555.Z5G34 1988   863' .5   C88-090108-X

Printed in Canada

For information and orders write to:
Dovehouse Editions Canada
32 Glen Ave.
Ottawa, Canada
K1S 2Z7

For further information about the series, write to:
General Editors, Ottawa Hispanic Studies,
Department of Modern Languages and Literatures,
University of Ottawa,
Ottawa, Canada
K1N 6N5

Indice

Hácese constar el agradecimiento más vivo a los Drs W. D. McCready, Associate Dean, Faculty of Arts and Science, A. R. Eastham, Director, Research Services, al Advisory Research Committee, School of Graduate Studies and Research, Queen's University, por su generosa ayuda hacia la publicación de este estudio, y también a los Directores de la Serie Ottawa Hispanic Studies por haber seleccionado una faceta de la obra del novelista español más importante, después de Cervantes, como tema de este número inicial.

También quisiera agradecer a la Sra Paulette Bark la confección técnica del manuscrito.

Abreviaturas

Actas 1:	*Actas del primer congreso internacional de estudios galdosianos.* Las Palmas: Excmo Cabildo Insular de Gran Canaria, 1977.
Actas 2:	*Actas del segundo congreso internacional de estudios galdosianos.* Las Palmas: Excmo Cabildo Insular de Gran Canaria, 1980. 2 tomos.
AG:	*Anales Galdosianos*
BBMP:	*Boletín de la Biblioteca de Menéndez y Pelayo*
BH:	*Bulletin Hispanique*
BHS:	*Bulletin of Hispanic Studies*
BSS:	*Bulletin of Spanish Studies*
CH:	*Crítica Hispánica*
CHA:	*Cuadernos Hispanoamericanos*
EECIT:	*Estudios Escénicos: Cuadernos del Instituto del Teatro*
EFil:	*Estudios Filológicos*
EIA:	*Estudos Ibero-Americanos*
EstLit:	*La Estafeta Literaria*
FMLS:	*Forum for Modern Language Studies*
FMod:	*Filología Moderna*
Hispano:	*Hispanófila*
HisJ:	*Hispanic Journal*
HR:	*Hispanic Review*
KRQ:	*Kentucky Romance Quarterly*
LdD:	*Letras de Deusto*
MLN:	*Modern Language Notes*
MLR:	*Modern Language Review*
MLS:	*Modern Language Studies*
MP:	*Modern Philology*
NE:	*Nueva Estafeta*
PMLA:	*Publications of the Modern Language Association of America*
PQ:	*Philological Quarterly*
PSA:	*Papeles de Son Armadans*
RCEH:	*Revista Canadiense de Estudios Hispánicos*
REH:	*Revista de Estudios Hispánicos*
REH-PR:	*Revista de Estudios Hispánicos* (Puerto Rico)
RF:	*Romanisches Forschungen*
RFE:	*Revista de Filología Española*
RHM:	*Revista Hispánica Moderna*
RL:	*Revista de Literatura*
RLC:	*Revue de Littérature Comparée*
RO:	*Revista de Occidente*
RomN:	*Romance Notes*
RR:	*Romanic Review*

RyF: *Razón y Fe*
TAH: *The American Hispanist*

NOTA PRELIMINAR

El presente volumen trata de realizar varios objetivos simultáneamente. En primer lugar, intenta dar un resumen global de la obra crítica ya publicada sobre el tema escogido hasta el momento actual, pero sólo esa crítica que, a juicio del editor invitado, tiene algún valor para los investigadores. En este sentido es muy de lamentar que la compilación bibliográfica no pueda incluir títulos, muy merecedores bajo otros conceptos, que no cumplan este requisito. Por ejemplo, la monumental obra de Gamero y Delaiglesia [1933] no tiene valor alguno para el autor de estas líneas, a pesar de su tamaño, ya que consiste en largos resúmenes de argumentos con comentarios de los más superficiales. Tampoco se incluyen las múltiples versiones de ciertos estudios, sean traducciones, reimpresiones u otras cosas; sólo se ha usado la versión más asequible.

Para conseguir este primer objetivo, el editor invitado ha redactado dos de las tres secciones del volumen, la Introducción (I) y la Bibliografía (III), que han de ser consultadas conjuntamente. (Para facilitar este ejercicio, en aquélla se incluyen los apellidos de los autores citados, con el año de la aparición del estudio en cuestión). Los títulos incluidos en la Bibliografía se comentan en la Introducción con frases, más o menos sintéticas, en que se destacan los aspectos más importantes de los estudios citados, sin añadirse evaluaciones personales por parte del editor, las cuales sólo servirían muchas veces para obstaculizar la comprensión clara de las tendencias generales de la crítica. Por supuesto, el objetivismo total es imposible de alcanzar puesto que la mera selección (o rechazo) de títulos, y los mismos comentarios, implican una perspectiva inevitablemente subjetiva.

El segundo objetivo de este volumen es indicar campos no explorados todavía por los investigadores, como se notará al final de la Introducción. Por eso, la parte más extensa del libro se dedica a la inclusión de diez trabajos originales, inéditos, escritos por algunos de los investigadores actualmente más prestigiosos del campo.

Peter A. BLY,
Queen's University,
Kingston,
mayo de 1987.

I. INTRODUCCIÓN

A) Definiciones

"Galdós no fue un historiador, a pesar de sus *Episodios nacionales*, en que la historia, el modo específico y técnico, se reduce a bien poco—más históricas son sus *Novelas españolas contemporáneas*"[1]

"Galdós y la historia" parece ser una de esas frases consagradas por el uso repetido de los críticos y de los lectores de Galdós, de tal manera que el sugerir ya que no es tópico, ni unánimemente claro ni aceptable, parecería herejía para algunos lectores. Pero, como indica la cita unamuniana que encabeza esta sección, la palabra "historia" se puede interpretar en muchos sentidos. Puede referirse a los sucesos públicos que experimentan las naciones en su colectividad o en que participan los individuos como actores de los sucesos. Normalmente, estos sucesos han sido de una índole política, militar o diplomática. Pero cualquier aspecto de la vida de cualquier individuo, por muy pequeñito que sea, constituye una parte de lo que se denomina "la historia." La vida particular de un individuo, sus costumbres sociales, el ambiente social, cualquier cosa de su entorno personal, es digna de la etiqueta "historia" por el mero hecho de haber existido en el tiempo.

Pero en su significación original, en griego, la palabra "historia" denotaba la *investigación* de los sucesos públicos, no los sucesos mismos, siendo "la historiografía" otra palabra que sirve para captar mejor esta última función, de la cual son responsables los historiadores profesionales. Pero dentro de este oficio supuestamente objetivo de preservar el recuerdo de los sucesos pasados entra el subjetivismo en dos frentes. El mismo historiador no puede menos de imponer su propio enfoque, no sólo al seleccionar los hechos que va a narrar, sino también por sus intentos de glosar su significación. Esta práctica se nota más frecuentemente cuando se les quiere juzgar según un sistema de ideas previas, que puede calificarse de filosofía de la historia, como si fuese la historia también una ciencia según la cual el destino al que se encamina la sociedad pudiera interpretarse a base de un estudio de los sucesos históricos, tal como creían Auguste Comte, J. S. Mill y Karl Marx, entre otros. Pero, incluso tales filósofos de la historia como Vico en su *Scienza nuova* o Herder en su *Ideen zur Philosophie der Geschichte der Menschheit*, al preconizar la necesidad de re-crear el pasado, según los valores existentes en ese pasado y no según los de los historiadores mismos, en realidad no comprenden bien el papel que juega el subjetivismo en tal re-creación, por muy fidedigna que sea. Y claro, en este punto también converge la reproducción abiertamente ficticia de la historia en la literatura, clasificada como "novela histórica," proceso reforzado en español por la otra acepción de la palabra "historia" como cuento imaginado. En el ámbito de la novela caben, entonces, un sinfín de posibilidades relativas a la combinación de datos históricos supuestamente objetivos y de glosas y distorsiones subjetivas.

Así que, la palabra "historia" es capaz de múltiples interpretaciones y adaptaciones, a base de la generalmente aceptada de "acontecimientos políticos o estatales." Hasta qué punto estas significaciones han sido detectadas en las obras literarias de Pérez Galdós se verá a continuación en la reseña razonada de esa parte de la bibliografía crítica existente que se considera merecedora de la atención del lector.

B) Reseña de la crítica

1] Galdós, actor de la historia

A Galdós se le brindó la oportunidad de dirigir la historia nacional cuando fue elegido como diputado a las Cortes Españolas tres veces: por Puerto Rico (1886–90), por Madrid y Las Palmas (1907–14). Armas Ayala [1980] reproduce cartas del archivo personal de Galdós que le fueron mandadas por contactos puertorriqueños, mientras que Lloréns Bargés [1978] examina la gestión de Galdós en las dos últimas fases parlamentarias. Dendle [1985] pormenoriza los contactos políticos de Galdós con Rodrigo Soriano en los años de principios del siglo XX. Guimerá Peraza [1967] trata en forma más extensa la relación, curiosamente íntima, entre Galdós y el jefe del partido conservador, Antonio Maura. Fuentes [1982] reproduce, contextualizándolos, los discursos políticos que redactó, pero no pronunció, Galdós, como jefe de la Conjunción Republicana-Socialista de la segunda etapa.

2] Galdós, periodista de la historia

Es, en realidad, en otro foro público, el periódico, donde Galdós demostró su gran interés por la política nacional pues, desde su llegada a la Villa y Corte de Madrid en 1862 hasta pocos años antes de su muerte en 1920, además de escribir obras de ficción, se dedicó al periodismo. La relación entre ciertos artículos de prensa y su producción literaria, por ejemplo, los que escribió sobre política para la *Revista de España* (1871–72) (reproducidos por Dendle y Schraibman [1982]) y las novelas de la primera época y los *episodios* de la primera serie, ha sido examinada en parte por Goldman [1969], Robin [1978] y Estébanez Calderón [1982]. Goldman [1975] discute ciertos aspectos políticos de los artículos publicados por *La Prensa* de Buenos Aires. Por otra parte, Hoar [1970–71, 1973a y b] profundiza sobre las fuentes de ciertos *episodios* de la primera serie en algunos artículos aislados, publicados en otros periódicos madrileños.

3] Los Episodios nacionales

i) *Estudios generales*

Como es de esperar, son los *Episodios nacionales* los que han recibido la mayor atención de los críticos. En estudios generales sobre la vida y obra de Galdós [Berkowitz 1948; Pattison 1975] se ha tendido a tratarlos como una unidad separada dentro del conjunto mayor. Así, se han establecido paralelos y conexiones dentro de las cinco series, se ha señalado el desarrollo de temas y de caracterización a través de las mismas, y se han dado detalles sobre la publicación con respecto a la biografía galdosiana. Sólo Casalduero [1970] y Ricardo Gullón [1960] han insistido en ofrecer una interpretación de los *episodios* que pretende relacionarlos con el resto de la producción literaria de Galdós y de su época, tanto dentro como fuera de España. Casalduero consigue hacer esto sobre todo en su estudio sobre las tres últimas series.

Gogorza Fletcher [1973, 11–50] mantiene que la actitud política que profesaba Galdós en el momento de escribir los *episodios* determinaba la selección de personajes que utilizó para recrear el pasado en cuestión. Siguiendo la opinión de Casalduero enfatiza la presencia de la sátira y la alegoría en las series cuarta y quinta, especialmente en esta última, donde las técnicas manejadas anteriormente se caricaturizan en un *reductio ad absurdum*. La misma autora [1976] mantiene que los *episodios* de las dos primeras series, verdaderas novelas históricas *a la Walter Scott*, no son reportajes exactos de los sucesos narrados, sino anticipaciones de una revolución social futura, conforme a la teoría de Lukács. De ahí la omnipresencia a través de los veinte *episodios* del mensaje político para el futuro y el uso de la gracia maliciosa, swiftiana. Bosch [1967] también evalúa los *episodios*, lo mismo que las novelas realistas de la *serie contemporánea*, a la luz de las teorías del crítico húngaro sobre ambos subgéneros novelescos. Ciplijauskaité [1978] afirma la semejanza de los últimos *episodios* con la obra contemporánea de la Generación de 1898. Para Clavería [1957] Galdós no tenía sistematizada una filosofía de la historia, pero se interesaba por el sentido más profundo de la historia, quizá bajo la influencia de Comte, Hegel o Krause. De acuerdo con esta postura, Galdós prestaba atención minuciosa al papel que jugaba lo cotidiano y lo menudo particular en la llamada historia de la nación (véase también Lloréns [1970–71]). Esta clase de intrahistoria unamuniana [Pons 1939] quizá se deba a una lectura de la obra de Balzac, Michelet, Carlyle y otros. Altamira y Crevea [1905] sugiere la influencia de Macaulay por el alto valor que Galdós da a lo anecdótico y a lo popular en su reproducción de la historia pública del siglo XIX español. Huerta [1943] comenta que Galdós inventa en los *episodios* una nueva novela histórica, que es una mezcla de la novela histórica romántica y la de costumbres sociales. En esta nueva novela histórica se trata básicamente del problema y del futuro de España. Con enfoque más concreto, Cardona [1968] suministra una multitud de detalles acerca de las fuentes bibliográficas consultadas en la composición de las cinco series, que él examinó cuidadosamente en la Casa-Museo de Las Palmas.

A Hinterhäuser [1963] le toca el honor de haber iniciado estudios de extensa envergadura sobre los *episodios*, no sólo en cuanto a su génesis en fuentes autobiográficas, literarias (tanto europeas como españolas), pictóricas, orales y documentales, sino también en cuanto a muchos otros aspectos, en particular su *status* como obras de historiografía. Para Hinterhäuser los *episodios* son obras de educación política filtradas por el tamiz de la literatura, y la "verdadera" historia "integral" que se nos ofrece no tiene un carácter "filosófico" sino fundamentalmente material. Sin embargo, Galdós profesa una actitud filosófica, que procede de un idealismo inicial basado en su fe en las ideas y acciones de los grandes hombres y que se mueve hacia una visión historicista en que domina el determinismo.

La tesis central planteada en el estudio global de Regalado García [1966] es mucho más polémica: que Galdós escribió los *episodios* desde una perspectiva liberal algo anticuada, haciendo caso omiso de la nueva realidad histórica de la época, que era la gran cuestión social de la lucha de clases. No, es, por tanto, de sorprender que se critique la actuación de Galdós como diputado y político en el desenvolvimiento de la historia nacional que le tocó vivir. En sus *episodios* y novelas contemporáneas, Galdós parece esquivar toda mención de la realidad social, la presencia efectiva de las masas del proletariado como fuerza social y política, aunque sí que denuncia los abusos del régimen conservador-liberal de la Restauración. Aun el tan decantado regeneracionismo de las dos últimas series (bajo la fuerte influencia de Costa) no deja de ser censurado por Regalado García, quien lo tacha de meritocracia individualista. Apoyándose en los datos autobiográficos suministrados por Berkowitz [1948], Regalado García dedica bastante espacio a integrar los *episodios* con las novelas de la *Serie contemporánea* destacando las semejanzas entre la novela histórica galdosiana y la de Sir Walter Scott.

Rodríguez [1967] en su estudio global sobre las cinco series, también hace hincapié en cómo los *Episodios nacionales* se diferencian de las novelas históricas tradicionales. Lo que hace Galdós es reproducir la historia del período en cuestión, revitalizándola. Se examinan las respectivas tramas, el simbolismo, la caracterización y otros aspectos estilísticos. En las series tercera y cuarta se observa cierto desarrollo artístico respecto a la psicología de los personajes ficticios y una inserción más sólida de los hombres de la historia dentro de la ficción misma. Pero, al igual que Casalduero [1970], Rodríguez destaca como la mayor innovación de todas en estas series el impresionismo experimental que practica Galdós, sin dejar de hacer constar la suprema dificultad de interpretar con razón total los cuatro últimos *episodios* de la quinta serie.

De los tres tomos del estudio de Montesinos [1968–72], el primero y el tercero cubren las novelas de la *Serie de la primera época* y las series de *episodios*. *La Fontana de Oro* y *El audaz* se consideran tanteos experimentales antes del lanzamiento de la primera serie de *episodios*, cuyos rasgos más notables son el tono folletinesco, la influencia cervantina, y el costumbrismo histórico. Lo mismo que Regalado García, Montesinos nota, pero sin criticarlos, los logros artísticos de la tercera serie que anticipan los de la Generación de 1898, y cómo en los *episodios* más pesimistas de las dos últimas series, los únicos focos de valor positivio los representan el pueblo y finalmente el individuo para quien es sólo la revolución interna la que cuenta. El pesimismo de Galdós en estos últimos *episodios* (Clara Lida [1968] cree que Galdós sigue teniendo fe en los ideales hasta el final) se debe a sus vivencias personales, pero, aun considerando esto, la tendencia a formulaciones alegóricas de la historia de la Restauración le resulta a Montesinos un enigma muy difícil de desentrañar, siendo *Cánovas* el *episodio* más controvertido por su anticlericalismo anacrónico y anómalo.

Relacionando la primera serie con las otras novelas que escribió Galdós en esta época, Gilman [1981, 1–129] reclama para Galdós un logro artístico muy original—el de haber despertado en la nación española, o al menos en el público de lectores de aquel entonces, la conciencia histórica, sobre todo con la publicación de su primera novela, *La Fontana de Oro*. Sin embargo, para evitar efectos caricaturescos y dar la impresión justa de la mutabilidad temporal de la experiencia histórica y de cómo persiste hasta el presente, Galdós cultiva a la vez las novelas de tesis "de la primera época." Los dos hilos acaban por fusionarse en *La desheredada* de 1881 donde la historia se presenta de un modo social y lo social de una manera histórica.

Dendle [1986] lleva a cabo otro estudio comparativo: coteja los sucesos históricos narrados en las dos primeras series con los dados por los historiadores. Su conclusión es que la versión de la historia dada por Galdós es pesimista porque está motivada por la situación en que se componían los respectivos *episodios*, aunque se abriguen esperanzas—tenues—de que la España contemporánea adopte virtudes humanísticas. Dendle insiste en que el mundo ficticio galdosiano, donde rige una severa crítica moral, no es recreación histórica sino esencialmente una obra de ficción. Dendle había seguido el mismo procedimiento y llegado a casi las mismas conclusiones en su estudio anterior [1980], que cubría las tres últimas series. Aquí las diferentes circunstancias históricas que rodean la composición de las series explican la diferente ideología: sobre la tercera serie pesan el choque del Desastre y la polémica regeneracionista. El anticlericalismo de la cuarta serie se explica por las opiniones privadas de Galdós en aquel entonces, mientras que el republicanismo de la quinta es obvio reflejo de su militancia en las filas republicanas de 1907–1912. Lloréns [1968] traza a través de las cinco series la trayectoria del desengaño galdosiano con la burguesía como portaestandarte del reformismo liberal, trayectoria convenientemente reflejada en las figuras opuestas de Benigno Cordero y Angel Cordero.

En cuanto a temas más limitados, si bien Gómez de la Serna [1954, 33–50] no estima en mucho la pintura de los personajes históricos, Seco Serrano [1970–71] y Hilt [1974] escriben palabras más elogiosas; mientras Seco destaca la intuición galdosiana acerca de la evolución de la lucha de las clases, Hilt sitúa a Galdós como historiador entre Tolstoi y Carlyle, por la importancia que da a la masa o al héroe individual en la determinación de los sucesos históricos. Beyrie [1980] relaciona la producción periodística, las novelas de la *Serie de la primera época* y los *episodios* de las dos primeras series con los incidentes históricos y personales de esa etapa de la vida de Galdós. Faus Sevilla [1972] intenta describir, muy brevemente, la filosofía de la historia galdosiana como humanística, y establecer las fuentes orales y escritas de los *episodios* con una lista de las referencias y alusiones a los varios estamentos sociales. A base de los ejemplos seleccionados, Scatori [1927] decide que Galdós ridicu-

liza—con muy pocas excepciones—la figura del clérigo en los *episodios*.
Ferrer Benimeli [1982] opina que las continuas referencias a la masonería
a través de las cinco series, pero en particular en *El Grande Oriente* en
la segunda, constituyen una historia de la organización secreta en el siglo
XIX español, donde se revela cierta actitud irónica hacia el tema por parte
de Galdós. Ortiz Armengol [1970, 1974 a y b, 1977] ha extraído bastante
mineral de las minas de los *episodios* sobre varios personajes históricos de
segunda categoría, y sobre los sitios allí mencionados como, por ejemplo,
Gibraltar. El mismo crítico compara también el tratamiento a que Galdós
somete este material con el de Baroja en *Memorias de un hombre de
acción*. Los ecos particulares de la obra cervantina (episodios, figuras,
técnica realista) en los *episodios* han sido catalogados por Obaid [1958,
1959] y Pedraz García [1971]. Rodríguez [1965] clasifica a dos tipos don-
juanescos (normal y anormal) en los varios *episodios* de las cinco series.
Después de agrupar a los protagonistas principales y secundarios de los
episodios (que para él es una novela histórica) [1976], Ferreras [1980]
traza un esquema de las estructuras teóricas de los *episodios* galdosianos,
los cuales tratan, según él, de los varios aspectos posibles de la relación
simbiótica entre historia y ficción.

ii) *La primera serie*

Los estudios sobre cada volumen varían mucho en cuanto a su temática,
aunque se nota una tendencia a cotejar fuentes.
    Según Whiston [1984] *Trafalgar* no es un himno al patriotismo español
sino una crítica de sus móviles equivocados y una apología en favor de la
confraternidad universal.
    Cabañas [1966, 1967] recoge las referencias que se hallan, principal-
mente en *La corte de Carlos IV*, a los dramaturgos de finales del siglo
XVIII y principios del XIX, en particular Comellas y Moratín. Germán
Gullón [1984] examina las técnicas que emplea Galdós en el mismo *episodio* para narrativizar la historia, mientras que Rogers [1954] supone que
Galdós se inspiró en una obra dramática de Tamayo y Baus para idear una
famosa escena de teatro casero. Paradissis [1979] enumera los temas de
las escenas principales.
    En *El 19 de marzo y el 2 de mayo* Galdós sigue fielmente—como de
costumbre—sus fuentes históricas, si bien las adapta un poco [Vázquez
Arjona 1931]. Lovett [1979b] resalta el enfoque diferente adoptado por
Galdós frente a ambos sucesos históricos. Carranza [1942] también percibe una diferencia entre la actitud de Galdós frente al pueblo y la suya
propia frente al populacho, no sólo en este *episodio* sino también en otros

de las dos primeras series.

Vázquez Arjona [1932] coteja las fuentes y el texto de *Bailén*, demostrando que Galdós añade algunas cosas originales suyas.

Respecto a la composición de *Zaragoza* Bataillon [1921] y Alberti [1943] están de acuerdo con lo que dice Vázquez Arjona del *episodio* precedente, es decir, que Galdós sigue sus fuentes escritas con gran fidelidad, pero añadiendo al mismo tiempo cosas de su propia cosecha. Para Gilman [1952] y Larrea [1964], este *episodio* sí que tiene textura épica. Navas-Ruiz [1972] se muestra más escéptico. Rodríguez [1963, 1967] cree oír ecos de Shakespeare, Horacio y Virgilio en varias escenas.

Gracias al descubrimiento reciente de una versión preliminar en las cuartillas del manuscrito de *Gerona*, Ribas [1974] identifica otra fuente (Vacani), que le permite establecer que el hambre es la verdadera protagonista. Schraibman [1976] asevera que los hechos narrados son más complicados de lo que parecen a primera vista.

López Gómez [1982] pasa una revista somera a las fuentes probables de *Cádiz*. Sarrailh [1921] lo había hecho antes con más detalle, fijándose principalmente en Castro y Toreno. Devoto [1971] conjetura—acertadamente—que Lord Byron era el modelo para Lord Gray. Rodríguez [1978] propone que éste era, a su vez, la respuesta cervantina de Galdós al anticervantismo del escritor romántico británico.

Lovett [1969, 1972] pone de relieve la nota épica en la pintura del protagonista epónimo de *Juan Martín el Empecinado*. Bly [1983b] cree que Galdós demuestra a través del narrador una actitud más ambigua, y, por ende, más realista, hacia el jefe guerrillero. Dennis [1976] llama la atención sobre la dura crítica galdosiana contra los efectos nefastos que las guerrillas de la Guerra de la Independencia tuvieron en la historia subsiguiente de España.

Gómez Galán [1969] señala la presencia de Wellington en *La batalla de los Arapiles* y en el *episodio* siguiente, observando que Galdós aprueba en general el comportamiento del jefe británico. Oliu [1979] destaca la actitud opuesta de Galdós en ese mismo *episodio* hacia la figura del afrancesado, con la posible excepción de Santorcaz.

Smith [1982] reproduce el fragmento del epílogo escrito por Galdós al final de la primera edición de 1875 de *La batalla de los Arapiles* en el cual el autor hace un poco de autocrítica al repasar lo que se ha conseguido, o no, en la primera serie. Después de admitir la ausencia de un plan exacto al comienzo de la misma (pero véanse Pattison [1970] y Dendle [1980a], para una rectificación de esta declaración), Galdós destaca las grandes dificultades que tenía con el narrador-personaje de la serie, preocupación compartida por ciertos contemporáneos suyos [Blanco García 1910]. En efecto, Gabriel Araceli ha sido el centro de varios estudios, todos los cuales subrayan los cambios que son perceptibles en su actitud a través de los diez *episodios* [Derozier 1979; Robin 1980]. Ricardo Gullón [1972], Bly [1984] y Dendle [1985] todos cuestionan la ejemplaridad moral de este narrador-protagonista que Galdós trata muchas veces con ironía. Vázquez Arjona [1926] lleva a cabo un cotejo general de los cinco *episodios* de esta serie, no tratados por él en estudios separados, con sus fuentes históricas. A raíz de esta comparación, el mismo crítico [1933] pone de relieve ciertas actitudes exhibidas por Galdós en la primera serie: su republicanismo, su anticlericalismo y su odio a Napoléon. Alonso Cortés [1930] sugiere que *Memorias de un liberal* de Montenegro y Balaguer es una fuente literaria de la primera serie. Navarro González [1977] resume los aspectos sobresalientes de la edición de extractos de la primera serie que Galdós publicó para niños en 1909, mencionando la gran ironía ínsita en el hecho de que en una versión redactada con fines didácticos se escogieran quizás las escenas más sangrientas.

Con referencia a temas más específicos de la serie, Bruton [1943] y MacDermott [1965–66] catalogan a los personajes ingleses, tanto ficticios como históricos, que aparecen en la serie. Lovett [1979a] hace lo mismo con los tipos franceses, para rechazar la tesis propagandística diseminada por Lande [1876] que acusaba a Galdós de ser antifrancés. Otra apología, a favor de Galdós, esta vez para rechazar el supuesto anticlericalismo de la primera serie, la constituye el estudio de Balseiro [1970], que aboga por un humanismo erasmista en la obra galdosiana.

Arnáiz Amigo [1980] cree que existen semejanzas de caracterización y de sucesos entre esta serie de *episodios* y *Guerra y paz* de Tolstoi, ya que la masa-pueblo es el héroe-protagonista de ambas epopeyas.

Bly [1986, 38–70] analiza las referencias pictóricas en esta serie y la siguiente y el papel narrativo que desempeñan en su desarrollo temático. Glendinning [1970] subraya el esmero con que Galdós creó a sus personajes, de acuerdo con sus circunstancias, y las repercusiones mutuas entre éstas y aquéllos. El carácter individual, con todas sus posibilidades de regeneración, sigue siendo el centro de interés para Galdós. Barros Arana [1876] y Balbín de Unquera [1905] pretenden que Galdós no manifestó directamente sus predilecciones políticas al escribir esta primera serie. Rojas Ferrer [1965], a base de un estudio sistemático de fuentes, tramas y crítica anterior sobre cada *episodio*, termina por afirmar que Galdós como historiador pertenece a lo que él califica de escuela "del lirismo subjetivo," entre las tendencias de Michelet y Ranke.

Dennis [1968] recoge las características y funciones de los personajes novelescos, históricos y semi-históricos de la serie para ver si son "flat" o "round," según la terminología de E. M. Forster. Otra vez se hace hincapié en la flojedad del protagonista narrador, Gabriel Araceli.

iii) *La segunda serie*

Lo que se destaca en la crítica de esta serie es la atención dedicada a varios personajes de ficción.

Para Benítez [1985] lo mismo que para Montesinos [1968–72], Jenara de Baraona, en *Cien mil hijos de San Luis*, constituye un avance en el estudio psicológico de la mujer española. Letemendía [1980] presenta las fuentes literarias de Chateaubriand de que se aprovechó Galdós para incluir al gran escritor francés en ese mismo *episodio*.

Entre los personajes ficticios de mayor relieve en *El terror de 1824* figura Patricio Sarmiento, que ha recibido gran parte de la atención de los críticos por el obvio paralelismo que traza Galdós entre su destino y el de Riego [Ricardo Gullón 1979; Gimeno Casalduero 1980; Navascués 1983].

Para Sherzer [1981] el personaje Tilín de *Un voluntario realista* tiene una psicología muy interesante por el uso muy sutil del perspectivismo narrativo.

Letemendía [1981] pormenoriza las fuentes que usó Galdós para documentarse sobre las figuras románticas de *Los apostólicos*.

Gimeno Casalduero [1982] indica la reaparición de las hermanas Porreño y Coletilla, de la *Fontana de Oro*, en *Un faccioso más y algunos frailes menos*. La degollina de los frailes referida en éste es interpretada por Rodríguez Puértolas [1975], en comparación con las versiones incluidas en obras de Ayguals de Izco y de Baroja, según una perspectiva casi hegeliana-marxista.

Dendle [1972] arguye que los orígenes de la familia Cordero se encuentran en la novela de Fernán Caballero, *Elia, o la España treinta años ha*. O'Connor [1985] reitera que las técnicas descriptivas practicadas por Galdós en las dos primeras series de *episodios* eran consideradas compatibles con la imparcialidad realista por Alas y Revilla, los dos mejores críticos contemporáneos de Galdós. Herrero [1972] selecciona tres motivos (el barro, la embriaguez del populacho y la sala de conspiración) como símbolos significantes en los *episodios* que tratan de la "ominosa década." Revilla [1885], lo mismo que Menéndez y Pelayo [1942], se preocupa en sus reseñas de cuatro *episodios* de la segunda serie por el equilibrio relativo entre los componentes ficticio e histórico, el cual parece variar de un episodio al otro.

iv) *La tercera serie*

Quizás por ser el primer número de la tercera serie de *episodios naciona-les*, reanudados después de un silencio de casi veinte años, *Zumalacárregui* ha atraído cierta atención detenida. Avalle-Arce [1970–71] se concentra en el papel desempeñado por el *doppelgänger* ficticio, Fago, para resaltar la grandeza trágica del caudillo carlista, aspecto éste en que insiste también Vincent [1898]. Silva Vildósola [1899] lamenta la presentación distanciada del héroe epónimo, considerándola como un fallo artístico, si bien comprensible por el deseo de Galdós de aparecer imparcial ante un público, que era, en su mayoría, de simpatías liberales. Para Gómez de Baquero [1898], sin embargo, esto no es sino una presentación adecuada de la verdad histórica. En efecto, según Vega [1957], las esperanzas de ciertos magnates del carlismo, que se habían ofrecido a suministrar a Galdós cierto material sobre su jefe, quedaron defraudadas con el *episo-dio*. Boussagol [1924] confronta el texto con los datos minuciosos de la biografía del general escrita por Zaratiegui.

Por contraste, los estudios sobre los otros *episodios* de la serie versan generalmente sobre aspectos poco profundos.

Vincent [1899] acierta al reconocer el tipo de *pastiche* literario que es *Mendizábal*, cuyas descripciones, exentas de interés dramático, le resultan fastidiosas a Gómez de Baquero [1899a]. Bush [1981] prueba cómo Galdós, mediante apuntes y cartas de investigación, documentaba cuidadosamente los sucesos de *Mendizábal* y *De Oñate a la Granja*, aun corrigiéndolos en las pruebas, todo para empalmar mejor la ficción con la historia. La mezcla proporcionada de historia y ficción varía en *De Oñate a la Granja, Luchana, La Campaña del Maestrazgo* y *La estafeta román-tica* [Gómez de Baquero 1899b y c]. El modo epistolar de este último *episodio*, en todos sus aspectos y recursos sintácticos, ha sido estudiado por le Gentil [1911]. Su posible fuente balzaciana, *Mémoire de deux jeu-nes mariées*, fue descubierta por Paradissis [1978]. Gómez de Baquero [1890] insiste en el carácter fielmente histórico de *Vergara*, cuya técnica epistolar vuelve a ser analizada por Urey [1983b].

Tierno Galván [1979] dedica un libro entero a un cotejo de las fuentes (Bermejo y Pirala) de *Montes de Oca*. El valor del quijotismo demostrado por el héroe histórico y otros de su talante, lo mismo que por los de la Generación de 1898, es muy cuestionable, según Bush [1984].

Ricardo Gullón [1974] se fija en el hilo conductor de la serie, el número de protagonistas, y la omnipresencia del narrador irónico. Urey [1985] trata del mismo tema para concluir que así consigue Galdós combinar la ficción y la historia en un proceso autorreflexivo de creación literaria. Alas [1912], después de defender a Galdós contra el cargo de una supuesta falta de patriotismo exaltado en las dos primeras series, en sus propias reseñas de varios *episodios* de la tercera, apunta el creciente interés del público en éstos y deplora la indiferencia exhibida por los críticos literarios. Merece atención la opinión de Alas respecto al abuso del estilo epistolar en ciertos volúmenes, aunque aprecia mucho el tono folletinesco que les da el empleo de la ironía. El mismo crítico también elogia los retratos psicológicos de las figuras históricas.

v) *La cuarta serie*

Otra vez se trata de un curioso desequilibrio en la crítica sobre los *episodios* de esta serie.

Navarro y Ledesma [1902] aprueba la introducción de la tribu de Ansúrez en *Narváez* como representante de la mayoría silenciosa de la nación española, si bien cuestiona la presentación algo favorable del Espadón como ser humano. El mismo crítico [1903] declara que toda la serie parece ser obra de Zola, por tratar de la historia de una familia en el reinado de Isabel II.

Gómez de Baquero [1904] resalta lo socialmente revolucionario de la fuga de los dos adúlteros en *La revolución de julio*.

Urey [1986] comprueba cómo, por el medio del lenguaje literario, siempre ambiguo, los códigos-procesos sexual, político y alimentario se combinan temáticamente en *O'Donnell*.

Igual que en las series precedentes, ciertos números de la cuarta han recibido especial atención de los críticos. Así es el caso de *Aita Tettauen* y *Carlos VI en la Rápita* (por lo menos, en su primera parte) por la simple razón de que Galdós trata la convivencia de las tres religiones históricas (cristiana, judía y mora) que han ocupado el suelo hispano y que han sido la base de la historia de España en sus etapas más significativas [Gómez de Baquero 1905; Chamberlin 1963–64; Schyfter 1978; Gilman 1981]. La figura de Santiuste con su formulación de una religión universal basada en el amor y en la combinación de las tres religiones anteriormente mencionadas, ha sido examinada por Goytisolo [1981] y Colin [1970]. Por eso, el perspectivismo irónico es esencial para la transmisión del mensaje anti-militarista [Lecuyer y Serrano 1976]. Las fuentes orales, experienciales y librescas de estos dos *episodios*, algo raros, han sido también motivo de muchas investigaciones minuciosas [Ricard 1935, 1955, 1968; Chamberlin 1981; Martínez Ruiz 1977; García Figueras 1961].

García Barrón [1983] saca a luz pública las fuentes y documentos consultados en la reproducción de la guerra del Pacífico en *La vuelta al mundo en la Numancia*.

La presentación algo distanciada del general carismático Juan Prim en el *episodio* dedicado a él ha sido comentada por Gómez de Baquero [1906] y Ricard [1970–71].

La figura, igualmente fascinante, de la reina Isabel en el momento de su mayor angustia personal—su destronamiento, a raíz de la Revolución de Septiembre de 1868, narrado en *La de los tristes destinos*—constituye el foco de varios artículos. Altamira [1943] subraya cómo Galdós capta el sentido de la decadencia de la autoridad regia en ese momento histórico. La presentación algo esperpéntica de los fantoches de la corte isabelina [Robin 1977] ha provocado comparaciones con la ficcionalización del mismo período en *La corte de los milagros* de Valle-Inclán y con los artículos periodísticos escritos por el mismo Galdós sobre la Reina [Shoemaker 1956; Urrello 1972; Ledesma 1977]. Jover Zamora [1974] selecciona para un estudio muy detallado los dos primeros capítulos del *episodio* (los que narran el fusilamiento de los sargentos del cuartel de San Gil en 1866) para poner de relieve su significación como contrapunto dramático a la Septembrina historiada en los capítulos finales. Contreras [1908] lamenta la evolución moral y religiosa que se percibe en Galdós entre *Trafalgar* y *La de los tristes destinos*.

Cardona [1978] compara los datos históricos sobre el crimen del cura Merino y el material artísticamente seleccionado por Galdós para presentar a esta figura en la serie.

Para Urey [1983a] las protagonistas femeninas de esta serie desempeñan la función de llamar la atención sobre el papel de la Reina en la historia de España en estos momentos culminantes. El paralelismo se repite a varios niveles: trama, caracterización, lenguaje estilístico e incluso ciertas palabras y frases.

Ribbans [1982] plantea la teoría de que la re-escritura de la historia española decimonónica por Confusio representa cierto rayo de esperanza para España después del Desastre de 1898.

vi) *La quinta serie*

Tenreiro [1909, 1911] y Gómez de Baquero [1918] fueron los primeros en destacar—con cierta preocupación—lo que será nota constante de los juicios posteriores: el predominio de lo maravilloso-fantástico sobre el realismo en esta serie. Además, Tenreiro [1912 a y b] señala la nota pesimista de textos que son en gran parte recuerdos autobiográficos. Para

Enguídanos [1961] esta visión pesimista constituye una pesadilla, todavía presente en la España franquista, mientras que Lorenzo-Rivero [1985] se refiere a los elementos grotescos de estos últimos *episodios*. Varela [1987] declara que en la clara división entre los dos primeros y los cuatro últimos *episodios* de esta serie, se desarrolla una dialéctica entre el tema regeneracionista planteado por la ficción y el de la degeneración tan obviamente manifestada en los fastos públicos de la nación española. Gilman [1986] también hace hincapié en esta división para comentar el papel de Tito (Proteo Liviano) como agente recordatorio del pasado, si no del pasado de los sucesos concretos, a lo menos del visto personalmente por Galdós y anteriormente ficcionalizado en *La Fontana de Oro* y *La desheredada*. No obstante esta experiencia personal, Galdós también se sirve a veces de fuentes escritas, como es el caso al tratar del conspirador republicano Estévanez [Schiavo 1979]. Ricardo Gullón [1970a] insiste en la ficcionalización del material histórico de *Cánovas*. Para Dendle [1969] Galdós confunde deliberadamente la identidad del asesino de Prim en *España trágica*.

4] La serie de la primera época

Si hubiera de ser una clase particular de la novelística galdosiana la que combinara lo sociológico o lo costumbrista con lo histórico, sería la *Serie de la primera época* limitada a sus dos primeros miembros, *La Fontana de Oro* y *El audaz*. En estas novelas Galdós se remonta a los comienzos del siglo XIX para situar su estudio de la interrelación de las vidas privadas de los personajes de ficción con los sucesos históricos del fondo.

i) *La Fontana de Oro*

Típico de los estudios sobre esta novela es el de Araya [1972] en que se examinan en términos muy generales los aspectos ideológicos de la lucha entre revolucionarios y reaccionarios. Dérozier [1970–71] demuestra cómo se insertan los personajes ficticios dentro del ambiente histórico. No se trata de una lucha entre clases sociales, sino de un conflicto entre los liberales y sus adversarios, y de la necesidad del triunfo del liberalismo y de la moderación pacífica para el futuro de España. Para Germán Gullón [1976] lo mismo que para los Flint [1976] Bozmediano encarna esta esperanza. Es esta lucha ideológica lo que determina las actitudes respectivas de los personajes ficticios [Varela Jácome 1974]. Por ser propósito explícito del autor el hacer paralelos entre la situación política de 1820–23 y la de 1870 [López-Morillas 1965], se ha concluido que los diferentes desenlaces de esta novela en las respectivas ediciones se deben a la muerte de Prim en diciembre de 1870 [Smieja 1966; Gimeno Casalduero 1978; para una opinión opuesta, véase Pattison 1980]. Pérez Vidal [1980] mantiene que la novela es producto, no de la Septembrina y sus consecuencias trágicas de 1870, sino del movimiento sociocultural que desemboca en ella. Petit [1972] ha hecho el análisis más exhaustivo de la novela, con capítulos sobre las fuentes balzacianas, los protagonistas, los personajes secundarios, los temas, la estructura y la historia, en los que se destaca el liberalismo de Galdós, sin olvidar el doble papel que juega el mundo material, sobre todo el café que da el título a la novela [Johnson 1968]. Para Zlotchew [1977], Galdós anticipa en su presentación de las masas revolucionarias los estudios psicológicos sobre el comportamiento colectivo de profesionales de finales del siglo XIX y de principios del XX. Particularizando los títulos de libros comprados—y no comprados—por Galdós en los años 1865–66, Blanquat [1977] especula sobre las posibles fuentes literarias y filosóficas de *La Fontana de Oro*, entre las cuales se destacan Manzoni, Sir Walter Scott, Goethe, Schiller, Michelet y Vico.

ii) *El audaz*

Los estudios generales de Ynduráin [1970] y Cuesta [1973] se concentran sobre aspectos más bien literarios que históricos, por ejemplo, la plasticidad de ciertas descripciones paisajísticas, escenas, tipos y costumbres. La presentación del protagonista, Martín Muriel, es también defectuosa para Zlotchew [1985], quien cree que Galdós ensalza la figura del Inquisidor, don Tomás de Albarado y Gibraleón. Montes Huidobro [1980] nos llama la atención sobre los lazos soprendentemente estrechos entre la sexualidad latente sentida por Susana Cerezuelo y la fraseología revolucionaria de Martín.

5] La serie contemporánea

La existencia de una dimensión histórica en las grandes novelas sociales era cosa de la que estaba consciente más o menos todo lector de Galdós, pero sólo quedó afirmada en plan global en el estudio de Bly [1983], donde se planteó la tesis de que las referencias históricas diseminadas por la serie constituyen una clase de recurso imaginativo para el lector, que sirven para apuntalar la trama novelística.

i) *La desheredada*

La obra pionera sobre esta novela la representa el artículo de Ruiz Salvador [1966], que señala la correlación entre los datos históricos encontrados en el texto y el desarrollo de la historia privada de Isidora Rufete, en una visión muy pesimista de la Restauración. Símbolo de ésta es para Wright [1971] el hijo raquítico de Isidora, mientras que el caos de su casa refleja el de la Primera República. Dendle [1982a] amplifica las referencias a dos episodios históricos de la novela (la protesta de las mantillas blancas contra Amadeo, y el atentado contra Alfonso XII).

ii) La de Bringas

De todas las novelas de la serie contemporánea es La de Bringas la que ofrece mayor conexión con los Episodios nacionales, principalmente por ser colocado el escenario en el Palacio Real de Madrid (examinado a fondo por Amorós [1965]) y en el importante contexto histórico de la Septembrina. La interdependencia obviamente sutil de estos dos mundos con sus correspondientes reflejos temáticos ha sido estudiada extensamente por Ricardo Gullón [1970b], precedido por otros como Marañón [1968] y Palley [1969] y seguido por Bly [1981] y Aldaraca [1983] entre otros. Sánchez [1978] y Lowe [1980] se fijan en los contrastes temporales entre los dos mundos. Blanco Aguinaga y Blanco [1983] abogan por la significación económico-histórica de la Septembrina en cuanto a la emancipación financiera de una burguesa española, tal como Rosalía Bringas. Por ser incluidos los mismos sucesos históricos en el episodio final de la cuarta serie, La de los tristes destinos, se han llevado a cabo unos estudios comparativos de las dos versiones [Denah Lida 1979; Bly 1980].

iii) Fortunata y Jacinta

No es de sorprender que la obra maestra de Galdós contenga ejemplos de esta taquigrafía histórica. Ribbans [1970] fue el primero en analizar su signficación, de acuerdo con el desarrollo de la ficción. Su tesis, de que estas referencias son utilizadas por Galdós con fines no políticos ni ideológicos, sino artísticos, se opone algo a la de Blanco Aguinaga [1968, 1978], quien enfatiza la necesidad de tomar en cuenta la red de relaciones y realidades sociales que determinan el desarrollo de la trama novelística. Sinnigen [1974] también adopta un enfoque clasista, al criticar los prejuicios sociales de Galdós tal como se manifiestan en la elaboración de la ficción. A escala menor Estébanez Calderón [1985] ha estudiado el significado de los dos términos lingüísticos, "revolución" y "restauración," en Fortunata y Jacinta y los episodios correspondientes de la quinta serie, con referencias suplementarias a los artículos escritos por Galdós para

La Prensa de Buenos Aires. Ribbans [1980, 1981, 1986] ha emprendido una serie de trabajos en los cuales intenta ampliar el ámbito tradicional de la crítica histórica comparando la presentación respectiva (simplista o proteica) de figuras históricas (tales como la reina Isabel) o de incidentes históricos, narrados tanto en los *episodios* como en las novelas de la *Serie contemporánea*. Bly [1986b] dirige la atención hacia los cambios de enfoque que adopta Galdós al aprovecharse repetidas veces del recurso técnico de la comitiva regia tanto en *La serie contemporánea* como en los *episodios nacionales*.

6] El teatro

En el sentido estricto de la palabra, sólo ocho de los dramas de Galdós se pueden clasificar como obras de historia en que se insertan datos, material y temas de épocas pasadas: *Alma y vida, Gerona, La fiera, Bárbara, Zaragoza, Sor Simona, Santa Juana de Castilla*, y *Alceste*. Sólo muy de paso se ha considerado el elemento histórico de estas obras hasta hace poco [Menéndez Onrubia 1982]. Pero a veces se apuntan relaciones interesantes entre ciertos dramas históricos y los *episodios* correspondientes [Menéndez Onrubia 1983]. Por supuesto, la escenificación de dos conocidísimos *episodios* de la primera serie, *Zaragoza* y *Gerona*, ha motivado comparaciones de las versiones respectivas, generalmente con opiniones negativas sobre la teatral [Bustillo 1901; Alvar López 1971; Domínguez Jiménez 1977]. Incluso la versión operística de *Zaragoza*, representada en el centenario de 1908, se ha analizado en gran detalle [García Mercadal 1970–71; Alvar López 1977]. La versión teatral de *Gerona* tampoco fue el éxito que esperaban Galdós y amigos suyos como Pardo Bazán [1893]. Se echaba de menos la omnipresencia de Alvarez de Castro y lo colectivo [Villegas 1893; Brownstein 1975]. No son los elementos estrictamente históricos de la trama de *Alma y vida*, sino sus toques regeneracionistas, lo que ha llamado la atención de los críticos [Rubio 1974; Heard 1980; Rubio Jiménez 1982].

Por otra parte, el lado histórico de *Bárbara* queda casi totalmente difuminado en los estudios de Gómez de Baquero [1905a] y Casalduero [1978].

De todos los dramas de sabor histórico que compuso Galdós es *Santa Juana de Castilla*, su última obra literaria y la única de corte renacentista, la que ha merecido la atención más detenida de los críticos [Casalduero 1974], no sólo por su relevancia contemporánea [Finkenthal 1980], sino también por el interés intrínseco de la misma protagonista histórica y la encarnación teatral que le da Galdós, apoyándose en curiosas fuentes documentales [Gutiérrez 1974; Cardona 1977; Halsey 1978–79; Schyfter 1984].

C) Perspectivas futuras y los estudios originales de este volumen[2]

No cabe duda de que, como se ve en lo arriba reseñado, la cantidad de estudios críticos sobre el tema de la historia en la obra de Galdós—defínase el término como se quiera—es impresionante. No obstante, existen varios huecos en este campo de investigación que hay que llenar en el futuro.

Ni que decir tiene que lo más fundamental es que se prepare cuanto antes una edición crítica de los *episodios* y las novelas sociales, cotejados, en lo más posible, con los manuscritos y las pruebas todavía accesibles.

La recopilación de los discursos políticos de Galdós sólo se ha iniciado en años recientes: falta una edición completa y analítica de esta rama de la producción galdosiana. Las relaciones personales y políticas que mantuvo Galdós con otros diputados de las Cortes, aparte de las que tuvo con Maura y Rodrigo Soriano, todavía están por investigar.

Con la excepción de algún trabajillo suelto, casi todos los artículos periodísticos de Galdós ya han sido recogidos en un volumen u otro.[3] Lo que se necesita ahora es una edición crítica de todos los artículos sobre temas políticos e históricos, semejante a la de los artículos publicados en *La Revista de España* (Dendle y Schraibman 1982).

También se echa de menos un estudio exhaustivo del teatro de tema histórico de Galdós.

Los primeros estudios dedicados a los *Episodios nacionales* se concentraron, obviamente, sobre las fuentes históricas que manejó Galdós [Vázquez Arjona 1926, 1931, 1932, 1933]. Pero no se ha hecho todavía un estudio sistemático, casi enciclopédico, de todos los *episodios*. El estudio de ROGER UTT (págs 81–98) demuestra hasta qué punto, con respecto a un solo *episodio*, *La batalla de los Arapiles*, hay que revisar opiniones previas sobre el uso de fuentes históricas por parte de Galdós. Y para confirmarnos lo muy abierto que está todavía este apartado de los estudios galdosianos, RODOLFO CARDONA (págs 99–111) sugiere una nueva fuente literaria para el *episodio* de la tercera serie, *Mendizábal*.

Otra categoría de estudios sobre los *episodios* la formaba el análisis de temas específicos en una u otra serie: EMILY LETEMENDÍA (págs 65–80) añade comentarios a uno de los temas más atractivos, la presentación de los ingleses en la primera serie.

La crítica galdosiana en general ha sacado muy poco provecho, hasta ahora, de los nuevos sistemas críticos, como el estructuralismo, la semiótica, y el deconstruccionismo, los cuales se han propagado en los últimos veinte años, aunque, claro, el marxismo ya ha dejado huellas en los enfoques de algunos críticos [Regalado García 1966]. Pero el estudio de DIANE UREY (págs 113–30) constituye un primer esfuerzo por aplicar las ideas de Manfred Frank y Derrida a otro *episodio* de la tercera serie, *Bodas reales.*

Si los estudios globales de Hinterhäuser [1963], Regalado García [1966], Rodríguez [1967] y Montesinos [1968–72] constituyen una base imprescindible para cualquier interpretación de los *episodios*, no es menos cierto que los estudios del futuro desarrollarán ideas planteadas brevemente en aquéllos, enfocando los varios volúmenes de las cinco series desde nuevos puntos de vista, como se ve en el artículo de BRIAN DENDLE (págs 49–63) sobre los *episodios* iniciales de cada una de las dos primeras series.

Los puntos de contacto entre los *episodios* y las novelas de la *Serie contemporánea*, respecto al tema de la historia, han sido explorados por Gilman [1981] y Ribbans [1980, 1981, 1982, 1986]. GEOFFREY RIBBANS (págs 167–86) continúa su labor en este volumen con un estudio de más sucesos históricos. CARLOS BLANCO AGUINAGA (págs 187–206) también aporta otros descubrimientos, de tendencia más general, a esta relación estrecha de *episodio* y novela social.

PETER GOLDMAN (págs 145–65) y GERMÁN GULLÓN (págs 131–44), como lo hizo Bly [1983], analizan lo que se entiende por "la historia" en novelas sociales individuales. Goldman se sirve de un acercamiento sociológico y formalista en su estudio de *Fortunata y Jacinta*, mientras que Gullón prefiere un punto de vista estructuralista al analizar *Doña Perfecta.*

En cualquier tratamiento del tema de la historia se supone una actitud definible, casi una filosofía de la historia, por parte del historiador, ensayista o novelista. Aunque en los estudios generales de los *episodios* (véanse los autores arriba citados) se aborda esta cuestión, muchas veces sólo se trata de una discusión pasajera e incompleta. EAMONN RODGERS (págs 35–47) inicia esta tarea de investigación abstracta con un estudio preliminar, basándose sobre el manifiesto literario que publicó Galdós en 1870.

Los estudios originales que pueden leerse a continuación podrían considerarse—por casualidad maravillosa, ya que no se sabía de antemano el tema que iba a tratar cada autor—como los primeros pasos en el tipo de investigación que se propone en este capítulo, la cual es deseable para una mayor comprensión de la obra galdosiana.

NOTAS

1 Miguel de Unamuno, "Galdós en 1901," en sus *Obras completas, III* (Madrid: Escelicer, 1960), 1205.

2 A los diez distinguidos galdosistas que aceptaron mi invitación a contribuir a este volumen, les quisiera agradecer primero su generosa colaboración y luego pedirles perdón por cualquier error editorial que se note en la publicación de su estudio respectivo.

No se ordenan los estudios por apellido del autor sino por su contigüidad temática, evitando en lo más posible el uso excesivo de notas al pie de página, las cuales han sido sustituidas por referencias entre corchetes a los autores citados en la Bibliografía (sección III de este volumen). Hubiera sido muy deseable que todos los autores se refirieran a la misma edición de las obras de Galdós, pero, al ser esto imposible, a cada autor se le dio licencia para utilizar la edición que le pareciera más conveniente, tal como se consigna al principio de cada estudio.

3 Véanse William H. Shoemaker, ed., *Los artículos en 'La Nación,' 1865–1866, 1868* (Madrid: Insula, 1972), y *Las cartas desconocidas de Galdós en 'La Prensa' de Buenos Aires* (Madrid: Cultura Hispánica, 1973); Benito Pérez Galdós, *Obras inéditas*, ed. Alberto Ghiraldo, 11 tomos (Madrid: Renacimiento, 1923–31); Leo J. Hoar, Jr., *Benito Pérez Galdós y 'La Revista del Movimiento Intelectual de Europa,' Madrid, 1865–1867* (Madrid: Insula, 1968); *Galdós, periodista* (Madrid: Banco de Crédito Industrial, 1981).

II.   ESTUDIOS ORIGINALES

Eamonn Rodgers

Teoría literaria y filosofía de la historia en el primer Galdós

Hace algunos años, un destacado historiador, José María Jover Zamora, haciéndose eco de una opinión muy generalizada entre los estudiosos de Galdós, calificó los *Episodios nacionales* de fuente importante para el conocimiento del siglo XIX, un "verdadero trabajo de historiador," al cual se seguirá acudiendo "en busca de un imponderable que escapó al análisis de nuestros métodos establecidos."[1]

Esta apreciación parece, en efecto, bastante justa cuando se tiene en cuenta el cuidado que puso Galdós, sobre todo en las dos primeras series, en construir un cuadro detallado de los acontecimientos y la atmósfera política y social que prevalecía en España en la primera mitad del siglo. Esto, sin embargo, no nos debería llevar a la afirmación de que Galdós tuviese ambiciones ocultas de historiador científico. Al contrario, sólo le interesaba la historia en la medida en que un conocimiento de ésta pudiese ayudar a sus compatriotas a entender o solucionar los problemas vigentes en la actualidad. Su punto de partida era siempre las necesidades educativas del presente, siendo significativo a este respecto que la ojeada de Galdós sobre el pasado no alcanzase más allá de 1805. Es más, retrató al historiador don Cayetano de *Doña Perfecta* como una figura absurda, cuyas actividades de anticuario le ciegan absolutamente a todo lo que pasa en su derredor. A Galdós la historia en sí (en el sentido de constatación objetiva y documentada de lo que pasó) le interesaba mucho menos que la filosofía de la historia, es decir, la dirección que idealmente debía tomar el desarrollo de los pueblos, la conciencia que tenía cada pueblo de su participación en este proceso, el grado de desarrollo a que había llegado, y los prejuicios que empañaban su visión de las metas a que debía llegar.

Esta filosofía de la historia dista mucho de estar explícita en la teoría literaria de Galdós, pero no por eso deja de determinar los principales constituyentes de esa teoría tal como se refleja en su primerizo pero importantísimo ensayo de 1870, "Observaciones sobre la novela contemporánea en España."[2] Estos constituyentes son los siguientes: (1) la idea de que la literatura debe seguir y reflejar el desarrollo de la sociedad: "La clase media, la más olvidada por nuestros novelistas, es el gran modelo, la fuente inagotable . . . En ella está el hombre del siglo XIX con sus virtudes y sus vicios, su noble e insaciable aspiración, su afán de reformas, su actividad pasmosa" (pág. 122); (2) la exigencia de autenticidad cultural: "El gran defecto de la mayor parte de nuestros novelistas es el haber utilizado elementos extraños, convencionales, impuestos por la moda, prescindiendo por completo de los que la sociedad nacional y coetánea les ofrece con extraordinaria abundancia" (pág. 115); (3) la idoneidad del momento presente para emprender la tarea de reformar la literatura: "La sociedad actual . . . tiene . . . en el momento actual, y según la especial manera de ser con que la conocemos, grandes condiciones de originalidad, de colorido, de forma" (pág. 123).

Estas ideas, sobre todo la noción de que la literatura debía caminar *pari passu* con el progreso de los pueblos, habían llegado a ser lugares comunes en la España decimonónica.[3] Sin embargo, la síntesis particular que ofrecen las "Observaciones" nos ayuda a identificar con bastante seguridad una fuente específica de la filosofía galdosiana de la historia en una obra de Francisco Giner de los Ríos. Las coincidencias de pensamiento entre las "Observaciones" y el ensayo de Giner, "Consideraciones sobre el desarrollo de la literatura moderna"[4] son suficientemente claras como para sugerir con toda probabilidad que al formular sus propias ideas sobre lo que debía ser la novela Galdós había hecho suyos los supuestos de Giner. Concretamente, los tres aspectos arriba mencionados tienen su correspondencia directa en el escrito de Giner:

1) *La idea de que la literatura debe seguir y reflejar el desarrollo de la sociedad.*

Como Galdós cuatro años más tarde, Giner rechaza desde un principio esa historia convencional que consiste en la pura relación de los acontecimientos, que no tiene "más utilidad práctica que la de satisfacer una vana y pueril curiosidad" (pág. 111). Para el verdadero conocimiento del progreso humano, para "la trascendental indagación del espíritu de los pueblos" (pág. 111), hay que penetrar en la esfera del arte, y en especial, en la del arte literario:

Las artes son, pues, de todas las manifestaciones del espíritu las que, conteniendo más carácter subjetivo, indican a la par con mayor determinación el de las épocas; y entre las artes la literatura bella es la que . . . ofrece con mayor claridad y precisión esa feliz armonía de lo general con lo individual que es el *summum* de la representación sensible . . . De esta suerte no es otra cosa la literatura que el primero y más firme camino para entender la historia realizada; mentor universal, nos reproduce lo pasado, nos explica lo presente y nos ilustra y alecciona para las oscuras elaboraciones de lo porvenir. (Págs 113, 114)

2) *La exigencia de autenticidad cultural.*

Si la literatura había de ser "firme camino para entender la historia," seguíase que los escritores tenían el deber de reflejar fielmente el auténtico espíritu de su pueblo, en vez de evadir la realidad creando mundos estilizados. Para Giner, como para Galdós, el pueblo que ha desconocido más lamentablemente sus deberes hacia sus propias tradiciones es el francés. Del mismo modo que Giner se queja de que el neo-clasicismo del siglo XVIII creó una literatura atemporal y falsamente cosmopolita, exenta por completo de carácter propio (págs 116–19, y *passim*), Galdós, en "Observaciones," se lamenta de que los editores comerciales no hagan más que producir una novela "convencional y sin carácter, género que cultiva cualquiera, peste nacida en Francia" (pág. 118).

3) *La idoneidad del momento presente para emprender la tarea de reformar la literatura.*

Hay, pues, en ambas obras una polémica contra la artificialidad de la literatura francesa y la influencia que continuaba ejerciendo sobre las letras españolas. Sin embargo, ninguno de los dos escritores se deja finalmente amedrentar por la triste situación de las letras españolas, pues ambos tienen fe en el desarrollo histórico y parecen creer que el momento histórico actual es el más a propósito para emprender la tarea de restablecer la literatura nacional. "A las épocas de postración y marasmo," declara Giner, "suceden las de vitalidad y acción," y por lo tanto cabe aplaudir el "enérgico sentimiento de algunos escritores que aspiran a dirigir las letras por mejores caminos" (pág. 153). Asimismo Galdós saluda al autor cuya obra reseña en las "Observaciones," Ventura Ruiz Aguilera, como portaestandarte de un próximo renacimiento de la novela nacional que él mismo se siente llamado a llevar a cabo.

Parece indudable, pues, que la manera de concebir Galdós la relación entre la literatura y la historia se debía a Giner, pero cabe preguntar si las ideas de éste al respecto provenían a su vez directa o exclusivamente de Krause. Una de las mayores dificultades con que tropieza el estudioso del pensamiento español del siglo XIX es la de averiguar qué ideas eran privativas de Krause, y cuáles formaban parte de esa vaga amalgama que más tarde empezó a llamarse "krausismo." Excepción hecha de Giner y de Sanz del Río, casi nadie en España en el siglo XIX tenía suficiente dominio del alemán como para leer las obras originales de Krause, y, por lo tanto, las ideas de éste llegaban a los medios intelectuales españoles a través de traducciones hechas por uno u otro escritor, siendo la más influyente la versión del *Urbild der Menschheit* que hizo Sanz del Río en 1860. Pero, como ha señalado Juan López-Morillas, el *Ideal de la humanidad para la vida* "no es una simple versión castellana . . . sino una reelaboración tan profunda que al libro debe señalársele una doble autoría" (pág. 37, nota 2). Mientras no se haga un cotejo minucioso de la versión de Sanz del Río con la original de Krause, no sabremos a ciencia cierta qué parte de la obra es de éste, y qué metió Sanz del Río de su propia cosecha.

Lo que sí parece lícito aventurar, sin embargo, es la probabilidad de .que la asociación entre la teoría literaria y la filosofía de la historia sea un injerto tardío. A juzgar por la traducción del *Abriss der Aesthetik* de Krause hecha por Giner en 1870, el filósofo alemán fundó sus ideas estéticas mayormente sobre la música, y no la literatura. Es más, la estética de Krause parece tener un carácter más individualista que social:

Mientras más se embellece el hombre en su propia educación y cultura, tanto más concierta con él todo lo Bello exterior y tanto más lo impresiona, siendo por él recibido y—hasta donde él alcanza—formado. (Pág. 34)

En esta afirmación se revela Krause como heredero de Leibniz y Wolff y de la tradición pietista que determinó el carácter particular de la Ilustración en Alemania a mediados del siglo XVIII. Efectivamente, esta tradición es la matriz de los elementos que se han venido considerando como más típicos del krausismo en general: la creencia en la armonía esencial del universo, la tendencia a concebir el progreso casi exclusivamente en términos de perfeccionamiento moral, y el interés por la enseñanza. Estos conceptos tuvieron, claro, un impacto casi revolucionario en España, pero esto no debe cegarnos a la índole conservadora del pensamiento de Krause. Nadie sospecharía, al adentrarse por primera vez en la metafísica alambicada e ingenuamente optimista de Krause, que nació precisamente en el momento en que los supuestos del idealismo racional habían sido puestos en tela de juicio por Kant y en que el romanticismo empezaba a entrar en plena vigencia, o que su obra más célebre, *Urbild der Menschheit* fue publicada—en 1811—cuando Europa (y especialmente los diversos estados de Alemania) estaba experimentando las formidables sacudidas de la época napoleónica.

Si efectivamente el clima intelectual de principios del siglo XIX influyó bastante poco sobre la teoría estética de Krause, no se puede decir lo mismo de la teoría literaria que se encuentra en la versión del *Ideal* redactada por Sanz del Río en 1860. Ya no se trata de ideas generales sobre la belleza, sino específicamente de la poesía, de la superioridad de la poesía a las otras artes, de la estrecha relación existente entre la poesía y la historia, y de las artes como expresión del genio particular de cada pueblo:

La poesía es compañera inseparable de la historia; de ésta toma aquélla materia siempre nueva para obras originales, así como en el desarrollo de la vida . . . Todas [las artes] toman su asunto inmediato y su carácter original de la vida del pueblo en que nacen y florecen; en cada una, según su género, se expresa indeleblemente la relación de la vida del pueblo con la de los pueblos vecinos. Nacidas de una fuente común y alimentadas por una *vida superior*, están llamadas las bellas artes a realizar una efectiva armonía artística-social en grupos ordenados hasta formar un organismo artístico-humano, y en este organismo completar luego cada arte su idea particular. La poesía, propiamente llamada, junta todas las artes con el lazo de la palabra métrica y estrecha esta unión mediante el canto, el baile y el drama. (Pág. 41)

Sea cual sea la autoría de este texto, estamos muy lejos del tono abstracto de las afirmaciones de Krause sobre la belleza. Las artes, y en particular la literatura, son ahora concebidas como actividades humanas y sociales que se desarrollan en las circunstancias concretas de cada comunidad. Son, además, expresión original del genio poético de cada pueblo, que diferencia a los pueblos entre sí, pero que a la vez establece vías de comunicación entre ellos. Implícita también en este párrafo está la idea de que el cultivo de la poesía puede transformar paulatinamente la sociedad por el intermedio de ciertos grupos de personas especialmente sensibles a la "vida superior" del arte. En resumen, el texto delata incontestablemente la influencia de conceptos característicos no del racionalismo cosmopolita de la Ilustración sino del particularismo historicista del romanticismo, lo cual autoriza a sospechar, o que Krause fuese más romántico de lo que se ha venido suponiendo, o, más verosímilmente, que Sanz del Río se tomara la libertad de interpretar la estética de Krause a la luz de su propio descubrimiento de los románticos alemanes, especialmente Schiller y Herder.

Es a Schiller a quien debemos la idea de que la literatura puede contribuir al progreso de la civilización. Rechazó, es cierto, la idea, tan cara a la Ilustración, de utilizar la literatura para fines didácticos:

No es menos contradictoria la idea de una bella arte que enseña (arte didáctica), o que mejora la conducta de las personas (arte moral); porque nada hay tan reñido con el concepto de la belleza que la idea de dar un sesgo especial al espíritu.[5]

La actitud de Schiller se funda, sin embargo, sobre el hecho de que en la literatura didáctica el contenido filósofico, científico o moral, se presente en muchos casos como independiente de la belleza o falta de belleza de la forma. Su gran aportación a la teoría de la literatura es haber afirmado que la utilidad social de la literatura consiste precisamente en su aspecto específicamente inspiracional y estético. Esta utilidad sólo puede realizarse a través del proceso histórico, porque el poeta sólo puede "impartir al mundo que pretende influir una dirección hacia el bien, y el ritmo tranquilo del tiempo lo llevará a su plenitud."[6] Esta plenitud no es nada menos que la transformación completa de la sociedad, empezando por "algunos pocos círculos escogidos,"[7] para que, a través del cultivo del arte, la sociedad deje de regirse por la fuerza y las coacciones de la ley a fin de alcanzar la unidad en la armonía:

Aunque las necesidades del hombre pueden obligarle a formar una sociedad, y aunque la razón puede implantar en él los principios de la conducta social, sólo la belleza puede conferirle un carácter social. Sólo el gusto puede dar armonía a la sociedad, porque establece la armonía en el individuo. Todas las otras formas de percibir dividen al hombre, porque se fundan exclusivamente, o sobre la parte sensual de su ser, o sobre la espiritual. Sólo la percepción estética le confiere plenitud, pues para que alcance ésta, ambas partes de su naturaleza tienen que estar en armonía. Todas las otras formas de comunicación dividen a la sociedad, porque atañen exclusivamente a la receptividad o a la habilidad privadas de los individuos que la constituyen y, por ende, a lo que distingue a un hombre de otro. Sólo la comunicación estética une a la sociedad, porque atañe a lo que es común a todos.[8]

La semejanza de estos conceptos con los expresados en la cita anterior de Sanz del Río, especialmente en lo que se refiere a la realización de "una efectiva armonía artística-social en grupos ordenados," es bastante sugestiva. Pero donde se subrayan todavía más claramente tales ideas es en el escrito ya aludido de Giner, las "Consideraciones," precisamente en un párrafo donde se refiere explícitamente a una obra dramática de Schiller. Giner, es cierto, se expresa con distinto énfasis, a causa de su empeño por combatir cierto tipo de literatura que él considera "inmoral," empeño siempre más fuerte en él que el deseo de defender la libertad de la inspiración artística. Pero no por eso deja de identificar, en términos parecidos a los utilizados por Schiller, la eficacia educativa de la obra literaria con su valor estético:

> Digna de censura es igualmente la tendencia a formar sobre lecciones morales las composiciones artísticas, confundiendo así dos órdenes distintos y olvidando que los grandes maestros siempre han cuidado de salvar la independencia del fin estético aun en sus producciones más o menos didácticas . . . El artista, al atender exclusivamente al verdadero fin estético, obra por implícita necesidad éticamente, pues toda acción libre cae bajo el dominio de la moral. (Pág. 155)

Esta afirmación atestigua la seriedad educativa de Giner, ya suficientemente notoria, pero aunque este elemento está implícito en todos sus escritos, no es el que más llama la atención del lector al hojear por primera vez las "Consideraciones." Las cuatro quintas partes del ensayo constituyen una crítica implacable de la literatura y la cultura francesas, de su falta de carácter propio y de la influencia dominante que ejerce sobre las letras españolas. Para Giner, la literatura francesa se distingue por "la superficialidad y el énfasis . . . cierta predilección por lo culto, exterior y elegante sobre lo enérgico, interno y grandioso . . . [el] ficticio calor de una cultura artificial y violenta" (págs 116–20). Sin embargo, aunque el lenguaje que emplea Giner es a veces duro, no se le puede achacar en rigor ninguna xenofobia irracional ni ninguna fanfarronería nacionalista con respecto a lo español. Si menciona nombres de escritores españoles, es para completar su lista de los artistas que en las diversas literaturas mundiales más auténticamente han expresado el espíritu de su pueblo. Por lo demás, se limita a constatar con tristeza el actual estado de decadencia de la literatura española, aunque con esperanzas de que algunos talentos jóvenes perseveren en el empeño, no de restaurar las glorias del pasado, cosa imposible e indeseable, sino de producir el "renacimiento intelectual de nuestra patria" (pág. 156).

Estas ideas llevan el sello inconfundible del escritor que es considerado como el padre del particularismo histórico-cultural, Johan Gottfried Herder. Ya en la anterior cita del *Ideal* de Krause/Sanz del Río encontramos la afirmación de que "todas [las artes] toman su asunto inmediato y su carácter original de la vida del pueblo en que nacen y florecen," y a continuación se afirma que el "clima" (o sea, el medio ambiente) influye sobre los niveles dispares de perfección que alcanzan las varias artes en diversas culturas, ideas todas típicamente herderianas (pág. 41). Pero Giner desarrolla de una manera sistemática sus convicciones sobre la autenticidad cultural y la relación que debe existir entre la expresión literaria y las tradiciones y el carácter de un pueblo, hasta tal punto que se autoriza la sospecha de que él descubriera a Herder con independencia de las enseñanzas de Sanz del Río. En efecto, no deja de ser interesante el hecho de que apareciera una nueva traducción al francés de las *Ideen zu einer Philosophie der Geschichte der Menschheit* (1784–91) precisamente cuando Sanz del Río llevaba ya algunos años despertando el interés por la filosofía alemana en sus cursos de la Universidad Central, y cuando es de presumir que Giner estaba redactando las "Consideraciones."[9]

No queremos, sin embargo, insistir demasiado sobre este detalle, porque, aparte el hecho de que Giner fuera capaz de leer a Herder en alemán, y de que existieran desde principios de siglo muchas ediciones y traducciones de sus obras, Herder es una de esas figuras clave cuya influencia, como la de Cervantes, por ejemplo, está tan difundida como para no necesitar comprobación documental. Fuese cual fuese el canal de conducto de la influencia de Herder, ello es que la teoría de la literatura desarrollada por Giner en las "Consideraciones" y en otros escritos está marcada indeleblemente por las ideas madres del polígrafo alemán. Aunque la obra de éste es ingente, variada y a veces contradictoria, podemos aislar algunos conceptos que tienen importantes consecuencias para la teoría literaria:[10]

1) *Toda actividad humana, cultura o época tiene un carácter único y un valor que le es propio.*

Ninguna época ni cultura debe considerarse superior a ninguna otra, ni debe tolerarse ninguna tendencia a diluir las diferencias para crear un ilusorio cosmopolitismo ni una falsa atemporalidad. De ahí su rechazo de la tendencia generalizadora y abstracta de la Ilustración francesa y de la literatura neo-clásica. Al visitar Francia en 1769, Herder estuvo muy decepcionado por lo que consideró el agotamiento cultural y moral del país.[11] Además, por mucho que procurase ser justo con todas las culturas, le llenaba de resentimiento el hecho de que la lengua y los usos franceses se hubieran apoderado, en muchos de los estados de Alemania, de la corte y de los medios cultos e intelectuales, con menoscabo de la auténtica cultura alemana.

2) *El constituyente principal de cada cultura distinta es la lengua.*

"Le génie d'un peuple ne se révèle nulle part aussi manifestement que dans la physionomie de sa langue" (pág. 95). Además, es precisamente perteneciendo a una comunidad lingüística, haciendo suya su vida colectiva, y asimilando sus tradiciones, como el hombre alcanza la plenitud de su identidad humana:

Aucun de nous n'est arrivé par lui-même à l'état d'homme. La formation entière de son humanité se rattache par un lien spirituel, par l'éducation, à ses parents, à ses maîtres, à ses amis, à toutes les circonstances qui se présentent dans le cours de sa vie, par conséquent à ses compatriotes et à leurs ancêtres; et, en un mot, à la chaîne entière de l'espèce humaine . . . Ce n'est que dans cette connexion, dans ce rapport mutuel, en mettant en oeuvre ce qui vient de toi et ce que tu as reçu, ce n'est que là que tu trouveras le calme de la vie et le bonheur. (Págs 76, 80)

Esta actitud puede, hasta cierto punto, calificarse de nacionalista, pero lo es sólo en el sentido cultural y no en el político. Sería injusto echarle a Herder la culpa de la manera en que ciertos nacionalismos agresivos, intolerantes o militaristas de épocas posteriores abusaron de sus ideas. Herder amaba su identidad alemana y todas las tradiciones históricas y culturales pertenecientes a ella, enorgulleciéndose incluso de lo que consideraba la excelencia intelectual y educativa de su país; pero aborrecía todo espíritu de conquista y aun de jactancia chauvinista. Es más, su patriotismo no era incompatible con una crítica sobria y realista de cualquier imagen idealizada del pasado. Reconozcamos—diría—nuestra deuda a las tradiciones que nos han formado; reconozcamos también la índole particular de cada época; no regateemos la alabanza a sus logros y sus hazañas; pero no procuremos de ninguna manera volver al pasado.

3) *Dado que la identidad de un pueblo es determinada y expresada por medio de la lengua, se sigue que el desarrollo de ese pueblo hacia su humanidad más plena va íntimamente asociado con su creatividad expresiva en todas las artes, tanto las populares como las más sofisticadas.*

Como es lógico, la literatura es uno de los medios más eficaces para expresar el espíritu de un pueblo, concepto que emite Herder en palabras que Giner había de recoger casi textualmente:

Hemos aprendido a conocer más profundamente épocas y pueblos a través de un estudio de las literaturas nacionales que por el triste y frustrante camino de la historia política y militar. En ésta no vemos apenas más que cómo fue gobernado un pueblo, y de qué manera se dejó matar; de aquélla aprendemos cuáles eran sus pensamientos, sus deseos, sus anhelos y sus placeres, y de qué modo fue conducido por sus maestros o sus inclinaciones.[12]

Por lo tanto, toda verdadera literatura es para Herder literatura, en cierto modo, "comprometida," no en el sentido de ser propaganda o de servir a fines utilitarios, sino porque el artista es el vehículo del espíritu de una nación o pueblo en un determinado lugar y momento histórico y en determinadas condiciones sociales. Nada más opuesto a la sensibilidad de

Herder que la noción del arte como mercancía, del arte por el arte, o del artista como profesional que lega al público acabados artefactos, ejecutados con entera objetividad estética, y en que la personalidad, las ideas políticas o la moral del artista no entran para nada.

Parece evidente, pues, que el pensamiento de Herder dejó profunda huella en la teoría literaria de Giner. Esto es lo que distingue la actitud de Giner de la de panegiristas nacionalistas como, por ejemplo, Mesonero Romanos o Cándido Nocedal, que se limitaban a afirmar el valor de lo español contra todo lo que viniera de fuera. Para Giner, por otra parte, la situación de España, en lo que se refería al desconocimiento y la decadencia de su literatura, no era peor que la de otros países que habían experimentado en igual grado el dominio cultural de Francia. Lo que le preocupa a Giner no es el que se menosprecien injustamente las glorias de la literatura española, sino que en ninguna parte del mundo se tome suficientemente en cuenta la necesidad de que una literatura tenga hondas raíces en las tradiciones y el carácter auténtico de un pueblo, y que, por otra parte, se haya sobrevalorado la cultura de una nación cuyo distintivo es el de no tener una marcada personalidad propia. Comparte, pues, Giner no sólo el interés de Herder por el particularismo local sino también la filosofía de la historia sobre la cual descansa este particularismo. Aunque ambos preconizan el respeto por la tradición, al mismo tiempo creen que el artista no debe ser un panegirista del pasado, sino una voz que habla a la nación en las circunstancias históricas concretas de la realidad actual.

Esta filosofía de la historia la heredó Galdós casi íntegra. Ya hemos notado su empeño, atestiguado ampliamente en las "Observaciones," en que los escritores, y él el primero, acepten la oportunidad que les brinda la coyuntura histórica que les ha tocado vivir para crear una novela que arroje de una vez los afeites de la moda francesa y exprese el carácter auténtico del pueblo español, hablándole en términos apropiados a las actuales circunstancias históricas. Se brinda sin cortapisas a ser un escritor "comprometido" con su pueblo en el sentido en que lo habían preconizado Herder y Giner; es decir, que no va a utilizar la literatura para proponer soluciones, pero sí para revelar verdades:

No es el novelista el que ha de decidir directamente estas graves cuestiones, pero sí tiene la misión de reflejar esta turbación honda, esta lucha incesante de principios y hechos que constituye el maravilloso drama de la vida actual. (Pág. 124)

Esta tarea la va a emprender Galdós con plena conciencia de lo que puede aprender de los modelos que le anteceden en la tradición cultural española (Cervantes, Velázquez), pero sin ignorar que la restauración de la novela española tiene que llevarse por cauces distintos. Efectivamente, poco después de escribir las "Observaciones" comenzó a componer una novela histórica que precisamente no lo era en el sentido convencional, porque brindaba al público, no la visión estilizada e irreal del pasado remoto que se encuentra en las obras de López Soler, Larra o Fernández y González, sino una serie de lecciones sobrias y realistas sobre el pasado próximo que ponían al descubierto las raíces de los conflictos actuales. La idea de la "intrahistoria," tan cara a Unamuno y puesta en práctica por primera vez en España por Galdós en los *Episodios nacionales*, donde el fluir de la historia es representado a través de los acontecimientos en la vida diaria de las personas humildes, es un resultado, consciente o no, del popularismo y del particularismo de Herder.

El ser popularista no es, sin embargo, lo mismo que ser populachero. Si alguna validez tienen las ideas esbozadas en este trabajo, debemos descartar de una vez para siempre la imagen de un Galdós estilísticamente desaliñado, intelectualmente ingenuo, convencional, "garbancero" en una palabra, a favor de un Galdós pensador, de intelecto riguroso, amplia cultura literaria y plena conciencia de su tarea. Aunque le quedaban por delante muchos años de tanteos y experimentos más o menos inciertos antes de llegar a su plena madurez de como escritor, la filosofía de la historia suministró a Galdós, al inicio de su carrera literaria, un principio unificador que le permitió desarrollar una visión clara de su misión, la cual no era nada menos que dar a su pueblo una imagen verdadera, a la vez crítica y amorosamente comprometida, de cómo habian llegado a ser lo que eran, y hacia adónde iban.[13]

Trinity College, Dublin

NOTAS

1 *El siglo XIX en España: doce estudios* (Barcelona: Planeta, 1974), págs 14–15.
2 Ensayo publicado por primera vez en la *Revista de España* y reeditado en Benito Pérez Galdós, *Ensayos de crítica literaria*, ed. Laureano Bonet (Barcelona: Península, 1972), págs 115–32. Todas las citas de este ensayo son de esta edición, y las páginas se indicarán en paréntesis después de cada una.
3 El mismo Ventura Ruiz Aguilera, cuyos *Proverbios ejemplares* (1864) y *Proverbios cómicos* (1865) fueron reseñados por Galdós en las "Observaciones," esbozó análogas opiniones en el prólogo de los *Proverbios ejemplares*, y también en el de una obra anterior, *Ecos nacionales* (1849).
4 Ensayo publicado por primera vez en 1862, recogido luego por el autor en sus *Estudios literarios* (Madrid: Imprenta de Labajos, 1866), y posteriormente en la segunda edición ampliada, *Estudios de literatura y arte* (Madrid: Librería de

Victoriano Suárez, 1876). El texto se puede consultar en Juan López-Morillas,
ed., *Krausismo: estética y literatura* (Barcelona: Labor, 1973), págs 111–61.
Todas las citas de este ensayo son de esta edición y las páginas se indicarán
en paréntesis después de cada una. La introdución a este tomo por el profesor
López-Morillas, junto con su importantísimo trabajo, "Las ideas literarias de
Giner de los Ríos," *RO*, núm. 34 (1966), 32–57, son los mejores resúmenes
que conocemos de la teoría literaria krausista. Nos es grato reconocer nuestra deuda al profesor López-Morillas, cuya labor de aclaración de la historia
intelectual de España en el siglo XIX nunca ha sido superada.

5 Johann Christoph Friedrich von Schiller, *Uber die ästhetische Erziehung des
Menschen*, (Tübingen: *Die Horen*, 1795), carta 22, párrafo 5. La traducción
española es mía.

6 *Uber die ästhetische Erziehung*, carta 9, párrafo 7.

7 *Uber die ästhetische Erziehung*, carta 27, párrafo 12.

8 *Uber die ästhetische Erziehung*, carta 27, párrafo 10.

9 Johann Gottfried von Herder, *Philosophie de l'histoire de l'humanité*, tr. Emile
Tandel, 3 tomos (Paris: Firmin Didot, 1861–62). Todas las citas de este ensayo
son de esta edición, tomo II, y las páginas se indicarán en paréntesis después de
cada una. Tampoco debemos descartar la posibilidad de que el mismo Galdós
hubiera leído por su cuenta esta traducción antes de escribir sus "Observaciones." Aunque no figuran en su biblioteca personal ni las *Ideen* de Herder ni la
Asthetische Erziehung de Schiller, la mayor parte de las obras de literatura alemana que poseía (15 de unas 27, sin contar tres obras de Nietzsche, sin fecha de
publicación), fueron publicadas antes de 1868 (Véase H. Chonon Berkowitz,
La biblioteca de Pérez Galdós [Las Palmas: El Museo Canario, 1951, págs
173–74]). Este dato, claro, no nos dice nada acerca de la fecha de adquisición
de dichos libros, pero no deja de tener interés el hecho de que estas quince
traducciones se publicaran todas, con una sola excepción, en París, y que diez
de ellas fueran impresas entre 1860 y 1867. La coincidencia de fechas con los
primeros viajes de Galdós a París es evidente. Además, como es bien sabido,
teniendo Galdós a su disposición, a partir de 1865, la biblioteca del Ateneo,
sus lecturas no estaban restringidas, ni con mucho, a los libros de su colección
particular. Otro dato curioso es que el personaje José García Fajardo, cuyas
lecturas juveniles se suelen tomar como reflejo de las de Galdós (aunque con un
gran riesgo de basar conclusiones firmes sobre conjeturas injustificadas), relata
en *Las tormentas del 48* cómo él y ciertos compañeros leyeron clandestina-
mente las *Ideen* de Herder (Benito Pérez Galdós, *Obras completas*, II [Madrid:
Aguilar, 1951], 1361–62).

10 Para el no especialista el mejor resumen de la filosofía de la historia de Herder es Isaiah Berlin, "Herder and the Enlightenment," en Earl R. Wasserman,
ed., *Aspects of the Eighteenth Century* (Baltimore: Johns Hopkins Press, 1965),
págs 47–104. Véanse también A. Gillies, *Herder* (Oxford: Basil Blackwell,
1945) y Arthur O. Lovejoy, "Herder and the Enlightenment Philosophy of Hi-

story" en su *Essays in the History of Ideas* (Baltimore: Johns Hopkins Press), págs 166–82.

11 Aunque el diario que escribió Herder durante este viaje no se publicó hasta la edición monumental, a cargo de Bernhard Suphan, de su *Sämtliche Werke* en 33 tomos (Berlín: Weidmann, 1877–1913), fue durante este trayecto cuando Herder concibió el plan ambicioso de una filosofía de la historia humana, desarrollado posteriormente en las *Ideen*. Concretamente, fue su experiencia de Francia la que le ayudó a formular sus ideas sobre la particularidad cultural de cada pueblo.

12 Citado por Berlin, pág. 67. La traducción española es mía.

13 Por ende, no compartimos el criterio de aquellos críticos que ven en las "Observaciones" un esquema detallado para toda su futura producción literaria: véanse Berkowitz [1948, 145–46]; Montesinos [1968–73, I, 34–35]; Bonet, pág. 31. Es curioso que esta idea de que Galdós empezó por elaborar un plan completo de su futura producción literaria sea de alguna antigüedad, siendo sugerida por Ramón D. Perés en 1892 (Bonet, pág. 85, nota 12).

Brian J. Dendle

Historia y ficción en *Trafalgar* y en *El equipaje del rey José*

En un estudio recién publicado [1986] sobre las dos primeras series de los *Episodios nacionales* fijé mi atención en dos objetivos principales: dilucidar la intención ideológica que tenía Galdós al escribirlos, y dar de ellos un juicio literario global. A ese estudio se añade ahora, como suplemento y no como análisis profundo de las dos novelas en cuestión, el presente trabajo. De manera un poco arbitraria he seleccionado el primer *episodio nacional* de la primera serie, *Trafalgar* (1873), y el primero de la segunda, *El equipaje del rey José* (1875), para arrojar más luz sobre ciertos aspectos—poco investigados hasta ahora—de la mezcla que hizo Galdós de la historia y de la ficción en los *episodios* de la primera época.

Trafalgar

Desde muchos puntos de vista *Trafalgar* es novela inferior a la anteriormente escrita por Galdós, *El audaz* (1871), en la que, pese a algunos *longueurs*, se destacan una trama relativamente sencilla, una caracterización verosímil y una postura narrativa de cierta confianza frente al lector. Galdós concibió *Trafalgar* como parte de un esquema mucho más ambicioso: había de ser la primera de veinte novelas breves (*episodios nacionales*) de una serie que enfocase los sucesos más importantes de la historia española entre 1805 y 1840 [Dendle 1980]. El plan original resultó estar mal concebido: la voz narrativa en primera persona, el énfasis sobre los sucesos en vez de los personajes o las situaciones dramáticas, y el intento de rivalizar con la historia de los libros de historia convencionales, todo había de plantearle al narrador tantos problemas que las pretendidas memorias de Gabriel Araceli fueron abruptamente truncadas al final del décimo *episodio nacional*, *La batalla de los Arapiles* (1875). Los defectos inherentes al enfoque narrativo adoptado por Galdós se ponen de relieve en *Trafalgar*, una de sus novelas más flojas. En este ensayo me propongo examinar especialmente los capítulos IX a XVI de este *episodio*, es decir,

las ciento veintitantas páginas dedicadas a cubrir el período de tiempo
que transcurre desde el momento en que sale Gabriel de Cádiz a bordo
del *Santísima Trinidad* (18 de octubre de 1805), hasta el naufragio del
Rayo cinco días más tarde.[1] Estos capítulos manifiestan las deficiencias
del plan inicialmente concebido por Galdós para la serie: la saturación de
una sección limitada del *episodio* con demasiados detalles "históricos," la
incoherencia de la perspectiva narrativa, y el tono excesivamente literario
de la descripción de la batalla por parte de Gabriel.

A) *La descripción de la batalla y el joven Gabriel*

Los antecedentes de la batalla nos son suministrados de un modo, si bien
poco denso, adecuado. Marcial narra la batalla del Cabo de San Vicente
(págs 30–38); el jactancioso Malespina recuerda detalles de la guerra de
Rosellón (pág. 74); doña Flora y Churruca se refieren a la situación difícil
en que se encuentra Villeneuve antes del combate naval (págs 83–89). Y
Gabriel, en su papel de narrador, menciona las victorias de Napoleón en
Ulm y en Austerlitz (pág. 213). Se nos dan algunos pormenores acerca de la vida española o las costumbres sociales: el papel que juega el
chismorreo a falta de periódicos (pág. 82), los vestidos que llevan las amigas de doña Flora (págs 92–93), las pelucas empolvadas de los oficiales
(pág. 100), las coletas que llevan los soldados rasos (pág. 100), la arena
que se esparce para limpiar la sangre derramada en las cubiertas durante
la batalla (pág. 111) y la paga no recibida por los marinos (pág. 204). El
vocabulario náutico se limita a la descripción de los mástiles del *Santísima
Trinidad* (pág. 99).

Se narra la batalla de Trafalgar desde varios puntos de vista (capítulos
IX a XVI). El octogenario Gabriel recuerda la batalla en que había partici-
pado a los catorce años de edad como criado de don Alonso Gutiérrez de
Cisniega. Sus estudios subsecuentes del combate (pág. 112) le permiten
proporcionar las medidas exactas del *Santísima Trinidad* (págs 98–99) y
un diagrama de las posiciones iniciales de las dos armadas (pág. 114).
Sin embargo, a fin de ofrecer una perspectiva más comprensiva del combate, algo semejante a la de los libros de historia, Gabriel se sirve de las
observaciones de otros participantes: Marcial explica la estrategia seguí-
da por los jefes rivales (págs 106–07, 109–10), un oficial inglés relata la
muerte de Nelson (págs 136–38), Rafael Malespina, la de Churruca (págs
159- 67), y un marinero, la de Alcalá Galiano (págs 205–08). Al llegar
a Cádiz, Gabriel se entera de la suerte que tuvieron los demás marineros
de la escuadra (pág. 211). El mismo entra de servicio en nada menos que
cuatro buques: en el *Santísima Trinidad*, que, cogido por los ingleses el 21

de octubre, se hunde al día siguiente; en el *Prince*, que también naufraga; en el *Santa Ana*, el 22 de octubre; y, ya recobrado y hundido éste, en el *Rayo*, que luego se va a pique el 23 de octubre.

Gabriel, además de ser un observador ávido de presenciar las escenas del combate, en el que resalta el heroísmo de los españoles, también es un participante activo en el encuentro naval: en el *Santísima Trinidad* ayuda a los asistentes a transportar a los heridos a la enfermería, a los carpinteros a taponar vías de agua, y a Marcial a disparar un cañón. Aunque herido hasta tal punto que se desvanece (por pérdida de sangre), vuelve en sí con suficiente rapidez como para hacer funcionar las bombas de agua. Al día siguiente, el 22 de octubre, a pesar de tener frío y hambre, vuelve Gabriel a hacer funcionar las bombas de agua, a ayudar a los carpinteros y a tomar parte en la recogida de cadáveres. En el *Santa Ana*, aunque cansadísimo, Gabriel atiende a los heridos. Dos veces pierde el conocimiento en barcos que se van hundiendo (el *Prince* y el *Rayo*). (El lector ha de asumir que su salvamento en ambas ocasiones representa, seguramente, la intervención de la Divina Providencia.) La actuación de Gabriel es ejemplar: pese al frío, al hambre, al insomnio y al miedo, lucha contra los enemigos de España y ayuda a sus compatriotas. No posee ningún rasgo de cobardía, aparte la inexperiencia juvenil, de modo que su miedo existe sólo para ser vencido y nunca degenera a cobardía. Satisfecho de sí mismo, desprecia a la gente de leva por su falta de ánimo patriótico (págs 101, 115). A diferencia de los soldados del *Santísima Trinidad* (pág. 115) o del capitán Hornblower, héroe de las novelas de aventuras marítimas de la época napoleónica escritas por C. S. Forester, Araceli nunca padece del mareo, aun en medio de las borrascas que hunden al *Rayo*.

En vez de proporcionársele al lector un resumen muy claro de la batalla, le desorientan a éste las múltiples perspectivas adoptadas para la narración y las actividades efectuadas por Gabriel en uno y otro barco. Esta confusión aumenta al alternar constantemente el narrador viejo la descripción de la batalla con declaraciones (en vez de evocaciones) sobre los sentimientos de Gabriel. Así que, se nos habla de un Gabriel que es entusiasta (pág. 96), curioso (págs 96–99, 120, 130, 191), orgulloso o egocéntrico (págs 102, 105, 108, 130), medroso (págs 96, 112, 121, 126, 145), valeroso (págs 120, 121, 148), sentimental (págs 172, 191) y triste (pág. 175). Estas observaciones no sólo apartan completamente la atención del lector del relato de la batalla, sino que también, a menudo, resultan especialmente mal inventadas. Por ejemplo, en las dos primeras citas que siguen, el narrador pretende experimentar—en una sola frase—el miedo, el valor y la curiosidad. En la tercera, el narrador salta de una observación sobre las emociones a la presentación, en términos literarios de una asombrosa banalidad, del espectáculo externo:

Confesaré que yo tenía momentos de un miedo terrible, en que me hubiera escondido nada menos que en el mismo fondo de la bodega, y otros de cierto delirante arrojo en que me arriesgaba a ver desde los sitios de mayor peligro aquel gran espectáculo. (Págs 120–21)

* * *

El entusiasmo de los primeros momentos se había apagado en mí, y mi corazón se llenó de un terror que me paralizaba, ahogando todas las funciones de mi espíritu, excepto la curiosidad. (Págs 126–27)

* * *

Cuando el espíritu, reposando de la agitación del combate, tuvo tiempo de dar paso a la compasión, al frío terror producido por la vista de tan grande estrago, se presentó a los ojos de cuantos quedamos vivos la escena del navío en toda su horrenda majestad. (Pág. 134)

Nuestro Gabriel, que tiene catorce años, también posee una imaginación fuertemente desarrollada. Insiste en repetir que necesita imaginar las cosas "hasta un extremo exagerado," asociar las ideas con las imágenes (págs 97, 112), como cuando personifica a los barcos como gigantes o gladiadores (pág. 122). Gracias a su imaginación ve cómo los heridos se ahogan en el *Santísima Trinidad* y hasta cómo un brazo (¿de Dios?) desciende del cielo: "hasta creí distinguir en el negro cielo un gran brazo que descendía hasta la superficie de las aguas. Fue sin duda la imagen de mis pensamientos reproducida por los sentidos" (pág. 151). La imaginación de Gabriel es tanto auditiva como visual: en los barcos que salen de la bahía de Cádiz percibe "cierta misteriosa armonía . . . especie de himno que sin duda resonaba dentro de mí mismo" (pág. 104). Su imaginación ("que entonces predominaba en mí") le lleva también a soñar con triunfos futuros de la armada española (pág. 112). Más tarde, a bordo del *Santa Ana*, durante pesadillas producidas por un cerebro sobreexcitado, Gabriel sueña que comanda mil naves en una batalla (pág. 169).

Este Gabriel de catorce años no sólo es un buen observador, medroso, valeroso, entusiasta, curioso e imaginativo, sino que también es un chico muy adicto a las meditaciones filosóficas, como lo sugiere el narrador de un modo algo irónico:

No acabó aquella travesía sin hacer, conforme a mi costumbre, algunas reflexiones, que bien puedo aventurarme a llamar filosóficas. Alguien se reirá de un filósofo de catorce años; pero yo no me turbaré ante las burlas, y tendré el atrevimiento de escribir aquí mis reflexiones de entonces. Los niños también suelen pensar grandes cosas; y en aquella ocasión, ante aquel espectáculo, ¿qué cerebro, como no fuera el de un idiota, podría permanecer en calma? (Pág. 152)

En diez ocasiones por lo menos (capítulos IX a XVI) Gabriel hace declaraciones sentenciosas: se pregunta para qué sirve el empolvarse la peluca los oficiales antes de la batalla (pág. 100); se da cuenta de lo que significa la patria (págs 116–18), de que el heroísmo es una forma del pundonor (pág. 131); descubre que los ingleses también tienen patria y parientes que les quieren (págs 135–36); reflexiona que los entierros marítimos son más tristes que los terrestres (pág. 143); concluye que las guerras las inician los malos para su provecho personal (pág. 153); decide que un solo tonto puede causar en su vida tanto daño como naciones enteras gobernadas por centenares de hombres de talento (pág. 168); medita sobre la triste nobleza de Churruca (págs 168–69); piensa que el destino se burlará de nuestros planes mejor concebidos (pág. 175); y lamenta que los marinos españoles no tengan jefe competente.

Unida a esta sentenciosidad de Gabriel va una acusada piedad. Su concepto de lo que es la patria le conduce a rezar espontáneamente (pág. 118). Se indigna por la profanación llevada a cabo sobre el cadáver de su tío malvado. De una manera ostentosa, el narrador llama la atención del lector sobre cómo el joven Gabriel ruega a Dios que perdone a su tío, como él le había perdonado: "Yo les aseguro a ustedes, y no dudo en decir esto, aunque sea en elogio mío, que le perdoné con toda mi alma, y que elevé el pensamiento a Dios, pidiéndole que le perdonara todas sus culpas" (pág. 145). Gabriel cree que en el mismo momento en que se hunde el *Santísima Trinidad* la Divina Misericordia llena el barco (pág. 151). Gabriel experimenta "un combate moral" al ver que vive todavía su rival sexual, Rafael Malespina. No obstante, domina fácilmente "la parte perversa de mi individuo" (pág. 158). Se confiesa con Marcial (págs 197, 200–01). Cuando naufraga el *Rayo*, Gabriel cierra los ojos, pensando en Dios (pág. 202).

B) *La intervención de la literatura*

Trafalgar es, desde luego, una novela. Desde el mismo principio, el narrador viejo nos presenta, no sólo el pasado histórico (la batalla de Trafalgar), sino también un mundo ficticio. En el segundo párrafo de la novela, el autor de estas memorias se refiere al *Quijote* (el "Emperador de Trapisonda") y a *El buscón* de Quevedo. Además, el narrador concluye el sexto párrafo con el tono pesadamente piadoso de una novela picaresca: "Pero quiero poner punto en esta parte de mi historia, pues hoy recuerdo con vergüenza tan grande envilecimiento, y doy gracias a Dios de que me librara pronto de él llevándome por más noble camino" (pág. 7). Esto no significa, *pace* Joaquín Casalduero [1970], que Galdós esté estableciendo una conexión entre Gabriel y un pícaro. Más bien las referencias literarias manifiestan el humor juguetón del Gabriel envejecido, constituyendo así un manierismo, útilmente calificado por Francisco Ynduráin [1970, 51] de "ese mal entendido procedimiento de 'embellecer' la prosa a poca costa." Otras pruebas concluyentes de que nos hallamos, en efecto, en un mundo de ficción las constituyen los nombres botánicos que se dan a ciertos personajes ficticios (Cisniega, Rosita, Malespina, doña Flora); el paralelismo, aunque sólo sea superficial, entre don Alonso y don Quijote; la petición de vino que hace el indocto Marcial a Pedro Abad (pág. 128); los cuentos de don José María Malespina; el relato verosímil, si bien falso, de éste acerca de la muerte de su hijo: "una novela de heroísmo y habilidad" (pág. 217).

No obstante la sentenciosidad del joven narrador y el tono heroico que pervade toda la relación de la batalla, muchas veces suena un tono cómico en *Trafalgar*. El vocabulario original que emplea Marcial sirve para entretener al lector. Doña Flora, enamorada de Gabriel ("Las rosas marchitas de su amor"), a quien está resuelta a seducir, es un tipo gracioso. Un marinero se refiere al "capitán moro Alejandro Magno" (pág. 206). Las invenciones de Malespina padre son comparables a las del barón Münchhausen. Gabriel adopta una postura propia de una comedia sentimental al arrodillarse ante don Alonso cuando amenaza suicidarse (pág. 95). Nuestro Gabriel octogenario, a pesar de su patriotismo sentimental, frecuentemente utiliza una perspectiva narrativa algo festiva frente a su material. En el primer capítulo, por ejemplo, equipara de una manera algo rara sus experiencias juveniles con los esfuerzos de los viejos verdes por volver a despertar la sensualidad dormida al contemplar los retratos de chicas guapas (pág. 14). Recurre también a la perífrasis graciosa para describir los golpes que le da doña Francisca (págs 44–45, 59). El relato del combate de Trafalgar asume un tono ligero, debido a la tendencia constante de Gabriel a llamar la atención del lector sobre la narración misma, por ejemplo: "El lector extrañará que . . . " (pág. 139); "No quiero, pues, fastidiar a mis lectores . . . " (pág. 157). Otras veces, se trata de una frase deliberadamente literaria, que se usa para crear un efecto paródico: el día en que Rosita se pone un vestido largo por primera vez es "un día mil veces funesto, mil veces lúgubre" (pág. 50). En las dos citas siguientes, que forman una clase de parodia de los clisés del folletín, el narrador exagera a propósito sus reacciones físicas:

Los cabellos blancos que hoy cubren mi cabeza se erizan todavía al recordar aquellas tremendas horas, principalmente desde las dos a las cuatro de la tarde. (Pág. 122)

* * *

Por las escotillas salía un lastimero clamor, que aún parece resonar en mi cerebro, helando la sangre en mis venas y erizando mis cabellos. (Pág. 149)

Al relatar la historia de la batalla naval, Gabriel como narrador compone conscientemente una obra literaria. De ahí que se desvíe la atención del lector desde el suceso narrado hacia la frase literaria. Así se pierde ese sentido de inmediatez que debería tener el relato del suceso. Algunas veces se emplean metáforas: el *Santísima Trinidad* es "aquel Escorial de los mares" y sus mástiles están "lanzados hacia el cielo, como un reto a la tempestad" (pág. 99). El mar es "emblema majestuoso de la humana vida" (pág. 175). Al irse a pique el *Rayo*, el mástil se convierte en coloso que pide misericordia al cielo: "aquel árbol orgulloso en que flotaban trozos de cabos y harapos de velas, y que resistía, coloso desgreñado por la desesperación, pidiendo al cielo misericordia" (pág. 199). A menudo se antropomorfiza a la Naturaleza: "Parecía que la Naturaleza había de sernos propicia después de tantas desgracias; pero, por el contrario, desencadenáronse con furia los elementos, como si el Cielo creyera que aún no era bastante grande el número de nuestras desdichas" (págs 139–40). Las reacciones humanas, o en palabras de Ruskin, la "falacia patética," se atribuyen a la Naturaleza: el último rayo del sol poniente cae sobre la bandera española al ser arriada en el *Santísima Trinidad* (págs 133–34); el *Santa Ana* es "conducido amorosamente" por el viento (pág. 173). Abundan las frases hechas: "un eco infernal" (pág. 119); "serenidad heroica" (pág. 120); "sublime cólera" (pág. 121); "fatídicos dibujos" (pág. 124); "aquel sublime momento" (pág. 126); "atroz martirio" (pág. 151). La tranquilidad estoica de Uriarte hace meditar a Gabriel sobre la significación de la palabra "sublimidad" (pág. 129).

El pasaje más impresionante de *Trafalgar* es el que refiere la visión comprehensiva que tiene Gabriel al abandonar la armada la bahía de Cádiz (págs 117–19), y que Francisco Ynduráin ha calificado con sobrada razón como "un texto antológico."[2] No obstante esto, la misma excelencia literaria del pasaje desvía la atención del lector de la narrativa. De tono igualmente literario es la cita siguiente en que se describe una borrasca como si fuese en realidad una persona:

A todas éstas se venía la noche encima con malísimo aspecto: el cielo, cargado de nubes negras, parecía haberse aplanado sobre el mar, y las exhalaciones eléctricas, que lo inflamaban con breves intervalos, daban al crepúsculo un tinte pavoroso. La mar, cada vez más turbulenta, furia aún no aplacada con tanta víctima, bramaba con ira, y su insaciable voracidad pedía mayor número de presas. Los despojos de la más numerosa escuadra que por aquel tiempo había desafiado su furor juntamente con el de los enemigos, no se escapaban a la cólera del elemento irritado como un dios antiguo, sin compasión hasta el último instante, tan cruel ante la fortuna como ante la desdicha. (Pág. 174)

Los personajes y la trama "novelística" de *Trafalgar* (el cortejo fracasado de Rosita por parte de Gabriel) están lo bastante bien presentados como para mantener el interés del lector. El fracaso de la novela consiste en tratar de reproducir literariamente la batalla naval de Trafalgar. La multiplicidad de perspectivas, los grandes entusiasmos, las emociones siempre cambiantes, la sentenciosidad trivial y las autocongratulaciones del joven Gabriel, la acumulación de demasiados detalles (los cuatro períodos de servicio cumplido por Gabriel en cada buque y los pasajes que refieren el destino sufrido por los demás de la escuadra) y la tendencia curiosa, casi grotesca, del narrador viejo a transformar las secciones sobre la batalla y la borrasca en pasajes de tono fuertemente literario; todo esto crea al lector una impresión confusa. Este no saca ninguna visión clara del combate, y en realidad la sección correspondiente de cualquier enciclopedia contiene muchísima más información que este *episodio* sobre las posiciones respectivas de ambas armadas y la táctica genial de Nelson. Por cierto que esta confusión no era cosa proyectada por Galdós, ya que en las versiones posteriores de las batallas de Bailén y de Salamanca, mostró ser un historiador igualmente incompetente. Mientras que Stendhal consigue pintar la confusión de cualquier campo de batalla, gracias a la participación deliberadamente inconsciente de Fabrice del Dongo en la de Waterloo, Gabriel como narrador omnisciente no tiene éxito al tratar de dar una visión del combate de Trafalgar.

Este defecto se debe en parte a la selección algo curiosa del joven y mal informado Gabriel como protagonista. De haberlo sido un personaje de conocimientos más sólidos, tal como un oficial de la marina española o un alto funcionario del gobierno español, se habría producido fácilmente una versión más comprehensiva del encuentro histórico y de la política española. Por otra parte, un escritor realista o naturalista se habría interesado más en las experiencias de los marinos que participaron en la batalla, aun en las de los enganchados que desprecia Gabriel con tanta presunción. Sin embargo, Galdós rechaza cualquier exploración "realista" de la vida española del año 1805, todo a favor de un enfoque superficial y algo "pintoresco." Gabriel se ve separado del contexto socio-económico, y por ende, histórico. No llega a ser más que un observador, que, a pesar de las varias actividades a que se entrega durante los cinco días del periplo naval, no sabe nada de asuntos marítimos ni militares. La visión fundamental que tiene del heroísmo patriótico de los españoles (visión compartida por el narrador viejo) es de una simplicidad pueril y se presenta sin matiz alguno. Más bien que una pintura "realista" de la batalla y de sus efectos sobre los participantes, lo que nos ofrece Galdós es una versión parcial y febril de la misma en que también desempeñan un papel importante los elementos de un pintoresquismo literario inmóvil. La versión de Gabriel se fabrica según el patrón típico de un libro de historia decimonónica destinado al consumo popular. Por eso falta la verosimilitud, a menos que uno comparta tal visión heroica ofrecida por los ojos impresionables de Gabriel.

Hasta cierto punto se pudiera comparar la práctica novelística de Galdós en este *episodio* con la del novelista inglés, C. S. Forester (1899–1966), tal como se ve en una serie, algo análoga, dedicada a las aventuras del capitán Hornblower. En *Trafalgar* queda subordinado el suceso histórico al propósito moral de tal manera que personajes históricos como Uriarte, Churruca y Alcalá Galiano se destacan sobre todo por su ejemplaridad moral. En la serie dedicada a Hornblower no existe ningún intento obviamente moralizador, si se exceptúa el de dar una impresión general de la justicia de la lucha de los aliados contra Napoleón. Con mucha más verosimilitud se insertan los personajes históricos en el tejido narrativo de las novelas de Forester que en los retratos reglamentarios tan del gusto de Galdós. Gabriel participa en las batallas como un joven dominado por las emociones, Hornblower como hombre más intelectual que calcula la táctica de una manera tranquila. En todos los *episodios* de la primera serie se muestra Gabriel sólo parcialmente consciente de la situación nacional. Hornblower está más enterado de las estrategias adoptadas por los contendientes, y de las fuerzas políticas que se ponen en juego. En gran parte, Gabriel se encuentra divorciado de cualquier contexto social, mientras que a Hornblower se le ve muy preocupado por tales problemas diarios como los de las cuentas no pagadas, el porvenir de su carrera, las dificultades matrimoniales, la comida, la ropa, el sentimiento de inferioridad social, etcétera. Sin embargo, es en los detalles sobre la vida marina donde se encuentra una gran diferencia entre la serie de Hornblower y *Trafalgar*. En aquélla se aprende mucho—claro, en un contexto británico—de lo que se omite en el *episodio* de Galdós: la disciplina feroz conforme a la cual se imponen castigos tan inhumanos a los marineros; las redes que rodean los buques anclados en los puertos para impedir la deserción de los marinos; los guardias cuyo único objetivo es matar a los que se atrevan a abandonar la cubierta durante una batalla (cfr. el errabundeo de Gabriel en el *Santísima Trinidad*); la comida y la bebida tan asquerosas con las correspondientes enfermedades; la intervención de la política en asuntos de la marina; las preocupaciones de los oficiales por conservar su puesto, sin mencionarse nada del ascenso en el servicio militar; y la mísera suerte de los enganchados rebeldes, a los que compadece Hornblower, a diferencia de Gabriel, que desprecia a todos los que no sean capaces de llegar como él a las alturas del heroísmo.

EL EQUIPAJE DEL REY JOSÉ

El equipaje del rey José constituye un gran avance en cuanto al arte narrativo de Galdós. Abandonando la ficción de las memorias de un narrador oscuro, las cuales en *La batalla de los Arapiles* habían degenerado ya en obra de puro capricho, donde, por ejemplo, incluso se cuestiona la misma existencia de Miss Fly, nuestro escritor escribe ahora en tercera persona y con una confianza total, puesto que ahora entra en la mente de los personajes, destacando sus errores de comportamiento o de opinión, y establece enlaces entre el pasado histórico y la actualidad (la de la tercera guerra carlista), discutiendo los aspectos más importantes de su narrativa, pero sin la socarronería de Gabriel (págs 52, 53, 101, 201).[3]

La conexión con las novelas anteriores de Galdós—y también, por eso, la familiaridad del lector con un mundo ya conocido—se mantiene mediante la reaparición de numerosos personajes creados en *La Fontana de Oro*, *El audaz* y la primera serie de los *episodios nacionales*. Los principales se nos presentan de forma directa: Salvador Monsalud (págs 15–17), Fernando Navarro (págs 101–06) y Jenara de Baraona (págs 236–38). La trama del *episodio*, basada tanto en la rivalidad de dos hermanastros (Salvador Monsalud y Carlos Navarro) por la mano de la apasionada Jenara de Baraona, como en las diferencias ideológicas de éstos (y cuyo fondo histórico lo constituyen la retirada de Madrid de José Bonaparte en 1813 y el comienzo de la lucha secular entre reaccionarios y reformadores), está repleta de tensión dramática.

Otra señal de la nueva confianza del narrador se ve en los numerosos cambios de tono en el *episodio*. Hay escenas de diálogo muy emocionado (por ejemplo, en los episodios de la cita nocturna de Monsalud y Jenara, y el intento de Fernando Navarro, ya condenado a muerte, de convertir a Monsalud a la causa absolutista), de horror (cuando las cureñas atropellan a los heridos, págs 211–13), de dignidad sobria (la descripción de los momentos posteriores a la batalla), de sátira (la gente que merienda

en el campo de batalla), de yuxtaposición graciosa (cuando charla trivial-
mente Pepita Sanahuja en medio de los desastres de la guerra), y de lo
grotesco (cuando Fernando Navarro se arrodilla enloquecido ante Salvador Monsalud). Otras veces, el narrador bromea con el lector: esto se
nota, por ejemplo, en el juego de la palabra "puerta" (Otomana) (pág.
15), la apoteosis burlesca de la amistad de Monsalud y Bragas (pág.
18), la asociación jocosa de la destrucción de una pintura y la pasión de Cristo
Crucificado (pág. 50). También se hallan bastantes ejemplos de ironía: los
clisés del revolucionario Canencia; las acotaciones teatrales que interrum-
pen el discurso del traidor interesado, Andrés Monsalud; la presentación
de Fernando Navarro ("nuestro gran Fernando") y de sus preparaciones
quijotescas para salir de casa en busca de aventuras; el tratamiento de la
idea carlista (desmentida por los sucesos reales) de que Dios protege a
su Causa; y el intercambio disfrazado de verdades amargas entre Carlos
Navarro y Salvador Monsalud en el último capítulo del *episodio*.

La caracterización es más verosímil que la de *Trafalgar*, pese a las notas
simbólicas y políticas. Salvador Monsalud se revela como joven cándido,
tímido, generoso y compasivo, sin interés en la política, enamorado de
Jenara, y leal a su madre y a los franceses, que le dieron trabajo cuando
él lo necesitó. Pero también es un tipo emocional, aun inestable: ante su
madre amenaza suicidarse (pág. 64), se enoja en varias ocasiones (págs
92–93, 255–63), y, presionado por los hechos del momento, casi se vuelve
loco (pág. 100). Cuando se emborracha, blasfema e insulta a la gente. Su
medio hermano, Carlos Navarro, también se caracteriza por una mezcla
de cualidades opuestas: mucho menos violento que su padre, protege a
veces a Monsalud. Sólo al ser atormentado por los celos sexuales, busca
matar a éste. El único otro personaje con rasgos "realistas" es Jenara de
Baraona, mujer apasionada, superficial y sexualmente celosa.

Predominan en *El equipaje del rey José* elementos del melodrama o del
folletín. Los capítulos terminan en una nota de suspense; por ejemplo, el
VII concluye con el grito de la aterrorizada de doña Fermina: "—¡Hijo
mío! . . . , ¡francés!" (pág. 57). El capítulo X termina cuando Jenara
manda a Carlos Navarro que mate a Monsalud: "¡Navarro, mátale, mátale
sin piedad!" (pág. 87). Al final del XI, Monsalud proclama en términos
cósmicos la oposición total entre él y su rival:

—¡El guerrillero, yo francés! . . . ¡Yo francés, él guerrillero! . . . ¡El blanco, yo
negro! . . . ¡El cielo, yo tierra! ¡Si ese hombre fuera Dios, yo quisiera ser el
Demonio! (Pág. 96)

La novela finaliza cuando, al acercarse unos desconocidos, Monsalud mata, por lo visto, a Navarro (pág. 264). Los personajes adoptan actitudes extremadamente melodramáticas: Jenara de Baraona, doña Perpetua, Fernando Navarro y Miguel de Baraona son fanáticos religiosos o políticos. Fernando Navarro, ya enloquecido, se suicida. Carlos Navarro tiene "una diabólica risa" (pág. 260) y "habla con ironía semejante a la del Diablo cuando sonríe a las almas en el momento de cargar con ellas" (pág. 261). También hay escenas que son más propias del folletín: Monsalud, ya vestido de uniforme francés, hace la corte a la fanática Jenara mientras ésta desahoga su odio eterno a los afrancesados. Sin saberlo, Monsalud asiste a su propio padre, ya condenado a muerte en la misma celda; Carlos Navarro y Jenara se prometen amor eterno en el momento justo en que aparece Monsalud en escena. Los dos se ayudan mutuamente a dar unos cuantos pasos cuando están, en realidad, a punto de batirse en un duelo a muerte. Otros rasgos característicos del folletín son los nombres simbólicos de los personajes, la representación de la lucha política mediante la rivalidad amorosa de dos hermanos, la separación simplista de los personajes en un grupo de buenos y otro de malos, y por fin, la atribución de rasgos propios de Jesucristo a Salvador Monsalud (el nombre de pila, el sentido de compasión, el ofrecimiento de pan y vino a su padre).

El equipaje del rey José contiene mucha menos "historia" que los *episodios* de la primera serie. No se presenta ninguna figura histórica principal. Los sucesos históricos (cuando José Bonaparte huye de Madrid o cuando las tropas inglesas y españolas imposibilitan la retirada de los franceses cerca de Vitoria) se narran de paso, como si fuese nada más que el fondo de los intereses privados de los personajes novelísticos. No reaparece la nota heroica de *Trafalgar*. Galdós trata de las vicisitudes de un ejército derrotado de una manera sobria. Se pintan los horrores más bien que la gloria de la guerra, por ejemplo, las intervenciones quirúrgicas muy crudas en el mismo campo de batalla, la rapiña y las violaciones sexuales, el egoísmo de los que luchan nada más que para sobrevivir. Las actitudes sociales (por ejemplo, de los serviles que rápidamente cambian de bando, o de los fanáticos rurales) importan más que las operaciones militares.

Galdós hace dos declaraciones de importancia sobre la teoría de la historia en *El equipaje del rey José*. La historia, según el narrador, no sólo se encuentra en las batallas y las hazañas de los famosos, sino también "en el vivir lento y casi siempre doloroso de la sociedad, en lo que hacen todos y en lo que hace cada uno" (pág. 52). Los manuales de historia cuentan la carnicería guerrera o las vidas de los monarcas; entretanto, la vida interna de mortales menos importantes, que no dejan memoria suya y cuyos nombres españoles son Fulano y Mengano, se esconde en el olvido (pág. 53).

Más tarde, Jean-Jean lamenta que la gloria de los generales se base en el sacrificio de innumerables soldados desconocidos (pág. 191). La "historia" falsifica la realidad, contribuyendo así a la explotación política del pueblo: "Luego viene la Historia con sus palabrotas retumbantes, y entre tanta farsa caen unos reyes para subir otros, sin que el pueblo sepa por qué, y los políticos hacen su agosto chupándose la sangre de la nación, que es lo que a la postre resulta de todo" (pág. 192). Con todo, en la práctica, Galdós se muestra menos atrevido de lo que sugerirían estas declaraciones teóricas. A pesar de su defensa de la vida interna (comparable a la intrahistoria unamuniana), Galdós dedica bastante espacio de los *episodios nacionales* de la segunda serie a las fechorías del rey Fernando VII. El protagonista de la misma, Salvador Monsalud, no es hombre de la calle. Al contrario, llegará a ser jefe poderoso de una conjuración liberal. Desgraciadamente, la nota de protesta proletaria sonada por Jean-Jean no se amplifica en los restantes *episodios* de la serie.

Si bien en *Trafalgar* Galdós ensalzaba valores tan positivos como el heroísmo, el patriotismo y las dotes de mando, en *El equipaje del rey José* critica los elementos más repugnantes de la sociedad española. El comportamiento cobarde e irreflexivo de la clase baja incita al narrador, asqueado por su asalto al indefenso Monsalud (lo mismo hacen los aldeanos fanáticos de la Puebla de Arganzón, págs 80, 91), a criticar a la clase baja por ser "bajo, soez, envidioso, cruel y, sobre todo, cobarde" (pág. 33). Hombres borrachos insultan a presos condenados a muerte (pág. 178). No se refuta la censura que hace Monsalud del carácter criminal de los guerrilleros: "plebe inmunda digna del presidio . . . asesinos, ladrones y contrabandistas" (pág. 152). Dos veces alude el narrador a la tendencia de los españoles a practicar el bandolerismo (págs 103, 119). También es de notar cierta hostilidad hacia las mujeres, algunas de las cuales dirigen el ataque contra Monsalud en Madrid (pág. 36). El narrador lamenta el fanatismo de las mujeres en la guerra carlista (pág. 189); algunas sanguinarias asaltan a prisioneros después de la batalla de Vitoria (págs 221–22). El narrador se refiere a Jenara como "esta hermosa bestiecita" (pág. 238). Galdós desprecia a hipócritas como los renegados Juan Bragas, Andrés Monsalud y Serafinita Monsalud, o como el "religioso" Fernando Navarro. También se introduce el tema de la discordia matrimonial, que se tratará extensivamente en *Un faccioso más y algunos frailes menos* (pág. 40). No sólo se critica a los españoles sino que también se hacen referencias peyorativas a la fanfarronería francesa (pág. 196) y a la codicia mercantil de los ingleses (págs 220, 224–25).

Los objetivos principales de este desprecio de Galdós son los tradicionalistas, antecesores de los carlistas de los setenta, que asocian su propia intolerancia religiosa con la nación española. Miguel de Baraona y su nieta Jenara proclaman de un modo estridente que "Dios es español," y, con Fernando Navarro, preconizan una guerra de exterminio contra los que no comparten su ideología. Las ideas extranjeras (es decir, francesas) serán heréticas. La presentación de estos tipos tradicionalistas es exagerada y melodramática: Fernando Navarro, contrabandista, hombre de violencia y donjuán, expiará sus pecados matando a franceses; el cura Aparicio Respaldiza es un asesino cobarde, demasiado egoísta para preocuparse de los problemas espirituales de Fernando; en nombre de la religión, la fanática centenaria, doña Perpetua, enemista a la madre con el hijo; ciertos clérigos, incluso un Inquisidor, meriendan en el campo de batalla de Vitoria. En contraste con la violencia y la falta de caridad de los que pretenden realizar los planes de Dios, Galdós señala otros ejemplos de conducta verdaderamente cristiana: Salvador Monsalud demuestra compasión al condenado Fernando Navarro. Por fin, Respaldiza "supo morir como cristiano" perdonando a sus atormentadores (pág. 181). Antes de morirse, Fernando Navarro se arrepiente de lo mal que ha tratado a ciertas mujeres.

Según el narrador, Dios no hace caso de las oraciones de los tradicionalistas. Fernando Navarro invoca a Dios tres veces (págs 173, 184, 186). En cada ocasión "una voz del Cielo" parece contestar, concediéndole más sufrimiento (págs 175, 185, 186). Igualmente, se equivoca Carlos Navarro al creer que Dios protegería a su padre (pág. 232) y que Dios ha destinado a Jenara para ser su esposa. Pero, si Dios no hace caso de los tradicionalistas, tampoco contesta a las muchas invocaciones de Monsalud. Y los heridos suplican en vano al Cielo: "pero el Cielo debía estar ocupado en otra cosa, porque no les hacía caso" (pág. 210).

En *Trafalgar* Galdós, por medio del narrador viejo, Gabriel, trató de representar el heroísmo de los españoles y la confraternidad universal del hombre. En *El equipaje del rey José* Galdós pinta los horrores de la guerra y el egoísmo inhumano de los ideólogos. En vez del entusiasmo inocente de Gabriel, predominan tales vicios como el fanatismo, la envidia sexual (Jenara, Carlos Navarro) o el miedo (Fernando Navarro, Aparicio Respaldiza). A diferencia de Gabriel, que pronuncia palabras de devoción, Salvador Monsalud grita las blasfemias de un borracho (págs 153–54). La "historia" juega un papel claramente reducido en *El equipaje del rey José*, no obstante lo cual se integran mejor los incidentes históricos en la trama novelística que en el primer *episodio* de la primera serie. El conflicto ideológico entre el tradicionalista y el afrancesado se dibuja con todo el ardor distorsionador del fanático político. De otra parte, el conflicto novelístico es uno de pasion sexual y política más bien que de ideas. Así que, Monsalud, un político inocente, no es liberal en *El equipaje del rey José*: sólo adopta una postura liberal cuando la indiferencia de su "padre" hacia él y la hostilidad de los habitantes de la Puebla de Arganzón le obligan a hacerlo. *El equipaje del rey José* es una novela mucho más impresionante que *Trafalgar*. Galdós, que es un escritor más bien emotivo que intelectual, sobresale en la pintura de la pasión. Y Galdós es más hábil en censurar lo que odia (la turba, los fanáticos religiosos) que en abogar por los valores positivos (por ejemplo, las enseñanzas de Gabriel). No cabe la menor duda de que *El equipaje del rey José* no es novela "realista"; al contrario, las mismas fuentes del estilo narrativo de Galdós—y también su propia fuerza expresiva—tienen que ser buscadas en el mundo del mito, de la lucha cósmica, de la novela romántica y de su congénere, el folletín. En *El equipaje del rey José* las situaciones se sacan del mundo del melodrama más bien que de cualquier "realidad" hipotética. Los tradicionalistas son caricaturas inventadas por la imaginación de un propagandista político. Los personajes simbolizan el bien o el mal; los mismos nombres sugieren una trascendencia política o religiosa, la trama depende del suspense y del misterio; el héroe perseguido asume los atributos de Jesucristo. El valor de *El equipaje del rey José* no se encuentra en la pintura "realista" de la "verdad" histórica, sino más bien en la ironía, en la violencia, en la indicación de una indiferencia cósmica, en el énfasis sobre los extremos de la locura y de la emoción, en la afición a lo grotesco, y en la sugerencia de que existe un lado más oscuro del carácter humano.

University of Kentucky

NOTAS

1 Todas las citas de *Trafalgar* son de la novena edición "esmeradamente corregida" (Madrid: Obras de Pérez Galdós, s.f.) y las páginas se indicarán en paréntesis después de cada una. Esta edición tiene 223 páginas, aunque Manuel Hernández Suárez, *Bibliografía de Galdós* (Las Palmas: Excmo Cabildo Insular de Gran Canaria, 1972) dice que tiene 267.

2 "Nuestro Galdós," *Los Domingos de ABC*, núm. 912 (el 27 de octubre de 1985), 20. Quisiera darle las gracias al Sr Manolo Linares Ortuño por haberme llamado la atención sobre este artículo.

3 Todas las citas de este *episodio* son de la undécima edición (Madrid: Hernando, 1953), y las páginas se indicarán en paréntesis después de cada una.

Emily Letemendía

Galdós y los ingleses en la primera serie de los *Episodios nacionales*

En la primera serie de los *Episodios nacionales* Galdós resume la historia de España a partir de la batalla de Trafalgar en 1805, en la que España, entonces infeliz aliada de Francia, luchó contra Inglaterra, hasta la batalla de "los Arapiles" en 1812, en la que las fuerzas combinadas de España, Portugal e Inglaterra bajo el mando del duque de Wellington se batieron victoriosamente contra las tropas napoleónicas en el combate más decisivo de la Guerra de la Independencia. Es bien sabido que Galdós intentó, por medios diversos, recoger y atenerse a los datos históricos en sus *episodios* [Hinterhäuser 1963, 55–62; Cardona 1968; Montesinos 1968–72, I, 78–79], y por consiguiente, es lícito deducir que estudió con cierta atención las estrechas relaciones entre España e Inglaterra durante este período. No obstante, es de interés que Galdós en esta primera serie no sólo se ocupe de los ingleses y el papel que desempeñaron en la historia de España entre 1808 y 1812, sino que también añada ingleses imaginarios que se destacan en el mundo novelesco de los *episodios* por su modo de ser y de ver a los españoles. Ante esto cabe preguntarse: ¿cómo presenta Galdós a los ingleses en estos *episodios*?; ¿era su intención dar una visión objetiva de ellos? En tal caso, ¿hasta qué punto lo consiguió? O, por otra parte, ¿tenía Galdós prejuicios contra los ingleses?

Personajes ingleses aparecen en tres *episodios* de la primera serie: *Trafalgar* (1873), *Cádiz* (1874) y *La batalla de los Arapiles* (1875). En el primero, el héroe y narrador de los diez *episodios*, Gabriel Araceli, se acuerda en su vejez de los grandes acontecimientos de su vida y de su participación en la batalla de Trafalgar. "Yo nací en Cádiz,"[1] reclama con orgullo, y asocia sus primeros recuerdos de la ciudad con el año 1797, cuando él tenía seis años, y con la impresión indeleble creada por la batalla de San Vicente. En esta referencia, temprana en el *episodio*, a la derrota de la armada española por los ingleses después de la alianza de España con Francia en el Tratado de San Ildefonso de 1796, Galdós llama la atención del lector sobre las relaciones marítimas entre España e Inglaterra durante el siglo dieciocho y sobre los sucesos que condujeron a la batalla de Trafalgar. Araceli describe el ambiente animado del muelle de Cádiz: "recuerdo que lucí mi travesura en el muelle, sirviendo de introductor de embajadores a los muchos ingleses que entonces, como ahora, nos visitaban" (pág. 3). ¿Quíenes eran estos visitantes ingleses? En *Trafalgar* no se encuentra contestación a esta pregunta. Los ingleses pintados en este *episodio* son imágenes pálidas, reflejadas en las reminiscencias y pensamientos de los personajes novelescos, o son actores sin identidad propia que participan en varios incidentes de la batalla.

Por ejemplo, Galdós pone de relieve algunos de los sucesos históricos que precedieron a la batalla de Trafalgar a través de los recuerdos del viejo capitán de navío, don Alonso Gutiérrez de Cisniega y del anciano marinero, Marcial. Juntos, se acuerdan de sus encuentros marítimos con los ingleses. Don Alonso no puede olvidarse de la derrota de su patria en la batalla de San Vicente y está convencido de que si Córdova, el comandante español, no hubiera dado una orden incorrecta, los ingleses habrían sido vencidos. Está resuelto a tomar parte en la batalla próxima para ser testigo de la inevitable derrota de sus enemigos (págs 8–9), y Marcial, cuya vida hasta entonces ha sido "la historia de la marina española en la última parte del siglo pasado y principios del presente" (pág. 9), está igualmente resuelto a estar presente. Marcial acusa a los ingleses de ganar sus victorias por medio de trucos: "el inglés . . . siempre ataca por sorpresa" como un "salteador de caminos" (pág. 11). Antes de declararse la guerra, estuvo a bordo de una de las cuatro fragatas que traían caudales a España desde el Río de la Plata. Fueron atacados por los ingleses y él perdió una pierna en la acción. Los ingleses le llevaron a Inglaterra, donde le trataron bien, y un médico inglés le puso una pata de palo en Plymouth (págs 13–14). Los personajes novelescos también opinan sobre los ingleses, a veces discutiendo sucesos históricos. El joven Malespina, por ejemplo, considera que el Tratado de San Ildefonso es responsable de las desgracias de su país. Cuando Inglaterra y Francia resumieron la guerra después de la Paz de Amiens, España quería ser neutral pero no podía; tuvo que entrar en la guerra cuando Inglaterra apresó las cuatro fragatas. No prevé un resultado feliz de la guerra próxima, por la superioridad de los armamentos y de los marinos ingleses (pág. 22). La narración de su padre, un hombre "vanidoso y mentirosísimo" según Araceli (pág. 18), da una nota discordante. El viejo Malespina se jacta de cómo el gobierno inglés le invitó a perfeccionar su artillería, y de los agasajos de los ingleses, acordándose de sus comidas con individuos políticos importantes, tales como Pitt, Burke y Lord North:

> Recuerdo que una vez, estando en Palacio, me suplicaron que les mostrase cómo era una corrida de toros, y tuve que capear, picar y matar una silla, lo cual divirtió mucho a toda la Corte, especialmente al Rey Jorge III, quien era muy amigote mío y siempre me decía que le mandase a buscar a mi tierra aceitunas buenas . . . Todo su empeño era que le enseñase palabras de español y, sobre todo, algunas de esta nuestra graciosa Andalucía; pero nunca pudo aprender más que *otro toro* y *vengan esos cinco*, frase con que me saludaba todos los días cuando iba a almorzar con él pescadillas y unas cañitas de Jerez. (Pág. 24)

En la representación novelesca de la batalla, las acciones de los ingleses son vistas a través de los ojos del joven Araceli. Algunos incidentes le revelan rasgos favorables del carácter inglés, por ejemplo, cuando los marinos de un navío inglés acuden a socorrer a los heridos del averiado barco español el *Santísima Trinidad*, y los oficiales ingleses que habían entrado en el barco vencido tratan "a los nuestros con delicada cortesía" (pág. 45). Araceli se da cuenta de que los ingleses "que siempre se me habían representado . . . como verdaderos piratas o salteadores de los mares, gentezuela aventurera que no constituía nación y que vivía del merodeo" no son distintos a los españoles, porque también tienen su "patria querida, que . . . les habría confiado la defensa de su honor" (pág. 45). Nota támbien cómo los ingleses fraternizan con los españoles cuando se enfrentan con el mismo peligro "sin recordar que el día anterior se mataban en horrenda lucha" y observa "en sus semblantes las mismas señales de terror o de esperanza, y, sobre todo, la expresión propia del santo sentimiento de humanidad y caridad, que era el móvil de unos y otros" (pág. 51). Y como si quisiera demostrar que en el mundo hay de todo, en el otro suceso en el que opina sobre los ingleses, en la toma por ellos del *Santa Ana*, comenta que los oficiales eran: "unos caballeros muy foscos y antipáticos . . . mortificaban con exceso a los nuestros, exagerando su propia autoridad y poniendo reparos a todo con suma impertinencia" (pág. 52). Y en una digresión se ofrece una narración de los detalles de la muerte de Nelson (pág. 46). También el joven Malespina contribuye un incidente que ilustra la magnanimidad y generosidad de los ingleses durante el entierro de Churruca (pág. 58).

No cabe duda de que Galdós tuvo acceso a datos históricos cuando escribió este *episodio*; también llegó a conocer a un sobreviviente de la batalla. [Vázquez Arjona 1926, 321–77; Montesinos 1968–72, I, 78–79].[2] El estudio de Vázquez Arjona demuestra una correlación entre algunos datos y acontecimientos históricos mencionados o tratados en el *episodio* y los que se dan en ciertas fuentes históricas determinadas. Por eso, parece muy probable que Galdós intentara ser objetivo en la reproducción histórica de la época: si lo consiguió, bien pudo ser por la objetividad de las fuentes utilizadas. Por otro lado, en la graciosa historia que cuenta el viejo Malespina es evidente el tono satírico dirigido contra los ingleses. Galdós subraya la aparente atracción que ellos sienten por Andalucía y por ciertas costumbres españolas, como la corrida de toros, aunque, cronológicamente, tales aficiones no aparecen hasta bien entrado el siglo diecinueve. Ford Bacigalupo ha señalado que a los ingleses visitantes a España entre 1788 y 1808 no les agradaba de ningún manera la corrida de toros.[3]

El fondo histórico del octavo *episodio*, *Cádiz*, se basa en la reunión de las Cortes en Cádiz durante el mes de septiembre de 1810 y la proclamación de la Constitución en marzo de 1812. Incluye también referencias a ciertos sucesos históricos anteriores, relacionados con el sitio de la ciudad. En el mes de enero de 1810 las tropas francesas entraron en Andalucía por primera vez después de la batalla de Bailén (1808), y Sevilla tuvo que rendirse. La Junta Suprema Central, que ya había asumido el poder supremo en la lucha contra los agresores, huyó de Sevilla y se refugió en la Isla de León. En el mes de febrero el ejército del duque de Alburquerque consiguió entrar en la Isla y empezar la fortificación del camino a Cádiz poco antes de la llegada del ejército francés bajo el mariscal Victor. Desde entonces comenzó el sitio por los franceses de esta ciudad, tan favorablemente situada. Lo mantuvieron sin éxito hasta 1812, cuando la noticia de la derrota del ejército francés por las fuerzas aliadas bajo el duque de Wellington en la batalla de Salamanca, "la batalla de los Arapiles," obligó a los franceses a evacuar el sur de España. Mientras tanto, la Junta Suprema Central había sido reemplazada por un Consejo de Regencia que convocó a las Cortes en septiembre de 1810. Al año siguiente, éstas se trasladaron de la Isla de León a Cádiz, donde más tarde se publicó la Constitución.[4] En el *episodio* se hace referencia a los hermanos Wellesley y a la llegada de tropas inglesas a Cádiz. En 1809 el embajador británico a la Junta Suprema Central era el hermano mayor del duque de Wellington, Richard, Lord Wellesley. Al regresar a Inglaterra el mismo año para encabezar el Foreign Office, mandó a su hermano menor, Henry Wellesley, como ministro a España, y éste emprendió el viaje a Cádiz en febrero de 1810.[5]

Son conocidas algunas de las fuentes históricas que Galdós consultó cuando escribió este *episodio*, por ejemplo, *Cádiz en la Guerra de la Independencia* de Adolfo de Castro, la *Historia del levantamiento, guerra y revolución de España* del conde de Toreno, y las memorias de Alcalá Galiano [Sarrailh 1921]. Algunas referencias a los ingleses en el *episodio* pueden atribuirse directamente a estas fuentes. Por ejemplo, Lord Gray dice a Araceli que "Wellesley . . . ha pedido permiso a la Junta para que desembarque la marinería de nuestros buques y defienda algunos castillos" y que las autoridades españolas están opuestas a esta oferta (pág. 658). Según Castro, todo esto sucedió:

El Marqués de Wellesley y varios generales ingleses solicitan que para salvar a esta ciudad se permita el desembarco de tropas británicas y se les confíe su guarnición y defensa. La Junta de Gobierno oye con prevención estas instancias: teme por Cádiz: recuerda cómo los ingleses se apoderaron de la plaza de Gibraltar.[6]

Más adelante Araceli indica que "era opinión, o si no opinión, deseo de muchos, que los ingleses y mayormente los Wellesley, no veían con buenos ojos la novedad de la proyectada Constitución" (pág. 684). Castro también comenta este punto, pero posteriormente a la fecha tratada por el *episodio*, en relación a la visita del duque de Wellington a Cádiz en diciembre de 1812:

Es recibido con gran aplauso, si bien recélanse de él infundadamente algunos del bando liberal: presumen que Wellington es adversario de la Constitución y que pretende, con la autoridad del mando de General Superior en nuestros ejércitos, abolir las reformas políticas establecidas.[7]

Araceli, poco después de llegar a Cádiz, se refiere a una canción popular sobre Wellington: "La trompeta de la Gloria/ Dice al mundo *Velintón* . . . " (págs 662; 668–69). Castro describe las fiestas en Cádiz celebradas en julio de 1812 después de llegar las noticas de la victoria de Salamanca, e incluye una cita más extensa de la misma canción, añadiendo que la escribió don Juan Bautista Arriaza para obsequiar a Wellington y que la música la compuso Moreti en pocos minutos. Alcalá Galiano también se refiere a esta canción en relación con la batalla de Salamanca.[8]

Por otro lado, se encuentran descripciones y referencias a los ingleses que no se derivan de estas fuentes. Por ejemplo, cuando Amaranta habla a Araceli de Lord Gray dice: "También creerás que el inglés es un hombre antipático, desabrido, brusco, colorado, tieso y borracho como algunos que viste y trataste en la plaza de San Juan de Dios cuando eras niño." Lord Gray, ella insiste, no es así, sino que es "finísimo, de hermosa presencia y vasta instrucción" (pág. 655). Araceli queda impresionado por el aspecto físico de Lord Gray, quien no posee "la pesadez acartonada y lentitud de modales que suelen ser comunes en la gente inglesa" (pág. 658). Otra cosa que le agrada a Araceli es que aunque este inglés busca a, y se divierte con, las "majas y gente de bronce" en el ventorrillo del señor Poenco, no es como "la mayor parte de los ingleses que visitan las Andalucías, los cuales tienen empeño en hablar y vestir como la gente del país" (pág 697), una descripción despectiva de los viajeros ingleses a España y de su actitud hacia Andalucía.

Lord Gray expresa antipatía por los instintos comerciales de sus compatriotas: "cuando oigo decir que todas las altas instituciones de la vieja Inglaterra, el régimen colonial y nuestra gran marina tienen por objeto el sostenimiento del tráfico y la protección de la sórdida avaricia de los negociantes . . . me avergüenzo de ser inglés" (pág 659). Quizás estos sentimientos son más un reflejo del tono byroniano de su carácter que del lado donjuanesco, a los que se refieren varios críticos [Devoto 1971]. Lord Gray habla del carácter inglés con mucho desprecio, como "egoísta, seco, duro como el bronce, formado con el ejercicio del cálculo y refractario a la poesía," diciendo que los ingleses valoran la libertad, pero no les importan los millones de esclavos en sus colonias (pág. 659). Sin duda Galdós sabía que la ley inglesa que abolió el tráfico de esclavos databa de 1808 y la de la emancipación de esclavos en el imperio británico, de 1833. Reiterando el argumento de la Junta de Gobierno de Cádiz, Lord Gray mantiene que los ingleses habían ocupado Gibraltar traidoramente para hacerlo un "almacén de contrabando" y que lo mismo pasaría en Cádiz si se les dejase desembarcar a sus tropas (pág. 659). Araceli parece estar de acuerdo: "los ingleses son comerciantes, egoístas, interesados, prosaicos," pero, no obstante desprecia a Lord Gray por hablar así de sus compatriotas (pág. 660). Es de notar que no hay nada favorable en esta representación de los ingleses vistos por los personajes novelescos, uno de los cuales es inglés. Son antipáticos de aspecto, adictos a la bebida alcohólica, egoístas, mercenarios y ofensivos en su comportamiento.

Lord Gray, visitante aristocrático de Cádiz, desempeña un papel importante en el *episodio* y casi eclipsa a Araceli, el héroe y narrador. Como indica la crítica, es posible que el inglés esté basado parcialmente en el don Juan romántico de Byron [Devoto 1971; Rodríguez 1967, 58]. En el *episodio* se insinúa un nexo entre él y el verdadero Lord Byron. Por ejemplo, en febrero de 1810 Amaranta dice que Lord Gray "vino aquí hace seis meses, acompañando a Lord Byron, el cual partió para Levante al poco tiempo" (pág 655). El hecho es que Lord Byron llegó a Cádiz el 29 de julio de 1809 acompañado por su amigo John Cam Hobhouse y que los dos partieron unos días después, el 3 de agosto, para viajar a Gibraltar y desde allí al Levante.[9] Aunque hay paralelos entre los dos, por ejemplo, en posición social y proeza en la natación, el nexo es tenue. Sus edades difieren. Byron, que nació en 1788, tenía sólo unos veinte años cuando visitó Cádiz en 1809, mientras que la edad de Lord Gray, según Araceli, "no parecía exceder de treinta o treinta y tres años" (pág. 658). Los viajes y aventuras de este inglés parecen estar basados en parte en los relatos de Chateaubriand de sus viajes por la Tierra Santa, Egipto y América [Letemendía 1980, 310]. También, a pesar de las alusiones a Byron, Galdós había creado un prototipo de Lord Gray unos años antes de escribir *Cádiz*, en el personaje Paris, de *La sombra*. Ambos se baten en duelo y cuando están muriendo, reivindican su inmortalidad. Y la jactancia de Paris en *La sombra* de que Elena le ve en todas partes ("en el altar, en las luces . . . Abre su libro de oraciones, y las letras se mueven para formar mi nombre; habla con Dios, y sin querer me habla"[10]) pudiera haber sido el modelo del lamento de Asunción en *Cádiz*: "¡Ay! Lord Gray en todas partes: Lord Gray en los altares de la iglesia, en el de mi casa . . . en mis rezos, en mi libro de oraciones" (pág. 746). En resumen, Lord Gray no parece ser muy "inglés."

Unos rasgos del carácter del inglés tienen cierta importancia histórica, porque Galdós crea, gracias a él, una parodia de algunas ideas y una manera de ser que se suelen asociar con el romanticismo de la primera mitad del siglo diecinueve. Lord Gray es egocéntrico, amante de la libertad e independencia (pág. 660), se identifica con la naturaleza, por ejemplo, en la furia de los elementos durante una tormenta (pág. 662), sostiene la idea popularizada por Rousseau de que los hombres corrompen a la naturaleza (pág. 702), le encantan los romances moriscos (pág. 722), y uno de los mayores placeres de su vida es pasar horas entre las ruinas (pág. 723). El desengaño y el fastidio del mundo que manifiesta cuando Asunción, "la criatura seráfica . . . rodeada de nubes y angelitos en sobrenatural beatitud" se convierte en "una mujer como otra cualquiera" (pág. 756) hace pensar en la "desesperación amorosa" de Espronceda, y casi no parece extraño que emplee un símbolo romántico para describir Cádiz: "una cárcel redonda" (pág. 755).[11]

Galdós también parodia en la persona de Lord Gray al turista "romántico" en España, que pinta y dibuja "representando paisajes, ruinas, trajes, tipos, edificios" (pág. 655), y que tiene una idea romántica de España, en la que predomina Andalucía. Para el inglés, España es la tierra donde existen "hombres de corazón borrascoso y ardiente" (pág. 660), los guerrilleros exaltan su imaginación, le encantan las majas y la gente de bronce: "esta graciosa canalla y sus costumbres me cautivan" (pág. 697). España es el país de "la naturaleza desnuda, de los sentimientos enérgicos, del bien y el mal sueltos y libres" (pág. 699), donde todo es "abrupto y primitivo" (pág. 721) y los mendigos son "cenizas animadas de una gente que tenía el fuego por alma" (pág. 723). Araceli piensa que el inglés está loco, y que "las ideas expresadas por él eran frecuentes entre los extranjeros que venían a España" (pág. 723). Aquí Galdós no se preocupa de la cronología. Como indica Francisco Calvo Serraller en su exploración de la imagen romántica de España, aunque la Guerra de Independencia "actúa como desencadenante del interés europeo sobre España, hay que esperar hasta los años del 1830 para que cuaje definitivamente este mito romántico de nuestro país y se produzca de manera sistemática la visita a la Península."[12]

A pesar de la aparente importancia del papel de Lord Gray en *Cádiz*, el carácter no está bien logrado y resalta como inverosímil. Quizás su utilidad para Galdós fuese el hacer del personaje un cajón de sastre en que meter opiniones que le eran desagradables, y a ello se deban las actitudes diversas y contradictorias del inglés. Cuando Lord Gray dice a Araceli: "Yo no puedo morir . . . yo soy inmortal" (pág. 761), ¿pensaba Galdós en las palabras de Lord Byron?:

Don Juan who was real, or ideal,—
For both are much the same, since what men think
Exists when the once thinkers are less real
Than what they thought, for Mind can never sink.[13]

El título y la materia del último *episodio* de la primera serie es *La batalla de los Arapiles*, conocida por los ingleses como la batalla de Salamanca, que tuvo lugar en julio de 1812 entre las tropas francesas y las fuerzas aliadas de Gran Bretaña, Portugal y España bajo el mando del duque de Wellington. Galdós reconstruye algunos de los acontecimientos en que participaron los ingleses y que ocurrieron en junio y julio de 1812.

En el mes de junio de 1812 las tropas de Wellington se acercaron desde Ciudad Rodrigo a Salamanca, entonces cuartel general de los franceses bajo el mariscal Marmont. Estos abandonaron a Salamanca antes de entrar las fuerzas aliadas el 17 de junio, pero dejaron guarnecidos tres fuertes bien fortalecidos, construidos sobre ruinas de colegios y conventos. En seguida Wellington empezó a sitiar los fuertes, pero éstos no cayeron hasta unos diez días más tarde, por la demora en adquirirse los armamentos necesarios. Marmont se retiró a través del Duero para esperar refuerzos antes de volver a la ofensiva. Después de muchas maniobras por parte de los dos ejércitos, la batalla tuvo lugar finalmente el 22 de julio, hacia el sur de la ciudad, en la vecindad del pueblo de Los Arapiles y los dos cerros del mismo nombre, que eran de gran importancia estratégica en la batalla. La derrota de los franceses señaló el fin del dominio napoleónico en España.[14]

En el *episodio*, una división del ejército español bajo el mando de don Carlos de España, a la que Araceli está asignado, se junta con el ejército de Wellington. Los españoles encuentran a los soldados ingleses en el pueblo de Sancti Spíritus, cerca de Salamanca. Desde el principio Araceli se distingue en sus relaciones con los ingleses: salva la vida de la bella Miss Fly; impresiona a Wellington cuando le cuenta la historia de su participación hasta entonces en la batalla de Trafalgar y en la Guerra de la Independencia; entra en Salamanca atravesando las líneas enemigas para sacar un croquis de las fortificaciones; sufre la desaprobación de Wellington y los ingleses cuando vuelve con el croquis pero sin Miss Fly, que le había seguido y ayudado; proclama a Wellington su deseo de morir por Gran Bretaña; lucha intrépidamente en la batalla y finalmente cae herido al apoderarse de una bandera francesa. Más tarde, en Madrid, recibe pruebas de agradecimiento por parte de Wellington, quien le favorece con su aprecio y estima.

Aunque son desconocidas las fuentes históricas precisas de las que Galdós se sirvió en su versión de la campaña de Salamanca, es probable que una de ellas fuera la de Toreno. No solamente existen semejanzas en los datos que Galdós emplea y los que da Toreno, se ha comentado también sobre la extraña casualidad de que una cita de Toreno del romance de Bernardo del Carpio aparezca en el *episodio* [Gómez Galán 1969, 39]. Aquí el romance adquiere un significado casi mitológico. Después de hojear cualquier narración histórica de la campaña de Salamanca, por ejemplo, las de Toreno u Oman, o las que han dejado algunos participantes ingleses, es evidente que algunos sucesos que ocurren en el *episodio* tienen una base histórica, como la adquisición por los ingleses—gracias a un español—de un plano de las fortificaciones francesas, el asedio de los fuertes, los intrincados movimientos de los dos ejércitos, el incendio de pueblos como Babilafuente por los franceses y las varias acciones de las tropas y los oficiales más notables de la campaña. No obstante, lo histórico de este *episodio* queda oscurecido o cambiado por las exigencias de la trama novelesca, lo que no es sorprendente en una novela histórica, sobre todo una que pretende ser autobiográfica. En lo que toca a los ingleses que tomaron parte en la acción, Galdós se limita, por lo general, a citar los nombres de algunos oficiales de Wellington. Por ejemplo, Araceli relata: "pasé por entre la quinta división, al mando de Leith . . . caballería del general d'Urban . . . vi desde lejos la brigada del general Bradford, la de Cole, y la caballería de Stapleton Cotton" (pág. 956), y el héroe emprende el ataque del Arapil Grande bajo el mando del Brigadier Pack (págs 951, 956). Entre todas estas figuras históricas mencionadas, sólo se destaca la de Wellington, y en este caso es probable que Galdós recurriera a documentos biográficos. Por ejemplo, se enumeran cuidadosamente los títulos de Wellington relacionados con la Guerra de la Independencia: "el señor don Arturo Wellesley, lord vizconde de Wellington de Talavera, duque de Ciudad Rodrigo, grande de España y par de Inglaterra" (pág. 873). Se menciona también que él es "el vencedor de Tipoo Sayb y de Bonaparte" (pág. 883), una referencia a su anterior servicio militar en la India y a la derrota del sultán de Mysore, Tippoo Sahib (1753–99) en el año 1799, así como a la batalla de Waterloo en 1815.[15] Aunque es cierto que tanto Wellington como Napoleón nacieron en el mismo año, 1769, la observación que "representaba Wellington cuarenta y cinco años, y ésta era su edad" (pág. 883) sería inexacta en el año 1812.

Es posible que Galdós haya basado su descripción física de Wellington en un cuadro de Goya (pág. 883) [MacDermott 1965–66, 46]. Acentúa ciertos rasgos, a modo de caricatura. Por ejemplo, cuando Araceli por primera vez consigue ver al duque, solamente se da cuenta de "una nariz larga y roja, bajo la cual lucieron unos dientes blanquísimos" (pág. 873). Más tarde, añade: "era la nariz . . . larga y un poco bermellonada" (pág. 883). El retrato de Wellington sigue la norma que Galdós suele emplear para describir a personalidades históricas [Hinterhäuser 1963, 250]. Los atributos morales se enlazan con los físicos: "la frente . . . revelando un pensamiento sin agitación y sin fiebre, una imaginación encadenada y gran facultad de ponderación y cálculo . . . Los grandes ojos azules . . . miraban con frialdad . . . observando sin aparente interés. Era la voz sonora . . . y el conjunto de su modo de expresarse, reunidos el gesto, la voz y sus ojos, producía grata impresión de respeto y cariño" (pág. 883). En la batalla, Wellington se queda "quieto, inmutable, sereno, atento, vigilante" (pág. 955). Sin embargo, en el retrato que pinta Galdós, no falta una nota crítica. Araceli describe a Wellington como alguien "a quien todos los españoles considerábamos entonces poco menos que un Dios" (pág. 929) y quizás sea como para burlarse de una supuesta dignidad inexpugnable que Galdós inventa el curioso incidente de la llegada de Wellington, llevado en "una silla de postas," a Sancti Spíritus, donde le han erigido un arco triunfal que se derrumba al pasar el duque (pág. 873). La descripción de este suceso da una nota satírica, si se tiene en cuenta la verdadera recepción entusiástica de Wellington en Salamanca el 17 de junio de 1812 cuando, según un testigo presencial, sus habitantes "nearly pulled Lord Wellington off his horse" y no se menciona ninguna "silla de postas."[16] Como en el *episodio*, *Cádiz*, se hace referencia a su supuesta actitud antiliberal: "No es el señor Lord muy amigo de la Constitución de Cádiz" (pág. 873). Se critica también su decisión de atacar los fuertes de Salamanca (pág. 930).

Dos militares ingleses novelescos juegan un papel menor en el *episodio*, los dos amigos de Miss Fly, Sir Thomas Parr, que muere valientemente en la batalla (pág. 959), y el coronel Simpson, "algo viejo, pequeño de rostro, no menos encarnado que su uniforme," que tenía "una nariz picuda y unos espejuelos de oro" (pág. 928). Araceli comenta que los militares ingleses no tienen buen aspecto: "Acostumbrados los españoles a considerar ciertas formas personales como inherentes al oficio militar, nos causaban sorpresa y aun risa aquellos oficiales . . . que parecían catedráticos, escribanos, vistas de aduanas o procuradores" (pág. 928). En la batalla, no obstante, su opinión de ellos cambia: "aquellos ingleses no se parecían a los hombres que yo había visto. Se les mandaba una cosa, un absurdo, un imposible, y lo hacían, o al menos lo intentaban" (pág. 957).

Se hace burla de ciertas costumbres inglesas, por ejemplo, la de tomar té, en la graciosa escena cuando Tribaldos produce para Miss Fly "una ancha taza que despedía un olor extraño," que contiene nada más que "hojas arrugaditas, con un poco de canela y de clavo." La señora de Forfolleda, que tenía costumbre de preparar té para la mujer del capitán y para "unos ingleses que fueron a Salamanca a ver la catedral vieja" le había dicho que así se hacía (pág. 876). En otro incidente, cuando los ingleses se reúnen en la habitación de Miss Fly, se traen las lámparas, y "tras las luces, un par de teteras que trajeron los criados de los ingleses. Entonces se alegraron todos los semblantes" (pág. 878). La bebida predilecta de estos ingleses es el jerez: "trajeron después botellas de vino de Jerez, que en un santiamén dejaron como cuerpos sin alma" (pág. 878). Y Araceli subraya que aunque Wellington tiene un "rostro encendido," esto no es por "las causas a que el vulgo atribuye las inflamaciones epidérmicas de la gente británica" (pág. 883). La aparente libertad de la mujer inglesa da ocasión a comentarios: Araceli no comprende la libertad con que Miss Fly actúa, y concluye que "las costumbres inglesas lo ordenan de este modo" (pág. 875). Cuando ella le explica que la ley protege a las mujeres inglesas "de tal manera y con tanto rigor, que ningún hombre se atreve a faltarnos el respeto," Araceli contesta: "Sí, así dicen que pasa en Inglaterra. Y parece que allá salen las señoritas solas a paseo, y viajan solas o acompañadas de cualquier galancete" (pág. 877).

El narrador se burla con mucha gracia también del comportamiento de los ingleses. "Los ingleses son muy ceremoniosos y se paran mucho en las formas," dice don Carlos de España (pág. 872), y Araceli nota que Wellington tiene "la especial sonrisa inglesa, que hace creer en la existencia de algún cordón intermandibular, del cual tiran para plegar la boca como si fuera una cortina" (pág. 873). Se da cuenta de "los cánones de la etiqueta inglesa" (pág. 912), y de cómo Miss Fly intenta conservar "aquella calma inglesa que sirve de modelo a la majestuosa impasibilidad de la escultura" (pág. 978). Wellington se despide de Araceli en una ocasión "con una cortesía rígida y fría como el movimiento de una estatua que se dobla por la cintura" (pág. 929). Se hace referencia al idioma inglés: el amigo portugués de Araceli dice: "ya sabes que en esa lengua se escriben las palabras de una manera y se pronuncian de otra, lo cual es un encanto para el que quiere aprenderla" (pág. 881), y Araceli piensa que la charla de las inglesas es como "un coro de pájaros picoteando alrededor del nido" (pág. 952). Araceli observa a las mujeres inglesas que acompañan el ejército de Wellington. "Los ingleses, en vez de impedimenta, llevan faldamenta," dice su asistente (pág. 873), pero, aunque la presencia de mujeres está subrayada como algo incongruo, en realidad el ejército de Wellington tenía su séquito de familiares femeninos.[17] Araceli considera que "por lo general, dicho sea esto imparcialmente, predominaba el género feo" (pág. 873), pero este adjetivo no se emplea en relación con la imaginaria Miss Athenais Fly, "la romanesca e interesante inglesa" (pág. 930). Es de notar la observación hecha por Dendle [1972, 105, nota 2] de que Fernán Caballero también emplea este patronímico. El "mayor Fly" de *La gaviota* es inglés; llamado "la mosca," es "sobrino del duque de W., uno de los más altos personajes de Inglaterra" y tiene la costumbre de beber "tres botellas de Jerez en una sentada."[18]

(Algunos juicios de Fernán Caballero, como el de que "no hay extravagancia que sea imposible en los ingleses," (pág. 121) y el de que algunos extranjeros vienen a España "con el único designio de buscar aventuras, muy persuadidos de que España es la tierra clásica de estos lances" (pág. 155) dan una imagen de los ingleses que visitan España, la cual tiene mucho en común con la pintura de los ingleses en estos *episodios* de Galdós.)

Miss Fly es, sin duda, una representación típica y a la vez satírica de la turista romántica del siglo diecinueve. Le han seducido "la historia, las tradiciones, las costumbres, la literatura, las artes, las ruinas, la música popular, los bailes, los trajes de esta nación tan grande en otro tiempo y otra vez grandísima en la época presente" (pág. 877); tiene la manía de pintar "iglesias, castillos y ruinas" (pág. 881) y en "sus ratos de ocio no hace más que leer romances" (pág. 882). Araceli, el español realista, no lo comprende, pero, acordándose de Lord Gray, concluye que "no debe poner en duda que las extravagancias y rarezas de la gente inglesa carecen de límite conocido" (pág. 881).

A Miss Fly le falta lo que Rodríguez [1967, 58] denomina "the nihilistic cynicism" de Lord Gray, pero ella tiene las mísmas características románticas: estima sobre todo "la libertad, independencia, iniciativa, arrojo" (pág. 887). Cree, como Lord Gray, que "sólo en España podría encontrarse esto que enciende el corazón, despierta la fantasía y da a la vida el aliciente de vivas pasiones que necesita" (pág. 888). Aunque, como ha indicado Ricardo Gullón [1972, 298] es un error "olvidarse del narrador para poner en su lugar al autor," en este caso es difícil no sospechar una analogía entre las ideas del autor Galdós y las del narrador Araceli en la severa denuncia de las nociones superficiales y sentimentales de aquellos extranjeros que vienen a su país en busca de una España romántica:

esas naturalezas impresionables y acaloradas que nacen al acaso en el Norte, y que buscan, como las golondrinas, los climas templados, bajan, llenas de ansiedad, al Mediodía, pidiendo luz, sol, pasiones, poesía, alimento del corazón y de la fantasía, que no siempre encuentran, o encuentran a medias, y van con febril deseo tras la originalidad, tras las costumbres raras, y adoran los caracteres apasionados, aunque sean casi salvajes, la vida aventurera, la galantería caballeresca, las ruinas, las leyendas, la música popular y hasta las groserías de la plebe, siempre que sean graciosas. (Pág. 881)

En la persona de Miss Fly Galdós también incorpora una crítica de la novela romántica. Araceli se da cuenta de que la inglesa vive en su imaginación, como si "todos los lances de amor y de aventura hubiesen de pasar en el mundo conforme a lo que ha leído en las novelas, en los romances" e indica cuerdamente que "las cosas extrañas y dramáticas suelen verse antes en la vida real que en los libros llenos de ficciones convencionales" (pág. 913). No obstante, el mismo Araceli queda captado por la fantasía de la inglesa durante algún tiempo, y en la trama se porta como el héroe de un romance. Es de notar, como en el caso de Lord Gray, que Galdós no permite que el lector crea demasiado en la realidad de esta extraña inglesa, porque Araceli advierte que muchas personas le han dicho que "jamás ha existido Miss Fly" y que "toda esta parte de mi historia es una invención mía" (pág. 979).

En los tres *episodios* de la primera serie que tratan de los ingleses, es evidente que Galdós se documentó en fuentes históricas, sólo algunas de las cuales son conocidas. En ciertas ocasiones es posible decir con certeza que su descripción de los ingleses está basada en datos históricos. Al parecer, en lo que atañe a lo histórico, la intención de Galdós era la fidelidad a las fuentes utilizadas. La objetividad era menos asequible, porque dependía de la de las fuentes y también de la imaginación creadora del autor. Los *episodios* son, en primer lugar, obras de ficción, y, quizás inevitablemente, lo que parece histórico en ellos es muchas veces una version de hechos históricos transformados por la imaginación del autor según las exigencias de la trama. Por ejemplo, cuando Galdós pinta a Wellington, una figura histórica, el cuadro no es objetivo en su dimensión novelesca, aunque contiene datos históricos.

Ciertos prejuicios de Galdós sobre los ingleses se muestran en las descripciones de sus costumbres y su comportamiento, en las que se nota una repetición de rasgos estereotipados. Es difícil precisar dónde o cómo adquirió Galdós estas impresiones que apunta con tanta gracia, porque cuando escribió estos *episodios* no había visitado Inglaterra, lo cual no hizo hasta 1883.

Galdós dota a los dos ingleses novelescos, Lord Gray y Miss Fly, de una mentalidad propia del romanticismo de la primera mitad del siglo diecinueve y en ellos critica esta manera de ser. Aquí no se preocupa por la cronología exacta, pues en *Cádiz*, en el ambiente político-liberal de las Cortes y de la Constitución, Lord Gray muestra unos atributos románticos que pertenecen más bien a la literatura del llamado romanticismo español liberal que vendrá más tarde. En estos dos ingleses Galdós también parodia lo que, en 1812, sería un fenómeno más tardío, el turista extranjero en busca de una España romántica. Esta vision de los ingleses en la que Galdós subraya el lado romántico no es exclusiva. En su descripción del conde de Montguyon, carácter novelesco de la segunda serie, indica que los franceses también adolecían de la misma tendencia.

El romancero, en que se cantan las pasadas hazañas heroicas de los españoles, y en particular, el romance de Bernardo del Carpio, permea *La batalla de los Arapiles*. Y es aquí donde Galdós permite a Miss Fly, la inglesa aficionada al romancero, redimir su romanticismo. Ella logra intuir el espíritu que inspira a los españoles en la guerra por su independencia, del que Araceli, el español metido en la lucha, aparentemente no se da cuenta. Aunque Galdós expone y critica la visión deformada de España que tienen estos visitantes ingleses, quizás reconocía, para citar a Montesinos [1968–72, I, 97] que "¡cuánto hemos debido a estos locos que muchas veces nos han enseñado la calidad de nuestros grandes valores!"

Kingston, Ontario

NOTAS

1 Benito Pérez Galdós, *Obras completas*, ed. F. C. Sainz de Robles, I (Madrid: Aguilar, 1941), 3. Todas las citas de estos *episodios* son de esta edición y se indicarán las páginas entre paréntesis, después de cada una.

2 Véase también Benito Pérez Galdós, "Memorias de un desmemoriado," en sus *Obras completas*, ed. F. C. Saínz de Robles, VI (Madrid: Aguilar, 1971), 1435.

3 "A Modified Image: English Travel Accounts of Spain, 1788–1808," *Dieciocho*, 2, núm.1 (1979), 30–31.

4 Véase P. Zabala y Lera, *España bajo los Borbones*, 5a ed. (Barcelona: Labor, 1955), págs 242–52; *The Cambridge Modern History*, IX (Cambridge: Cambridge University Press, 1934), 456–57, 473.

5 J. K. Severn, *A Wellesley Affair. Richard Marquess Wellesley and the Conduct of Anglo-Spanish Diplomacy, 1807–1812* (Tallahassee: University Presses of Florida, 1981), págs 38–46, 88–105.

6 Adolfo de Castro, *Cádiz en la Guerra de la Independencia* (Cádiz: Revista Médica, 1862), pág. 16.

7 Castro, pág. 56. Véase también Pablo de Azcárate y Flórez, *Wellington y España* (Madrid: Espasa Calpe, 1960), págs 192–213 para una discusión de las opiniones políticas de Wellington y la primera revolución española.

8 Castro, págs 47–48; Antonio Alcalá Galiano, "Recuerdos de un anciano," en *Obras escogidas de don Antonio Alcalá Galiano*, Biblioteca de Autores Españoles, 83 (Madrid: Atlas, 1955), pág. 90.

9 Véase "In My Hot Youth" en *Byron's Letters and Journals*, ed. Leslie A. Marchand, I (Londres: John Murray, 1973), 35; Lord Broughton [John Cam Hobhouse], *Recollections of a Long Life*, I (Londres: John Murray, 1909), 5–12.

10 Benito Pérez Galdós, *Obras completas*, ed. F. C. Sainz de Robles, IV (Madrid: Aguilar, 1941), 206.

11 Véase D. L. Shaw, "Towards the Understanding of Spanish Romanticism," *MLR*, 58 (1963), 194.

12 "La imagen romántica de España," *CHA*, núm. 332 (1978), 245.

13 *Don Juan*, Canto the Tenth, XX, ed. Leslie A. Marchand (Boston: Houghton Mifflin, 1958), pág. 301.

14 Véase C. W. C. Oman, *A History of the Peninsular War*, V (Oxford: Clarendon Press, 1914), 353–474; el conde de Toreno, *Historia del levantamiento, guerra y revolución de España*, Biblioteca de Autores Españoles, 74 (Madrid: Atlas, 1916), 413–16.

15 Véase E. Longford, *Wellington: The Years of the Sword* (Londres: Panther, 1971).

16 W. Tomkinson, *The Diary of a Cavalry Officer in the Peninsular and Waterloo Campaigns, 1809–1815* (Nueva York: Macmillan, 1894), pág. 162. Véase también A. L. Hay, *A Narrative of the Peninsular War*, 3a ed. (Londres: J. Hearne, 1839), pág. 227.

17 Oman, págs 274–78.

18 Fernán Caballero, *La gaviota* (Madrid: Espasa Calpe, 1960), págs 117–18.
   Todas las citas de esta novela son de esta edición y las páginas se indicarán en
   paréntesis después de cada una.

Roger L. Utt

Sic vos non vobis: herencia historiográfica y coherencia estructural de *La batalla de los Arapiles*[1]

El primer crítico moderno de los *Episodios nacionales* de Galdós que puso en tela de jucio la autenticidad del componente estrictamente histórico de estas novelas fue Antonio Regalado García [1966] en su polémico—y todavía controvertido—análisis de ciertas deficiencias en el desarrollo del sentido histórico de Galdós y de sus consecuentes limitaciones en calidad de autor de novelas históricas.

Antes de examinar un aspecto de la posición crítica de Regalado García, convendría recordar que la novela histórica, por definición, atrae hacia sí, necesariamente, una atención especial debido a su condición híbrida: la de ser una especie de entretenimiento documental cuyos elementos novelísticos vivifican y coexisten explícitamente con sucesos y circunstancias históricamente verificables, o reconocidos inmediatamente como tales, fuera del texto. El novelista histórico, por lo tanto, procura establecer un equilibrio satisfactorio entre la dramatización de determinadas verdades preexistentes, públicamente conocidas (o intuidas), y la "historificación" de verdades simuladas, surgidas de su propia invención. El éxito de esta empresa dependerá, en gran parte, de la habilidad con que el novelista consiga con-fundir estas distinciones fundamentales, borrando la evidencia de las ensambladuras de una y otra fuente. Si pierde el control de este equilibrio histórico-ficticio, el resultado será, por un lado, un conjunto de cuadros costumbristas, o por otro, una superación lírica o evasión fantástica de la Historia. El complejo proceso doble de acoplar y acomodar realidades históricas a ficticias, y viceversa, pone de relieve la tarea decisiva del autor como seleccionador que elige y entreteje sucesos y circunstancias conforme a una estrategia destinada a producir un conjunto a la vez estética e históricamente sólido. Bien conocida, si poco citada en los estudios críticos sobre los *Episodios nacionales*, es la sentencia del

Galdós realista—la síntesis, digamos, de su estrategia novelística—pronunciada en 1897:

Imagen de la vida es la Novela, y el arte de componerla estriba en reproducir los caracteres humanos, las pasiones, las debilidades, lo grande y lo pequeño, las almas y las fisonomías, todo lo espiritual y lo físico que nos constituye y nos rodea, y el lenguaje, que es la marca de la raza, y las viviendas, que son el signo de familia, y la vestidura, que diseña los últimos trazos externos de la personalidad: todo esto sin olvidar que debe existir perfecto fiel de balanza entre la exactitud y la belleza de la reproducción.[2]

Con mayor economía propuso Azorín esencialmente la misma fórmula veinte años más tarde: "Novela histórica perfecta será aquella en que ambos elementos—el análisis y el color—vayan equilibrados."[3]

Va implícita en ambas declaraciones (y es de capital importancia para la coherencia estructural y temática de la novela histórica) la elevada responsabilidad del autor a la hora de seleccionar de la "materia cruda" histórica acontecimientos, figuras, conflictos—episodios, en fin—que sean compatibles con la ficción que les sirve de marco, quedando el componente "artificial" simultáneamente enmarcado por aquellos episodios. El fallo del Galdós historiador, según Regalado García, se halla aquí, en los criterios selectivos de un autor que juega con una baraja a la que le faltan varias cartas importantes. Como era de esperar, esta aseveración provocó no pocos comentarios. Sin embargo, se han reconocido en el enfoque crítico de Regalado García una fuerza y originalidad innegables, como se lee en una de las reseñas más negativas de su estudio: "Regalado has shown the importance to literary studies of considering not only what an author says but what he does not say. For surely it is legitimate to seek a meaning in the absence within the work of a given writer—particularly if it is as abundant, realistic, and historical as that of Galdós—of attested realities of his time."[4] En el presente ensayo quisiera aplicar, de una forma muy específica, la objeción general de Regalado, y la concesión particular que le hace Olson, a un análisis de la novela con la que Galdós cerraba, en marzo de 1875, la primera serie de los *Episodios nacionales*. Concretamente, quiero intentar contestar cuatro preguntas: 1) ¿Cómo funciona *La batalla de los Arapiles*? 2) ¿Qué omitió de ella su autor? 3) ¿Por qué lo omitió? 4) ¿Qué importancia tiene(n) la(s) omisión(es), en términos de las coordenadas funcionales de la novela, ora como creación ficticia, ora como re-creación histórica?[5]

La más larga de todas las novelas históricas de Galdós, *La batalla de los Arapiles* ha atraído poca atención crítica [Gómez Galán 1969; Oliu

1979; Smith 1982] a pesar de su destacada posición como tomo final de la primera "decanovela" galdosiana, o como diría Montesinos [1968–72, I, 76–77, 85–86], la décima y última entrega—y por lo tanto, el desenlace—de la primera novela histórica de Galdós. Parece evidente (*parece*, digo) que Galdós comprendía, desde las primerísimas páginas de su magno proyecto, exactamente cómo y en qué escenarios históricos procedería: su narrador-protagonista, Gabriel Araceli, circunscribe, en el primer capítulo del primer *episodio*, *Trafalgar*, la amplitud del lienzo en el que acaba de comenzar a pintar, en enero de 1873: "Muchas cosas voy a contar. ¡Trafalgar, Bailén, Madrid, Zaragoza, Gerona, Arapiles! . . ." Y en el breve y cronológicamente condensado capítulo final del último *episodio* del ciclo, encontramos a Araceli, elevado precipitadamente al rango de general (aunque éste no menciona más compromisos militares activos después de la batalla que se acaba de describir), disfrutando de una espléndida jubilación con la constante Inés a su lado, rodeado de "hijos, nietos y biznietos," y exhausto ya, tanto por la guerra y por sus agotadoras labores a título de soldado, patriota y fiel amante, como por el puro desgaste físico de haberlo contado todo, en no menos de 5.500 páginas.[6] (Arriesgamos poco en suponer que precisamente porque Galdós había hecho todas las elecciones importantes antes de abrir la serie, esa gigantesca empresa tardó tan poco—25 meses—en llevarse a cabo.) ¿Para qué había sido todo aquello? Nos lo dice Gabriel en sus palabras finales:

Adiós, mis queridos amigos. No me atrevo a deciros que me imitéis, pues sería inmodestia; pero si sois jóvenes, si os halláis postergados por la fortuna: si encontráis ante vuestros ojos montañas escarpadas, inaccesibles alturas, y no tenéis escalas ni cuerdas, pero sí manos vigorosas; si os halláis imposibilitados para realizar en el mundo los generosos impulsos del pensamiento y las leyes del corazón, acordaos de Gabriel Araceli, que nació sin nada y lo tuvo todo. (Pág. 1185)[7]

La actitud del autor—de mayor extensión y de aplicación más amplia, claro está—hacia el significado de esta empresa abarca y trasciende al mismo tiempo los sentimientos expresados en la despedida homilética de su narrador aburguesado. Los propósitos, logros y fallos de Galdós en este sentido han sido examinados extensamente por muchos críticos, entre ellos, Casalduero [1970], Hinterhäuser [1963], Rodríguez [1967b], Ricardo Gullón [1972], Montesinos [1968–72], Gilman [1981a], Dendle [1980b], Gogorza Fletcher [1973], y Regalado García [1966]. Todos estos críticos, a excepción de los dos últimos, parecen coincidir en dos puntos: a) el instinto de Galdós por el nimio pero elocuente detalle histórico era excepcionalmente agudo, a pesar de (o debido a) sus predisposiciones li-

berales; y b) los juicios del novelista sobre el relativo peso histórico de
los acontecimientos de la Guerra de la Independencia eran esencialmente
objetivos y asombrosamente acertados.

Huelga decir que Galdós tuvo ayuda, y no poca, en la forma de diversos trabajos históricos publicados en su día, como ha señalado Cardona
[1968]. Pero resulta problemático su aprovechamiento de, y limitado su
acceso a, informes publicados sobre la batalla de los Arapiles, lo cual
puede ayudar a explicar algún defecto significativo en la re-creación de la
historia, tal como se presenta en la novela así titulada.

¿Cómo funciona *La batalla de los Arapiles*?

Considerando este *episodio* (o cualquiera de ellos) como una narrativa
construida sobre tres planos o estratos consistentes en una trama principal
o unitiva (pura ficción), una infratrama pre-textual o co-textual (pura Historia) y una subtrama, cuyos personajes y situaciones no-históricos facilitan
contactos intermitentes y oportunos entre la trama principal (puramente
ficticia) y la infratrama (puramente histórica), vemos lo complicada que
es la tarea esencial a que se enfrenta Galdós en este último *episodio* de
la serie. Primero, está obligado, como de costumbre, a crear con estos
componentes una novela consecuente consigo misma e independiente de
las demás de la serie, lo cual está admirablemente logrado en *La batalla
de los Arapiles*, si prescindimos de su capítulo final. Pero también han
de organizarse los mismos componentes—y ahora por primera vez—de
forma que conduzcan al pleno cierre del gran conjunto formal, orgánico,
de esta serie de diez composiciones. En el nivel de la trama unitiva, por
lo tanto, el novelista debe llevar sus elementos a una feliz culminación,
fundiendo armoniosamente las energías del amor mutuo de Gabriel e Inés
con los empeños de los progenitores de ésta (mutuamente antagónicos los
dos) en bloquear (el papel del desdichado Santorcaz) o promover (el de
la frívola condesa Amaranta) el triunfo definitivo de los jóvenes amantes. Segundo, Galdós necesita introducir una subtrama, atractiva en sí,
que, por una parte, pueda cerrarse y descartarse definitivamente *antes* del
final de la narración, y que, por otra, enrede a su narrador-protagonista
en complicaciones y peripecias dramáticas que repercutan estructural y
temáticamente, como contrapunto al ritmo y sentido ya establecidos en la
vida de los personajes unitarios, y que, al mismo tiempo, sea una prueba
de fuego de la que Gabriel pueda salir purificado de una vez para siempre,
preparado ya para recibir, a la puesta del sol, su sublime galardón. Efectivamente, aparece la mariposa exótica, Miss Fly, jadeante, en el séptimo
capítulo del *episodio* para insinuarse, cual dama de estirpe byroniana, en

la intimidad más vulnerable de Araceli, de modo que

1) se hace resaltar, con irónica inversión, el tema de don Juan (que había sido introducido dos novelas atrás, en *Cádiz* en la figura igualmente exótica de Lord Gray, seductor de la hermana de Miss Fly, y víctima, en el penúltimo capítulo de esa novela, tanto del ultraje moral como de la habilidad superior del Araceli espadachín);

2) se le proporciona mecánicamente a Gabriel fácil acceso a las personas y acontecimientos históricos que, de otra manera, no podría éste conocer ni presenciar;

3) provocando sus celos, Miss Fly controla a Inés, dando así relieve novelístico a su carácter a la par que se suspende dramáticamente, hasta el mismo final, la resolución de la trama unitiva;

4) se le incita a Gabriel a realizar heroicidades castrenses y sentimentales para las que, de otra manera, quizá no hubiera podido encontrar ni la fuerza física ni el aliciente necesarios;

5) a Gabriel, y al propio lector, se les proporcionan los medios para medir objetivamente la calidad superior del carácter moral de Inés y de su amor por Araceli; y

6) a Galdós mismo se le ofrecen numerosas oportunidades para insertar diálogos cómicos y dramáticos, así como para explotar una rica vena cervantina en el terreno de las consecuencias que acechan a los que confunden *a)* el heroísmo con la temeridad; *b)* la cautela con la discreción; y *c)* la literatura con la vida.[8]

Conseguido todo esto, Miss Fly se marcha repentinamente en el capítulo 41 (de 43), desenmascarada como coqueta caprichosa, tentadora mentirosa que no volverá a ser vista ni oída en ninguna otra página de Galdós.[9] Finalmente, el autor ha de controlar y coordenar todos estos elementos dentro de los límites históricos de una infratrama que, como ideal, 1) presente un acontecimiento clave y culminante en la historia de España; 2) resuene simbólicamente en los momentos álgidos tanto de la trama unitiva como de la subtrama; y 3) se desenvuelva en términos propios—es decir, en punto a los verdaderos hechos históricos—hacia un gran *dénouement* paralelo a los otros de esta novela final.

Todo lo anterior, en efecto, describe en gran parte el edificio literario de *La batalla de los Arapiles*. Y creo que sin violentar ni los hechos históricos encerrados en este episodio de la Guerra de la Independencia (1808–14)—o Guerra Peninsular, como se conoce entre historiadores anglo-americanos—ni los extraordinarios logros de composición realizados por Galdós en esta novela, puede afirmarse que en el *episodio* los juicios del Galdós historiador y los instintos del Galdós novelista alcan-

zaron un equilibrio perfecto. Su elección de la batalla de los Arapiles
(batalla de Salamanca, para anglo-americanos) fue, en todos los aspectos,
la solución ideal, puesto que el encuentro salmantino no marcó simplemente una etapa más en la conducta de la Guerra, sino, decisivamente,
el *final* de una etapa. En la tarde del 22 de julio de 1812, sobre dos co-
linas—Arapil Grande y Arapil Chico (también conocidos como "Obelisk
Hill" y "Point 901," respectivamente)—a unos seis kilómetros al sudeste
de Salamanca, los aliados (ingleses, portugueses, españoles), a las órdenes de Wellington, vencieron definitivamente a los franceses, al mando de
Marmont, en lo que fue, en las palabras de Araceli—quien vio y nos hace
ver, oler y oír ese conflicto infernal, igual que lo hubiera hecho cualquier
participante histórico—"uno de los más sangrientos dramas del siglo, el
verdadero prefacio de Waterloo, donde sonaron por última vez las trompe-
tas épicas del Imperio" (pág. 1151). La evocación que hace Gabriel de la
escena culminante de la batalla es, según Gilman, tan conmovedora como
lo mejor de Hugo [1981, 58]. Dice Hinterhäuser [1963, 363] que es más
larga que cualquier otra escena de batalla de todos los *Episodios nacionales*, exceptuándose la de Bailén. Para el historiador inglés David Chandler,
la de Salamanca fue no sólo el punto culminante de toda la campaña de
la Independencia, sino "the military masterpiece of the Peninsular War."[10]

Por casualidad o por intención—y prefiero alinearme con la segunda
opinión—remató Galdós así su propia obra maestra histórico-fictiva, con
un golpe narrativo y artístico digno de la grandeza épica que encierran
sus 5.500 páginas. Y un mensaje que opera en los tres niveles narrativos
del *episodio* es que, si el exótico invasor (históricamente, los franceses en
España; novelísticamente, Miss Fly en la vida de los personajes de la trama
unitiva) no supo vencer la resolución, el valor y el buen sentido común
del pueblo español en su solidaridad colectiva, tampoco pudo conquistar
a un distinguido español en particular, en el que vemos desplegadas en
abundancia todas estas virtudes a lo largo de las diez novelas del primer
ciclo de *Episodios nacionales*.

¿Qué omitió del *episodio* su autor?

El equilibrio de la presentación de Galdós, en lo que se refiere estrictamente a los hechos históricos, resulta, en cualquier caso, menos que perfecto.
Débese el desequilibrio, en parte, a que utilizara el novelista como fuente
principal de los datos históricos la dilatada relación de Toreno, cuya elegante descripción y análisis de la campaña salmantina en general y de la
batalla culminante en particular dejan mucho que desear desde un punto
de vista historiográfico.[11]

Aunque no figuraba en la biblioteca de Galdós, la *Historia* de Toreno le era bien conocida, y su información había sido ya indispensable al novelista, según José Ribas, para la construcción de la infratrama de *Gerona*, la séptima novela de la serie. En cuanto a las preferencias de Galdós por este historiador, puntualiza Ribas: "Era Toreno del gusto de Galdós por su enfoque histórico liberal, y por esa aparente objetividad que le presta el estilo latinizante, a lo Salustio, esmaltado de redondas oraciones absolutas" [1974, 152–53]. Prescindo de una conflación de *La batalla de los Arapiles* con el texto de Toreno, porque el ejercicio daría, en el mejor de los casos, un resultado inconcluso, ya que Galdós sin duda consultó otras fuentes también. No obstante, un párrafo de cada escritor puede ilustrar la estrecha atención que prestó el novelista al historiador. En el momento del ataque final, todo cuesta arriba, sobre Arapil Grande ("one of the great charges of the Napoleonic wars"[12]) ambos escritores optan por una relación simultánea de la estrategia de Wellington y de su realización. Lo paralelo de sendas versiones salta a la vista:

TORENO: Fue la embestida en la forma siguiente: reforzó Wellington su derecha, y dispuso que la tercera división bajo del general Packenham [*sic*[13]], y la caballería del general d'Urban con dos escuadrones más, se adelantasen en cuatro columnas, y procurasen envolver en las alturas la izquierda del enemigo, mientras que la brigada de Bradford, las divisiones quinta y cuarta del cargo de los generales Leith y Cole, y la caballería de Cotton le acometían por el frente, sostenidas en reserva por la sexta división del mando de Clinton, la séptima de Hope y la española regida por D. Carlos de España. Las divisiones primera y ligera se alojaban en el ala izquierda, y sonaban como de respeto. Además debía apoyar el general Pack la izquierda de la cuarta división, y arremeter contra el cerro del Arapil, que enseñoreaba el enemigo. (pág. 416)

GALDÓS: Pasé por entre la 5a. división, al mando del general Leith, que desde el pueblo de los Arapiles marchaba al cerro; pasé por entre la 3a. división, mandada por el Mayor general Packenham, la caballería del general D'Urban y los dragones del 14 regimiento, que iban en cuatro columnas a envolver la izquierda del enemigo en la famosa altura; y vi desde lejos la brigada del general Bradford, la de Cole y la caballería de Stapleton Cotton, que marchaban en otra dirección contra el centro enemigo; distinguí asimismo a lo lejos a mis compañeros de la división española, formando parte de la reserva mandada por Hope. (Pág. 1155)

No necesitamos explayarnos en los muchos errores y ambigüedades de varios pasajes de la *Historia* de Toreno, ni en la perpetuación o mala interpretación de los mismos por parte de Galdós en el *episodio*. Tres ejemplos nos bastarán:

1) El general Thomas Picton (1758–1815), quebrantado de salud por las

heridas que había sufrido en Badajoz, fue relevado como comandante de la Tercera División por Pakenham el 28 de junio de 1812, y enviado inmediatamente a Inglaterra a recuperarse. Como no figura este detalle en la parte de la relación de Toreno que describe la posición de Picton cerca de Sancti Spíritus, a donde llegó una cuarta columna de las fuerzas de Carlos de España el 13 de junio (pág. 413), el novelista se ve libre para asignarle a Picton un papel en Arapiles el 21 de julio (pág. 1148). En vísperas de la terrible lucha, Carlos de España le dice a Gabriel:

—Nosotros—me dijo España—vamos al lugar de Torres, en la extrema derecha de la línea, más bien para observar al enemigo que para atacarle. ¡Plan admirable! El general Picton y el portugués D'Urban parece que están encargados de guardar el paso del Tormes, de modo que la situación no puede ser más desventajosa. No falta más que ocupar el Arapil Grande.
—De eso se trata, mi General . . . (Pág. 1150).

De hecho, la responsabilidad de Carlos de España, su única responsabilidad—en efecto, el *único papel* de los españoles en la batalla de los Arapiles—era defender el puente en Alba de Tormes y cortar la prevista retirada francesa. Pronto se supo, sin embargo, que Carlos de España, con su guerrilla, luego optó por abandonar el puente sin informar a nadie, y los franceses, en consecuencia, pudieron retirarse sin complicaciones por Alba de Tormes.[14] No he encontrado esta información en ninguna fuente española; en cambio, los historiadores ingleses parecen ignorar que Carlos de España, además de desobedecer las órdenes de Wellington, había decidido trasladarse a Torres. D'Urban estuvo pronto ocupado en otra parte, como veremos en seguida, y Picton estaba a la sazón en Inglaterra, en cama.[15]

2) Como queda dicho, a la Tercera División de Pakenham se le unió la caballería portuguesa de D'Urban, reclamada por Wellington desde el norte del río Tormes la mañana del 22. Identificado anteriormente como "el portugués," se trataba de un distinguido oficial inglés, Benjamin D'Urban, nacido en 1777 en Halesworth, Inglaterra. La batalla de Salamanca literalmente empezó cuando los dragones portugueses del entonces coronel D'Urban comenzaron el primer ascenso de Arapil Grande, delante de las tropas anglo-portuguesas, no detrás de ellas, como indican Araceli (pág. 1156) y Toreno (pág. 416).[16]

3) A la vuelta de su infiltración en la guarnición francesa de Salamanca, Gabriel refiere su indispensable información a Wellington, y observa que "Wellington miró al general portugués, Troncoso, que a su lado venía. Sin comprender las palabras inglesas que se cruzaron, me pa-

reció que el segundo afirmaba" (pág. 1126). No he podido aclarar la identidad de Troncoso en la *Historia* de Toreno, pero Hieronimus le identifica positivamente como Mauricio Troncoso de Lira y Sotomayor (1771–1817), "a Galician guerrilla."[17] Los generales portugueses, como norma, hablan el inglés que han aprendido en Sandhurst; en cambio, es dudoso que un guerrillero gallego gozara de tales ventajas.

Si estos y otros errores de hecho señalan los riesgos inherentes a limitar a fuentes secundarias una investigación histórica, no son, *sensu stricto,* omisiones. Una omisión, propiamente dicha, es asunto más grave, porque atañe, en el caso que tenemos delante, al coste humano de la batalla de Salamanca y a la justa asignación de la gloria militar para los que se la ganaron. Por lo que a España se refiere, el relato galdosiano *no* nos dice que ese día el honor se lo ganara solamente el héroe ficticio de una novela. El día 23, Gabriel, ya recuperado de las heridas sufridas al intentar apoderarse de la bandera francesa en la cumbre de Arapil Grande (pág. 1161), contempla los estragos humanos ocasionados por lo que había sido quizá "the greatest battle success since Blenheim in 1704."[18] Para esta escena, el breve resumen que da Toreno sólo podía engañar al novelista, puesto que aquí encontramos una de las más egregias exageraciones de la historiografía española sobre esta campaña (en la que hubo, entre los vencidos, no menos de 14.000 bajas, incluyendo a 7.000 prisioneros de guerra, según Chandler). Apunta Toreno:

Costó también no poco a los aliados la victoria, y no menos que a 5.520 subieron los muertos y heridos; hubo de estos muchos jefes, y entre los primeros se contó el general La Marchant. Don Carlos de España y D. Julián Sánchez [otro jefe de la guerrilla] tuvieron algunos hombres fuera de combate; y aunque no tomaron parte activa en la batalla, por mantenerse de reserva con otras divisiones del ejército aliado, no por eso dejaron de ejecutar con serenidad y acierto las maniobras que les prescribió el General en jefe. (Pág. 416)

Calcula Chandler en unas 5.200 las bajas de los aliados, más de 3.000 de ellas entre tropas británicas, "in the space of perhaps five hours fighting."[19]

Gabriel, demasiado conmovido por el espectáculo de muerte para preocuparse de estadísticas, recurre a una prosa de tono épico, en un bello pasaje que empieza: "Miles de ojos sin brillo y sin luz, como los ojos de las estatuas de mármol, miraban al cielo sin verlo" (pág. 1175).

En defensa del novelista, ha de constar que no oculta por completo la no participación de España en el acontecimiento militar más significativo de la historia del país anterior al golpe del general Pavía en 1874. Destinado originalmente a la División de Carlos de España (pág. 1057), Gabriel se entera de que el grupo de éste, con el que se siente poco solidario, por el carácter tosco y cruel del líder guerrillero, no luchará; pero no lo sabe el lector hasta veintinueve capítulos después, al mencionarse el detalle en un diálogo, entre el narrador Araceli y Miss Fly, que en seguida desplaza nuestra atención del infratrama al subtrama:

—Será una gran batalla, y ganaremos—dijo con abatimiento—; pero . . . morirá mucha gente. ¿No os ocurre que podéis moirir vos?
—¿Yo? . . . ¿Y qué importa? ¿Qué importa la vida de un miserable soldado, con tal que quede triunfante la bandera?
—Es verdad; pero no debéis exponeros . . . —dijo con cierta emoción—. Dicen que la división española no se batirá.
—Señora, no conozco a usted; no es usted miss Fly.
—Voy creyendo lo que decía—afirmó clavando en mí los dulces ojos azules—; voy creyendo que no soy yo miss Fly . . . Oíd bien, Araceli, lo que voy a deciros. Si no entráis en fuego mañana, como espero, avisádmelo . . . Adiós, adiós.
—Pero aguarde usted un momento, miss Fly—dije procurando detenerla.
—No, no puedo. Sois muy indiscreto . . . (Págs 1147–48)

Hemos visto en otros pasajes anteriormente citados que Galdós estaba mal informado sobre el contingente portugués en Salamanca, aunque su novela abunda en referencias a "la juventud de tres naciones" allí presente, además de la de Francia (pág. 1149). Sin acudir a Toreno, ni a ningún otro historiador, sabría que la victoria en Salamanca había sido el máximo triunfo de Wellington—y por lo tanto, la hora más glorisa de Inglaterra desdé Trafalgar, cuando se rindieron los españoles a la Némesis británica (lo cual constituye, en el nivel de la infratrama, el gran cierre irónico de toda la primera serie). Pero nada se nos dice, por ejemplo, sobre la acción de los famosos batallones portugueses de Beresford en la 5a División. Al recibir órdenes de Wellington para servir como agregado libre a la brigada portuguesa de Pack (pág. 1150), Araceli da especial atención narrativa a sus miembros ingleses y escoceses, pero raramente menciona al contingente portugués, mucho mayor (págs 1152–53, 1155–56, 1159–61). Solamente cuando la batalla alcanza su apogeo sangriento, cerca de la cima de Obelisk Hill, nos dice el único español que en ese momento se encontraba en aquel terreno quién le acompañaba:

Para coger prisioneros se destrozaba todo lo que se podía en la vida del enemigo. Con unos cuantos portugueses e ingleses me interné tal vez más de lo conveniente en el seno de la desconcertada y fugitiva infantería enemiga. Por todos lados presenciaba luchas insanas, y oía los vocablos más insultantes de aquellas dos lenguas, que peleaban con sus injurias como los hombres con las armas. El torbellino, la espiral, me llevaba consigo, ignorante yo de lo que hacía; el alma no conservaba más conocimiento de sí misma que un anhelo vivísimo de matar algo. (Pág. 1161)

Puede afirmarse con bastante seguridad que Galdós no pudo encontrar en España a ningún historiador que supiera lo que los portugueses habían sacrificado en Salamanca por la gloria de Inglaterra, por la liberación de España—y consecuentemente, por la liberación también del tercio occidental de la Península Ibérica. Aun hoy día tendría el novelista dificultad en encontrar a tal historiador entre sus compatriostas, ya que la contribución portuguesa a la moderna independencia española—ironía de ironías—ha sido uno de los secretos mejor guardados, hogaño y antaño, de la historiografía española.

El alcance de ese sacrificio es mejor conocido en otras partes. Ya se ha citado la referencia, algo indirecta, de Chandler. Napier realizó los siguientes cálculos en 1851:[20]

Conjunto de fuerzas aliadas en la mañana del 22 de julio de 1812, "exclusive of officers, sergeants, trumpeters, artillerymen, and staff":

Total británicos:	25.381
Total "anglo-portugueses" [en esta categoría los subtotales de Napier suman 17.607, pero escribe 17.517:	17.607
Total españoles (División d Carlos de España, unos 3.000, más la caballería de Julián Sánchez):	3.500

Conjunto de fuerzas aliadas:	46.488

Bajas británicas

Oficiales muertos (28) o heridos (188) =	216
Sargentos muertos (24) o heridos (136) =	160
Soldados rasos muertos (336) o heridos (2.400) =	2.736
Total de bajas británicas:	3.112

Bajas portuguesas

Oficiales muertos (13) o heridos (74) =	87
Sargentos muertos (4) o heridos (42) =	46
Soldados rasos muertos (287) o heridos (1.436) =	1.723
Total de bajas portuguesas:	1.856

[No figuran cifras de bajas españolas en los cómputos de Napier].

En la *History* de Oman, los cómputos para las tropas aliadas, el 15 de julio de 1812, sin contar oficiales (y comparadas sus cifras con las de Napier), son los siguientes:[21]

Total británicos:	29.036	(25.381)
Total portugueses:	17.105	(17.607)
Total españoles (sólo la guerrilla de Carlos de España):	3.200	(3.500)
Conjunto de fuerzas aliadas:	49.341	(46.488)

Bajas británicas

Oficiales muertos (28) o heridos (176) =	204	(216)
Otros muertos (360) o heridos (2.491) =	2.851	(2.896)
Total de bajas británicas:	3.055	(3.112)

Bajas portuguesas

Oficiales muertos (22) o heridos (59) =	81	(87)
Otros muertos (484) o heridos (976) =	1.460	(1.769)
Total de bajas portuguesas:	1.541	(1.856)

Bajas españolas

Oficiales muertos (0) o heridos (0) =	0
Otros muertos (2) o heridos (4) =	6
Total de bajas españolas:	6

Con la contribución de otro historiador que merece ser oído, cerramos el libro de la batalla de Salamanca:

Todas as brigadas portuguesas anexas às divisões de infantaria inglesa que combateram, a saber, a 1a, a 3a, a 6a, a 7a, a 8a, a 9a, a 10a e as tropas reunidas à divisao ligeira, que eram caçadores no. 1 e 3, bem como os regimentos da cavalaria, 1, 7 e 11, e uma brigada de artilharia no. 1, num total de perto de 20.000 homens, se portaram com a maior bravura . . . Os ingleses perderam na refrega 3.129 homens, sendo 483 mortos; os portugueses 2.038, dos quais 338 mortos; os espanhois apenas 2 mortos e 4 feridos.[22]

Siete bajas españolas en total, contando la literaria de Gabriel Araceli, quien consigue hacernos *sentir y creer* que fue, indiscutiblemente, una victoria española también. En el nivel de la infratrama, ésa ha sido la mayor función novelística de Gabriel Araceli en *La batalla de los Arapiles*, y desde el principio de la primera "decanovela" de los *Episodios nacionales*.

¿Por qué lo omitió Galdós?

En vista de todo lo anterior, podríamos considerar esta pregunta como ya contestada: simplemente, no sabía, ni podía cerciorarse de toda la realidad histórica de la batalla de los Arapiles. Sabiéndola o no, tenía el novelista, en cualquier caso, un fuerte motivo para minimizar el papel del país vecino en el destino de España.

Al final de un estudio global sobre la ficción histórica de Galdós, Gogorza Fletcher subraya la estrecha conexión entre los aspectos formales de los *Episodios* y la reacción del propio autor ante los acontecimientos históricos ocurridos en la época de componerlos [1973, 50]. *La batalla de los Arapiles* nos ofrece una ilustración satisfactoriamente concreta de esta afirmación. A lo largo del turbulento sexenio que siguió a la Revolución de 1868, y durante el breve período de la Restauración que el autor ya había vivido cuando comenzó la composición del *episodio*, Galdós había visto muy de cerca los peligros para España del movimiento iberista, para el cual los principales ideólogos e intelectuales más avanzados de España y Portugal—sinceros unos, siniestros otros—venían buscando, desde hacía veinticinco años ya, una fórmula para establecer vínculos permanentes de tipo ideológico, político y cultural entre los dos países "hermanos." Entre esos peligros figuraba la inevitable denominación, muy antes de 1875, del iberismo como una nefasta conjura masónica destinada a llevar a ambos países a la ruina simultánea. El iberismo constituía, pues, una mancha en la conducta de las relaciones luso-hispánicas; aun hoy día está sin borrar del todo en ciertas conciencias peninsulares, ya que el fantasma iberista sigue surgiendo de vez en cuando para complicar, y a menudo sofocar, esfuerzos orientados hacia un *rapprochement* hispano-portugués.[23]

Si recordamos que uno de los temas principales de la primera serie (a partir del quinto *episodio, Napoleón en Chamartín*) es el celo masónico del radical republicanismo francófilo de Santorcaz, quien precisamente *al final* de *La batalla de los Arapiles* llega a repudiar esa loca obsesión suya, reconociendo que ésta no ha sido otra cosa que una sublimación de su odio hacia la injusticia del mundo, podemos apreciar que Galdós, nunca ferviente *iberista*, prefiriera navegar muy lejos de esos escollos peligrosos, teniendo presentes, además, tantos otros objetivos más elevados—estéticos, novelísticos y, por supuesto, nacionalistas. Además, el año 1874 marca un punto decisivo, tanto en la vida de Galdós como en el fenómeno del iberismo:[24] para entonces el novelista, volviendo la espalda al mundo clamoroso del periodismo y a diversos entusiasmos políticos ya malparados, se había encerrado en otros mundos de su propia creación; y el movimiento iberista, de cuyo auge espectacular y repentina descomposición había sido Galdós testigo más inmediato que la mayoría de sus contemporáneos, se había convertido en malquisto hijo ilegítimo del más utópico liberalismo español.[25]

Que Galdós pudiera haber escrito, en 1875, una novela histórica más favorable a Portugal es cuestión muy discutible (y sin duda incontestable). En cuanto a *La batalla de los Arapiles*, el hecho es que no cabía allí un tratamiento así, sobre todo si su autor no estaba plenamente enterado de lo que habían hecho los portugueses, históricamente, para que el acontecimiento que da el título a esta novela tuviera un resultado tan trascendental en la historia de España. (Y cuanto menos se dijera, en el contexto del exaltado nacionalismo de la primera serie, sobre el *paseo* a Torres de Carlos de España, mejor.)

¿Qué importan estas omisiones?

He intentado mostrar, sin amplificar ni disminuir indebidamente la importancia del tema, que aún hay mucho que decir a favor y en contra del manejo de la Historia en *La batalla de los Arapiles*—y por extensión, en cualquiera de los otros cuarenta y cinco *episodios* galdosianos escritos entre 1873 y 1912—no sólo en términos del crédito que reclama implícitamente un *episodio* como reconstrucción adecuada de algún momento de la reciente experiencia nacional, sino también en la medida en que la Historia así manejada contribuye a la estructura total, a la *textura*, de cualquiera de estas novelas. Abordando estas cuestiones, Peter Goldman [1975, 5] ha estudiado los problemas que requieren solucionarse para que lleguemos a una recta comprensión de la novelística galdosiana. Insiste el crítico en que la estética de Galdós

must be considered from three angles: first, what was the social reality in which Galdós lived and wrote; second, how did he *perceive* that reality (what was important to him, what inconsequential); and third, what were the alterations which that reality and his view of it underwent as they were absorbed by Galdós, transformed by his imagination, and incorporated into his works?

Parecido objetivo se encuentra en las agudas observaciones de Ricardo Gullón sobre "lo histórico como materia integrante de la novela; lo imaginativo, como agente transformador de esa materia en sustancia novelesca"

[1970a, 23]. Resulta que *La batalla de los Arapiles* se presta de manera ideal al tipo de análisis sugerido por Gullón. El presente estudio, sin embargo, retiene un criterio—la especificidad crítica—que tuvo que sacrificar Gullón al optar por aplicar su método a toda una serie de *episodios*. Comprendo que a Gullón no le interesan todas estas minuciosidades históricas. A la larga, tampoco me interesan a mí, en sí; pero resulta obvio que pueden indicarnos aspectos sumamente importantes acerca de los procedimientos literarios de Galdós.

De ahí que, para ser más concreto, me atreva a afirmar que las omisiones, grandes y minúsculas, de Galdós en *La batalla de los Arapiles* no tienen la menor importancia. No infringen en absoluto los principios de la construcción de la novela y no pueden afectar los propósitos de la misma, ni en calidad de propaganda de tendencia burguesa, ni como obra de arte. (Quizá nunca sea tarde para rechazar la absurda proposición de que el Arte no pueda o no deba transigir con los intereses capitalistas de la clase media.) Es más: creo que de haberse incluido en la narración lo que he señalado como ausente de la misma, sólo se habrían perjudicado aquellos propósitos y principios novelísticos, disolviéndose la ligadura estructural que los refuerza mutuamente: la necesidad de *cierre*, de terminación, en todos los niveles de la narración (trama, subtrama, infratrama), en los principales personajes unitivos, en los elementos simbólicos, en sus ritmos discursivos y en su distribución temporal y espacial (aunque sólo me he permitido comentar aquí los dos primeros aspectos). En algún sentido estético que se me haya escapado, es posible que los errores y omisiones evidentes en *La batalla de los Arapiles* sean fallos en el andamiaje de la novela; espero, en todo caso, haber demostrado que son artísticamente ajenos a la obra.

En cambio, sí importa no poco que Galdós probablemente no supiera que sus compatriotas, a la vista de los altos intereses nacionales que se jugaban en los campos salmantinos ese verano de 1812, apenas participaron en ello, que se comportaron aparentemente sin distinción en la ocasión y que, por lo visto, pronto olvidaron la deuda contraída con los portugueses, que dejaron tanta sangre en Arapil Grande. Me parece, asimismo, asunto de cierta importancia que Galdós contribuyera—aunque fuese inconscientemente—a ese olvido y que de esta forma perdiera una oportunidad única de asentar una crónica justa para futuras generaciones de españoles (para quienes han sido los *episodios* una rica fuente de inspiración e información sobre la historia reciente del país). Factor cualitativo en la formación de la conciencia histórica de tantos lectores españoles, los *Episodios nacionales* contienen, pues, un "capítulo," *La batalla de los Arapiles*, que queda, en el mejor de los casos, selectivamente olvidadizo, y en el peor de ellos, tristemente incompleto en lo que se refiere a la contribución portuguesa a la independencia española. Si así se desaprovechó una ocasión muy oportuna para atenuar el milenario extrañamiento hispano-portugués, en cambio dio Galdós a sus lectores una novela espléndida y una experiencia de lectura inolvidable.

Newport Beach, California

NOTAS

1 Versión española, algo abreviada, de mi ensayo "And Picton Was in England, in Bed: Historical Oversight in Galdós' *La batalla de los Arapiles*," presentado en el Congreso de la Midwest Modern Language Association, St. Louis, Missouri, 7–9 de noviembre de 1985.

2 Cita reproducida en Benito Pérez Galdós, *Ensayos de crítica literaria*, ed. Laureano Bonet (Barcelona: Península, 1972), págs 175–76.

3 Cito de una reimpresión moderna de este ensayo de Azorín, "La novela histórica," que era, en realidad, una reseña de la novela histórica de Emilio Cotarelo, *El hijo del Conde-Duque*, rechazada como tal por Azorín, quien la consideró "reconstrucción, no psicológica, no de ideas y sentimientos. . . , sino simplemente de todo lo externo, de lo que se ve y lo que se toca," en su *Clásicos y modernos*, 6a ed. (Buenos Aires: Losada, 1971), págs 134–35.

4 Paul Olson, "Galdós and History," *MLN*, 85 (1970), 275.

5 Germán Gullón [1984, 45–46] ha analizado las contestaciones novelísticas que da Galdós, en *La Corte de Carlos IV*, segunda novela de la primera serie, a las siguientes preguntas, paralelas en cierto modo a las nuestras: "¿Cuál había de ser el puesto de lo 'real' en la obra novelesca? ¿En qué medida debían entrar en ella los datos tomados de libros [o] recogidos de fuentes orales? ¿Qué lugar corresponde a lo imaginado? ¿Se prestará mayor cuidado a esto que al referente? La respuesta requería suma discreción y exigía atención y vigilancia sobre los materiales empleados. Ese control y junto con él la inspiración que surge del texto mismo son los movimientos esenciales y complementarios de la creación artística, y su sincronización da la medida del éxito."

6 Cómputo hecho por el propio Galdós, como se lee en el epílogo de la serie [Smith 1982, 106]. Desde luego, el narrador-protagonista tiene perfecto derecho, dentro de la ficción, de reclamar estas páginas como propias. Sobre la resbaladiza cuestión de la "premeditación histórica" de Galdós, o la falta de la misma, véanse Smith [1982, 108], Dendle [1980a] y Pattison [1970].

7 Todas las citas de *La batalla de los Arapiles* son de Benito Pérez Galdós, *Obras completas*, ed. F. C. Sainz de Robles, I (Madrid: Aguilar, 1970) y las páginas se indicarán en paréntesis después de cada una. No creo que se hayan explorado las implicaciones de las sorprendentes semejanzas y oposiciones entre la "moraleja" de Araceli y la escrita seis años más tarde por otro narrador galdo-

siano en el ambiente histórico-ficticio, radicalmente distinto, de *La desheredada* (1881): "Si sentís anhelo de llegar a una difícil y escabrosa altura, no os fiéis de las alas postizas. Procurad echarlas naturales, y en caso de que no lo consigáis, pues hay infinitos ejemplos que confirman la negativa, lo mejor, creedme, lo mejor será que toméis una escalera," en Benito Pérez Galdós, *Obras completas*, ed. F. C. Sainz de Robles, IV (Madrid: Aguilar, 1970), 1181. Es más: la incontenible Miss Fly podría interpretarse, retrospectivamente, como una parodia de Isidora Rufete, malograda protagonista de esta última novela.

8 Alfred Rodríguez, [1967b, 57] ha señalado que la trama unitiva y la subtrama se cruzan ("overlap") de una forma única en esta serie de *episodios*. Yo quisiera subrayar que la estructura entera de la novela es *necesariamente* única, debido a su posición clave en la "decanovela" mayor, y que, por consiguiente, es ineludiblemente más compleja que la de las nueve novelas anteriores.

9 Para la salida definitiva de Miss Fly del mundo galdosiano, tomo la palabra de Dorothy Helen Heironimus, "Indexes to the *Episodios nacionales* of Pérez Galdós," (tesis doctoral, University of Colorado, 1938) pág. 136, estudio que, en vez de apuntar sólo los títulos galdosianos, registra todos los *números de capítulo* de todos los *episodios nacionales* en que figura hasta la más mínima mención de un personaje histórico o inventado. No recuerdo haber visto nunca que ningún estudioso galdosista citara la obra de Heironimus.

10 "The Battle of Salamanca," *British History Illustrated*, 2, núm. 3 (1975), 55.

11 Poco antes de que Galdós emprendiera la composición de *La batalla de los Arapiles*, apareció una nueva edición de la *Historia* de Toreno, en el tomo 64 de la Biblioteca de Autores Españoles (Madrid: Rivadeneyra, 1872). La campaña de Salamanca está tratada en las págs 413–34 de esta edición, de la que son sacadas mis citas; los números de página se ponen en paréntesis después de cada una.

12 Chandler, pág. 52.

13 Creo que el error ortográfico en el apellido del cuñado de Wellington, Edward Pakenham, empezó con Toreno; el error ha sido tenaz en la historiografía española: cfr. Ramón Solís, *La Guerra de la Independencia* (Barcelona: Noguer, 1973), págs 337, 386. Solís habla también de "Urban, D., general" (págs 338, 386).

14 Chandler, pág. 55.

15 Michael Glover, *The Peninsula War, 1807–1814. A Concise Military History* (Londres: Archon, 1974), pág. 201; William Napier, *History of the War in the Peninsula (1828–40)*, ed. facsímil abreviada (Chicago: University of Chicago Press, 1979), pág. 323.

16 Véase I. J. Rousseau, ed., *The Peninsular Journal of Major-General Sir Benjamin D'Urban, 1808–1817* (Londres: Longmans, Green, 1930).

17 Heironimus, pág. 350.

18 Chandler, pág. 55.

19 Chandler, pág. 54.

20 Major-General Sir W.F.P. Napier, *History of the War in the Peninsula and in the South of France from the Year 1807 to the Year 1814*, V (Londres: Thomas and William Boone, 1851), 432–33 y "Appendix" XI–XII.

21 Charles Oman, *A History of the Peninsular War*, V (Oxford: Clarendon Press, 1914), 598–99.

22 J. J. Teixeira Botelho, *História popular da Guerra da Península* (Porto: Livraría Chardron de Lelo y Irmao, 1915), pág. 579.

23 Véanse Julio García Morejón, *Unamuno y Portugal*, 2a ed. corr. y aum. (Madrid: Gredos, 1971), págs 335–36, y Pedro Rocamora Valls, "Diálogo con Portugal," en su *Pensadores españoles contemporáneos* (Madrid: C.S.I.C., 1975), pág. 100.

24 Toreno, quien presidió las Cortes durante el Trienio Constitucional (1820- 23), fue masón, junto con otros cincuenta y dos diputados de la época, según nos cuenta el narrador de la cuarta novela de la segunda serie, *El Grande Oriente* (1876; véanse los capítulos XIX y XXIII). En cuanto a la asociación de Galdós con esta sociedad secreta, dice Benimeli [1982, 239–40] que la evidencia es escasa e inconclusa, y añade: "De todas formas, perteneciera o no a la masonería, el desencanto que Galdós manifiesta hacia dicha organización en su versión española es tan notable que, en el mejor de los casos, podríamos encontrar en alguno de sus protagonistas rasgos autobiográficos sobre el particular, al menos en su aspecto ideológico . . . es importante analizar si entre el Galdós que va relatando las vicisitudes de la historia española, sobre todo de la primera mitad del siglo XIX, y el Galdós que escribe a partir de la década de los 70, no hay una interconexión ideológica que le lleva a cierta proyección del presente al pasado."

25 Véanse Roger L. Utt, "Galdós' Early Journalism in Madrid and the *Las Novedades* (Dis-)Connection," *AG*, 19 (1984), 71–85, y María Victoria López Cordón, "El iberismo" (I y II) en su *El pensamiento político-internacional del federalismo español (1868–1874)* (Barcelona: Planeta, 1975), págs 171–288.

Rodolfo Cardona

Mendizábal: grandes esperanzas

I

No hay duda de que la llegada de Mendizábal a España en 1835, después de haber sido invitado por la Reina Gobernadora a formar un nuevo gobierno en el que asumiría, además de su Presidencia, la cartera de Hacienda, creó grandes esperanzas en el país. Y no es de extrañar; con sus credenciales de liberal que se había ganado en Cádiz el año 12, y después de sus éxitos en el exilio, primero como un experto en finanzas en Londres con una firma de gran reputación, y luego como "salvador" de Portugal, se le recibió como a un héroe. Su papel en la restauración de la Monarquía portuguesa había creado la esperanza de que también pudiera convertirse en el salvador de España. El regreso a su país creó, sin duda, grandes esperanzas.

El período durante el cual le tocó tomar las riendas del gobierno no podía haber sido más difícil para el país: después de la "ominosa década" que había terminado con la muerte de Fernando VII, el problema de la sucesión se desarrolló en una guerra a muerte (la primera guerra carlista); además, las finanzas del país estaban prácticamente en bancarrota, en parte debido a las consecuencias de la Guerra de la Independencia con los saqueos que llevaron a cabo las tropas francesas en su retirada, y en parte debido a la política inepta de Fernando VII durante su reinado. Para empeorar la situación, el país estaba completamente dividido ideológicamente con motivo de la Constitución de 1812 entre absolutistas y liberales. La "ominosa década" había dejado también una estela de ejecuciones, encarcelamientos y exilios que privaron a España de sus mejores cerebros. Bajo tales condiciones el país necesitaba una persona muy hábil, capaz de guiarle certeramente durante este período de crisis; alguien que tuviese no sólo nuevas ideas sino también la habilidad de llevarlas a cabo. Mendizábal llegó con excelentes ideas pero quizá le faltó la experiencia política que le hubiese capacitado para ponerlas en ejecución.

No es, entonces, sorprendente que cuando Galdós se puso a escribir el *episodio* que enfocaría el período en que Mendizábal presidió el Gobierno, el novelista hiciera hincapié en el fracaso del Ministro, a pesar de sus muchas prendas, de sus excelentes ideas y de su honestidad. En la novela el narrador lo expresa en términos del insigne aficionado a los toros, el cura D. Pedro Hillo, quien, insistentemente, menciona que a Mendizábal "le falta mano izquierda," con la consecuencia de que "no remata la suerte." Es decir, que es incapaz de llevar a cabo sus propios planes. Esta circunstancia es uno de los factores principales de su caída del poder. Mendizábal no logró obtener el voto de confianza del Estamento y tampoco supo ganar el apoyo de la Reina Gobernadora ni de su camarilla para poner en práctica su decreto de expropiación de las propiedades improductivas de la Iglesia, lo cual se llevó a cabo unos años más tarde. Así, las grandes esperanzas que había inspirado en sus paisanos, quedaron defraudadas.

Dentro de este contexto tampoco es sorprendente que al idear el argumento fictivo del *episodio* Galdós pensara en la novela de Dickens, *Grandes esperanzas.* Para empezar, Galdós utilizó el conocido patrón novelístico usado en tantas novelas del siglo XIX—las del llamado "realismo romántico"[1] —en las que aparecía un héroe al que el crítico Lionel Trilling ha caracterizado como el Joven de Provincia:

No tiene que haber nacido literalmente en una provincia, su *status* social puede constituir su provincia. Pero un nacimiento y una crianza provincianos sugieren la simplicidad y las muchas esperanzas con que comienza—comienza con una gran exigencia de la vida y un gran sentido de admiración sobre su complejidad y promesa. Puede ser de buena familia pero debe ser pobre. Es inteligente, o por lo menos informado, pero no ducho en las cosas del mundo. Debe haber recibido cierta educación, debe haber aprendido algo de la vida en los libros, aunque no la verdad . . . Así equipado con su pobreza, su orgullo, y su inteligencia, el Joven de Provincia se encuentra fuera de la vida y pretende entrar.

* * *

Es el destino de este Joven el pasar de una posición de oscuridad a otra de considerable importancia . . . Se encuentra ante situaciones cuyo significado no es nada claro para él, en las que su decisión parece siempre crucial.[2]

En fin, tal Joven es usualmente vencido por la sociedad, y al final o muere en la lucha o vuelve a su medio provinciano a curarse de sus heridas.

Fernando Calpena, el héroe de la tercera serie de los *episodios nacionales*, es nuestro Joven de Provincia. Aparece por primera vez en *Mendizábal*, la segunda novela de esta serie. La primera, *Zumalacárregui*, había servido como una especie de prólogo para introducir a los lectores en el tema histórico de la tercera serie, la guerra carlista. Como tal, queda como un *episodio* aislado e independiente del resto del argumento novelístico de la serie. Este argumento, que mantendrá nuestro interés durante el resto de la serie, se centra en las aventuras de Fernando Calpena, cuya extraña historia empieza en *Mendizábal*. Para los propósitos de este ensayo concentraré mi atención en los sucesos de este *episodio* en el que Galdós parece haber seguido los rasgos más destacados de la novela de Dickens. Sucede que *Grandes esperanzas* es uno de los más destacados ejemplos de la situación arquetípica descrita por Trilling y en esta novela encontramos el patrón que le sugirió al profesor Donald Fanger proponer la idea de que la mayoría de las novelas del "realismo romántico" podrían llevar como subtítulo los títulos de dos de las más conocidas obras de la época: "Grandes esperanzas, Ilusiones perdidas." El patrón argumental del *episodio* de *Mendizábal* coincide con esta observación del profesor Fanger. Galdós había utilizado este mismo patrón desde muy temprano en su carrera como lo demuestran *La Fontana de Oro* y *La desheredada*, para mencionar dos de los ejemplos más evidentes.

II

Cuando el joven llamado Fernando Calpena llega a Madrid, después de una corta estancia en París, desde un pueblo de provincia donde había nacido y se había criado, oye que alguien le llama por su nombre en la estación de las diligencias. Con gran sorpresa para él, le han venido a recoger para llevarle a una pensión muy decente donde le esperan y es muy bien recibido. Todos los arreglos necesarios para que se quede allí, sin preocuparse del costo, han sido previamente dispuestos. Se han dejado, incluso, instrucciones en la pensión indicando que un famoso sastre de la Corte vendrá a tomarle las medidas para hacerle la ropa que necesitará en su nueva vida en Madrid. En fin, se encuentra protegido por una persona desconocida cuya identidad trata en vano de descubrir y cuyas acciones le llevan a él y a otros a pensar en grandes expectativas para su futuro. Uno de los pensionistas, el padre Hillo, se convierte en tutor y confidente de Calpena y comienza a especular sobre el *verdadero* origen de este joven. Sus especulaciones aumentan aun más el ámbito de esas *expectativas* que se supone esperan a nuestro héroe.

Calpena, después de ser debidamente equipado por el sastre de moda que "la velada" le ha asignado, y después de recibir suficiente dinero para sostener su posición en la sociedad de Madrid, recibe un nombramiento en Hacienda. El puesto no llega tan alto como Hillo esperaba para su protegido. Sin embargo, pone a nuestro joven en contacto directo con Mendizábal de quien termina siendo secretario privado. Este acontecimiento logra dos cosas: por un lado, inspira más esperanzas y especulación sobre Calpena; por otro, le permite al narrador la flexibilidad de moverse del personaje histórico al ficticio e incluso mezclarlos a los dos en el mismo nivel narrativo. La especulación sobre Calpena empieza a salirse de lo razonable. Según algunos, su puesto en el Ministerio de Hacienda lo debe a una recomendación de la Duquesa de Berry. Irónicamente, una de las primeras tareas de Fernando, como secretario de Mendizábal, es escribir una carta informando a la Duquesa que el Ministro ha cumplido con su recomendación (no sabemos, claro, de qué recomendación se trata, de modo que los lectores estamos libres de inferir más de esta acción de lo que en realidad tal vez se merece; el narrador, en otras palabras, juega con nosotros). En cuanto a la especulación sobre los orígenes del joven Calpena, se desborda hasta llegar a sugerir que es el hijo natural de Mendizábal con una princesa de sangre real, todo lo cual continúa alimentando la creencia en las grandes expectativas reservadas para el joven.

El lector encuentra en *Mendizábal* muchas características que fueron muy populares en los folletines de la época romántica. Estas características fueron cultivadas adrede por Dickens en varias de sus novelas y muy particularmente en *Grandes esperanzas*. Galdós, astutamente, se sirve de estas características para situar mejor su *episodio*, escrito en 1898, dentro del ambiente del momento histórico que está presentando, es decir, los primeros años del romanticismo en España, 1835–36. Conforme los sucesos misteriosos van envolviendo la vida de Calpena, cuya existencia se había desarrollado hasta entonces dentro de las normas del clasicismo, al que su tutor, un sacerdote humanista, le había acostumbrado desde su niñez, el sorprendido joven llega a comentar: "se empeña uno en ser clásico y he aquí que el romanticismo le persigue, le acosa."[3]

Se pueden establecer paralelos evidentes entre la novela de Dickens y el *episodio* de Galdós, paralelos que obviamente fueron perseguidos conscientemente por el novelista español para propósitos que discutiré más adelante. Pip y Calpena son huérfanos, criados en una pequeña comunidad provinciana y ambos se ven cogidos de pronto en una misteriosa situación en la que una persona desconocida cambia sus vidas y los lanza en sociedad, en la capital, donde se desarrollarán sus respectivos destinos. Ambos están obligados a obedecer la orden estricta que "most positively prohibited [them] from making any inquiry . . . to any individual whomsoever as *the* individual . . . "[4]

Ambos llegan a conocer a una bellísima joven, también de origen misterioso o inusual, a quien le espera una herencia considerable y que vive bajo la tutela de una vieja extraña en una casa muy curiosa. Ambos sufren una transformación radical como consecuencia de haber conocido a esta joven y ambos quedan frustrados en la realización del amor que esta mujer les inspira. Siempre rondándoles está "la incógnita" que guía todos los pasos de nuestros dos héroes. Ambos jóvenes adquieren confidentes y tutores que les ayudan en su camino (Hillo, en el caso de Calpena; Herbert Matthew y su padre, así como Wemmick y hasta cierto punto Jaggers, en el caso de Pip) y les guían en diversas ocasiones durante sus vidas.[5] Y (si nos limitamos a *Mendizábal* sin seguir la suerte de Calpena a través de toda la tercera serie, pero aun en cierto modo siguiéndole hasta el final de ésta) se puede decir que si bien las "grandes esperanzas" para Pip y Calpena resultan fallidas al final, ambos aprenden una lección de aplomo y confianza en sí mismos a través de sus respectivas experiencias: aún más importante, llegan a conocerse mejor.

III

Me parece bastante obvio que Galdós utilizó la novela de Dickens como modelo para el desarrollo de un personaje bajo circunstancias suficientemente románticas como para comentar irónicamente sobre el período histórico de que se ocupaba, la España de 1835–36. Fueron estos los años, terminada la "ominosa década" con la muerte de Fernando VII, en los que el movimiento romántico explotó por fin en España y cuando las condiciones normales fueron restablecidas para permitir el retorno de los exilados y así hacer posible el desarrollo de las artes y de la literatura sin las limitaciones de la severa censura que había prevalecido hasta ese momento. Sin embargo, debo aclarar que esta utilización hecha por Galdós no es mero plagio o copia servil de su parte. Mi propósito no es buscar posibles "fuentes" para *Mendizábal*. Lo que deseo sugerir es que Galdós hábilmente superpuso un patrón novelístico y, más específicamente, detalles de un desarrollo argumental, a una situación histórica que se prestaba espléndidamente a ese tratamiento. Ya se ha hecho referencia a que el corto pero intenso período del Ministerio Mendizábal siguió, de hecho, la secuencia tan caracteristica de las novelas del realismo romántico, "grandes esperanzas, ilusiones perdidas." Al crear el argumento fictivo, complemento de los sucesos históricos que se propone narrar en cada *episodio*, Galdós utiliza a menudo un sistema de contrapunto parecido al utilizado por la música que superpone dos melodías paralelas. Así, en la vida de Fernando Calpena, dentro de los límites de este *episodio*, seguimos la misma trayectoria que sigue Mendizábal en su carrera política; es decir, vamos de las "grandes esperanzas" que alcanzan su punto culminante en los capítulos que tratan del comienzo de su cortejo de Aura—apoyado por su guardiana—a las "ilusiones perdidas," cuando encontramos a Calpena, al final del *episodio*, en la cárcel y tratado como un común conspirador.

En sus asuntos personales ha pasado de ser aceptado como un buen partido en los más exclusivos círculos de la sociedad madrileña, a su rechazo por doña Jacoba Zahón, la guardiana de Aura, como un oportunista indeseable, sólo interesado en su pupila debido a su futura herencia. Galdós ha utilizado, entonces, un argumento novelístico que ha moldeado en sus manos para sus propósitos, así como Cervantes moldeó en las suyas las características del argumento de las novelas de caballerías al escribir *Don Quijote*.

Grandes esperanzas presentó a Galdós todos los elementos que necesitaba no sólo para manipular a sus dos héroes, tanto el histórico como el ficticio, sino también para crear el ambiente histórico en que se mueven. Era obvio que un *episodio* que se desarrollaba durante el momento más intenso del romanticismo español tenía que estar lleno de características románticas: misterio, encuentros fortuitos, conexiones inexplicables entre personajes, anagnórisis, etcétera. Ninguna otra novela de Dickens podría haberle facilitado tantos elementos de este tipo. En *Mendizábal* encontramos que los personajes novelescos y los históricos están entrelazados misteriosamente de muchas maneras: Calpena no sólo sirve por un tiempo de secretario de Mendizábal, sino que durante este período escribe al dictado una carta para la persona a quien, según los rumores que corren, el joven debe su puesto en el Ministerio. Además, se enamora de una joven cuyo padre ha estipulado en su testamento que quede bajo la tutela legal del Ministro y que viva con su guardiana, doña Jacoba Zahón, la señora a quien Calpena ha traído un paquete desde Francia; de hecho, el joven conoce a Aura cuando va a entregar el paquete a su dueña. Otra inexplicable coincidencia es que el precioso abanico que cae en manos de doña Jacoba perteneció en el pasado a "la velada," la protectora de Calpena. El otro secretario de Mendizábal, don José Milagro, quien entabla amistad con el joven Calpena en el Ministerio (como sucede con Wemmick en el caso de Pip), frecuenta también la casa de la Zahón donde ayuda con las cuentas y sirve oficialmente de mensajero entre Mendizábal y la Zahón en los asuntos que tienen que ver con Aura. Pero es que, sin saberlo, sirve también de mensajero entre Fernando y Aura después que doña Jacoba le prohíbe a aquél la entrada en su casa. Galdós, en otras palabras, utiliza todo incidente conocido en los melodramas tan populares durante el romanticismo (y que Dickens había explotado al máximo en novelas como *Grandes esperanzas*) para comentar así irónicamente sobre un período histórico en el que sucedían en España muchas cosas extrañas que los personajes de la narración achacan a las locuras que el movimiento romántico había traído al país. Hay un largo pasaje en la novela, emblemático de esta situación, que vale la pena citar por entero. Sucede en el capítulo V, hacia comienzos del *episodio*. Hillo le habla a Calpena de las múltiples contradicciones en la situación política que impiden que Mendizábal pueda gobernar dentro del caos existente:

A usted, hombre feliz por obra y gracia de la Providencia enmascarada, nada le altera. ¿Ha leído usted *El Español* de hoy? . . . ¿A que no? . . . ¿A que tampoco ha leído *El Mensajero* ni *El Eco del Comercio*? En mi cuarto los tengo. Vienen los tres diarios echando bombas, cada uno según el son a que baila. Yo me alegro, para que se arme de una vez . . . Parece que las Juntas no quieren disolverse, las de Andalucía sobre todo, y he aquí el Sr. Mendizábal en un brete, porque nos ofreció poner fin a esa horrible anarquía, y en los primeros días creímos que lo lograba. Pero aquí, para que usted se vaya enterando, tanto puede la envidia de los propios como la mala voluntad de los extraños; o en otros términos, que los amigos, o sea el agua mansa, son más de temer que los enemigos. ¿No lo entiende? Pues quiere decir que los estatuístas templados caídos del poder con Toreno se introducen en los conciliábulos de los patriotas, fingiéndose más exaltados que éstos, para sembrar cizaña, y al propio tiempo los *libres* que aún no tienen empleo se van a las sacristías del otro bando y atizan candela, para que los diarios de la *moderación* se desborden y se encienda más el furor de las Juntas. Estas nos ofrecen un espectáculo delicioso. Una pide que se restablezca la Constitución del 12; otra que se modifique el Estatuto, y entre todas arman una infernal algarabía. El señor Mendizábal pretende gobernar en medio de *esta jaula de locos furiosos* [énfasis nuestro]. Manda tropas contra las Juntas, y los soldados se pasan a la patriotería . . . Y los carlistas, en tanto, bañándose en agua rosada, preparándose para venir hacia acá, porque Córdova no les ataca mientras no le manden refuerzos . . . Estamos en una balsa de aceite . . . hirviendo. ¡Qué gratitud debemos al Señor Omnipotente por habernos hecho españoles! Porque si nos hubiera hecho ingleses . . . estaríamos aburridísimos, privados de admirar esta entretenida función de fuegos artificiales. (Págs 54–55)

La situación novelesca es con frecuencia deliberadamente saboteada por el narrador y por los comentarios del cura Hillo, un clásico que se convierte en víctima de las circunstancias románticas en las que se encuentra envuelto, a causa del afecto que siente por su amigo Calpena. En cierta ocasión, mientras el joven confía a su confidente algunos detalles misteriosos de su pasado, el cura resume:

¡Ah . . . por San Benito de Palermo . . . [Don Benito se divierte con sus lectores] Ya veo, ya veo claro . . . digo, no, no veo más que obscuridades y fantasmas

. . . Señora allá que manda [se refiere al paquete que trajo Calpena consigo desde Francia], señora aquí que recibe . . . Aviraneta . . . [uno de los conspiradores históricos para quien algunos creen que Calpena ha traído el paquete] La *Confederación isabelina* . . . el degüello de regulares . . . Mendizábal . . . Usted recibido y aposentado en Madrid por personas desconocidas que no dan la cara . . . usted vestido por Utrilla . . . [el sastre de moda asignado a Calpena por "la velada"] usted obsequiado con billetes de teatro y con otros regalitos que no habrá querido decirme . . . ¡Ay! D. Fernando de mi alma, como mi religión me ordena no creer en brujas, y mi experiencia me permite creer en enjuagues masónicos, ya le veo a usted tocado de locura, y me vuelvo loco tambíen, porque no entiendo una palabra de este intrincado negocio.

—¡Y luego decimos que somos clásicos?

—¡Clásicos! Eso quisiéramos. El mundo está tocado de insana demencia . . . *Ya no pasan las cosas como antes, con aquella pausa y regularidad de otros tiempos; todo está trastornado; reina la sorpresa, mangonea el acaso, y los acontecimientos se suceden sin ninguna lógica.*[6] Ya no hay reglas, mi querido D. Fernandito. Eso es el caos, la barbarie, la anarquía de las almas. Corre un viento de desorden, y en la naturaleza no hay aquella serenidad, aquella calma majestuosa. (Págs 73–74, énfasis mío)

El romanticismo, Víctor Hugo y Alejandro Dumas tienen la culpa, según Hillo, de todo lo que está pasando, tanto en el nivel fictivo de la narración como en el histórico. Es obvio que Galdós se divierte a expensas de una situación que él mismo crea bajo la inspiración de los patrones melodramáticos que ha encontrado disponibles en la novela de Dickens, patrones que, sin embargo, se acomodan a una situación histórica particularmente llena de incidentes que parecen inventados.[7]

El siguiente pasaje, donde Calpena explica a Hillo otros detalles referentes al famoso paquete, es amplia prueba de la modalidad irónica en que fue escrito este *episodio*:

[P]ues bien: esta señora fue la que me dio el encargo . . . Tanto ella como Maturana me encargaron tuviese mucho cuidado de no entregar el paquete más que a la persona a quien viene dirigido. "Será muy difícil—me dijo Madame Aline,—que haya equivocación ni suplantación, si usted se fija bien en las señas que le doy. La señora en cuyas manos pondrá usted la cajita es jorobada."

—¡Lo ve usted!—exclamó Hillo, dándose un fuerte palmetazo en la rodilla.—¿Ve usted cómo acertaba yo cuando hablé del torbellino romántico? En el romanticismo desempeñan siempre un papel culminante los jorobados, o siquiera cargados de espalda, los tuertos, patizambos, y, en general, toda persona que tenga alguna deformidad visible. También figuran en él los tísicos [uno de los amigos de Calpena, compañero en el Ministerio, será un tísico], los locos y los que padecen ictericia.

—Jorobada—me dijo—, de sesenta años, y algo impedida de la pierna derecha.
—Bueno, bueno, bueno . . . Lo que digo: en pleno romanticismo. (Pág. 86)

Galdós ha encontrado una forma muy apropiada para manejar temas históricos y novelísticos que se desarrollan durante el período romántico, la cual le permite varios logros:

1. Caracterizar un personaje histórico a quien admiraba mucho, el cual, bajo diferentes circunstancias, pudo haber salvado a España de la situación caótica en que se encontraba después de la muerte de Fernando VII;
2. intentar una explicación, en términos novelísticos, del fracaso de esa figura histórica;
3. presentar un personaje ficticio que pudiera servir como contrapunto del histórico y que siguiera su misma trayectoria (de las grandes esperanzas a las ilusiones perdidas); y
4. representar un período particularmente desquiciado de la vida española por medio de la presentación de los excesos del romanticismo, excesos que continua y conscientemente están siendo saboteados por el narrador, por los personajes y, muy ingeniosamente, por la utilización que hace el novelista del efecto paródico.[8]

En este *episodio*, posiblemente más que en ningún otro de los anteriores, Galdós supo mezclar historia y ficción y lograr la interacción de personajes históricos y ficticios con gran acierto y en forma aparentemente poco artificial. Así es, por ejemplo, el caso de la conexión entre Mendizábal y Aurora Negretti, cuya vida él afecta directamente al final del *episodio*, al cambiarle de guardián. En pocos *episodios* nos encontramos con tantas personalidades políticas y literarias de la historia que aparecen constantemente en el curso de la narración. Estas figuras históricas, como la del propio Mendizábal, se convierten en narradores de historias fictivas (como cuando el Ministro narra los orígenes de Aurora), o tienen aventuras amorosas con la mujer de uno de los personajes ficticios (como es el caso de las conocidas aventuras amorosas que tiene la mujer de Oliván—personaje de ficción—con varios personajes bien conocidos de la época). Obras reales de teatro tienen sus estrenos reales durante el curso de la narración ficticia; y personajes de ficción, como Calpena, mantienen relaciones con autores reales como Hartzenbusch, García Gutiérrez, Larra y Espronceda, y asisten a ensayos de obras de teatro bien conocidas. Los pasillos del edificio donde se reúnen los Estamentos resuenan con conversaciones entre figuras políticas históricas y personajes fictivos, todos tratando de colocarse en listas reales de candidatos para diversas elecciones. En la narración de Calpena sobre su estancia en París—parte de la ficción—averiguamos muchos detalles históricos sobre la vida de Mendizábal antes de su regreso a España para formar gobierno. La creación de D. Pedro Hillo, personaje de ficción, está relacionada en muchos aspectos interesantes con la vida de un torero real del mismo nombre, Pepe Hillo, contemporáneo suyo (Hillo había muerto trágicamente en 1803). El Hillo histórico fue el primer torero en publicar un tratado del arte del toreo, en el que asentaba ciertas reglas fundamentales. ¿Es de sorprender, entonces, que D. Pedro Hillo mire todo, y particularmente la política, en términos de las reglas del toreo? Para hacer más hincapié todavía, el narrador nos dice que el cura nació en la ciudad de Toro. D. Benito, como ya se ha sugerido antes, jugó bastante con sus lectores al escribir este *episodio*, y sus juegos, una vez descubiertos, hacen que gocemos más de esta obra, y, más importante aún, que el lector logre comprender mejor lo que pretendía el novelista, particularmente como escritor de novelas históricas. Porque, a pesar de la gran densidad de figuras y sucesos históricos que aparecen en este *episodio*, lo principal, lo significativo, es que está escribiendo no tanto sobre esas personas cuyos nombres aún recordamos, sino sobre aquéllas cuyos nombres no han aparecido en las páginas de la historia, "aunque en verdad lo merecía[n]." Con referencia a uno de éstos nos dice el narrador:

El huésped de la casa de Méndez no ha pasado a la historia, aunque en verdad lo merecía, por la agudeza de su entendimiento y la variedad de sus estudios. Menos años contaba entonces el Nicomedes [Nicomedes Pastor Díaz] que después adquirió celebridad como político y publicista; ambos se hallaban ligados por estrecha y cordial amistad. El más joven hizo carrera literaria y política; el más viejo se fue a la Habana en tiempo del general Tacón, y murió de mala manera bajo el mando de Roncali. Apenas ha dejado rastro de sí, como no sea el descubierto con no poca diligencia por el que esto refiere;[9] rastro apenas visible, apenas perceptible en el campo de la historia anónima, es decir, de aquella historia que podría y debería escribirse sin personajes, sin figuras célebres, con los solos elementos del protagonista elemental, que es el macizo y santo pueblo, la raza, el *Fulano* colectivo. (Pág. 19)[10]

Este pasaje es interesante por dos razones. Primero, porque nos dice mucho de las intenciones de Galdós cuando concibió la idea de escribir sus *Episodios nacionales* en los que se propuso repasar la historia de España desde los comienzos hasta casi el final del siglo diecinueve. Aunque los títulos de los *episodios* con frecuencia se refieren o a lugares donde ocurrieron sucesos históricos importantes, como Cádiz, Zaragoza, Gerona, Vergara, etcétera o a personajes históricos cuya actuación jugó un papel importante en el desarrollo de esa historia, como por ejemplo, Zumalacárregui, Mendizábal, Montes de Oca, Prim, Cánovas, en sus argumentos novelísticos Galdós trató de mostrarnos las vidas de la gente común que vivió todos esos momentos históricos y que fue afectada por las decisiones de esos importantes personajes. Esta fue una de las lecciones que aprendieron de Galdós los hombres del 98. Cuando el joven Unamuno empezó a escribir sobre la tercera guerra carlista, que él presenció desde Bilbao, en su primera novela *Paz en la guerra*, en el proceso desarrolló el concepto que él llamó "intrahistoria" y que básicamente era la misma idea que Galdós había concebido al escribir sus *episodios*. Es decir, la de dar expresión a la experiencia de la gente común durante los grandes sucesos registrados por la historia. Cuando Galdós escribe en 1898 el párrafo que hemos transcrito, ya había puesto en práctica esa idea en sus *episodios* desde que empezó a escribirlos en 1873, sólo que nunca le había dado expresión directa en forma tan explícita como lo hizo en *Mendizábal*. La novela de Unamuno, sin embargo, fue escrita un año *antes* de este *episodio*. ¿Tenemos aquí un caso curioso de "fecundación cruzada"? Es muy posible. Unamuno envió un ejemplar de *Paz en la guerra* (Madrid: Fernando Fe, 1897), con la siguiente dedicación: "A. D. Benito Pérez Galdós, como prueba de admiración y afecto. Miguel de Unamuno."

La segunda idea interesante que podemos sacar del párrafo citado es que Galdós utiliza la coincidencia de dos personas con el mismo nombre para destacar *su propia* teoría sobre la escritura "intrahistórica." El narrador se presenta como la persona por medio de cuya investigación ha sido posible conocer más sobre personas desconocidas tales como el pensionista, cuya vida, de otra forma, hubiese quedado en completa oscuridad. Irónicamente, no sabemos si está, de verdad, refiriéndose a un personaje real o a un personaje ficticio. Lo más probable es que sea esto último, lo cual da aun más realce a este pasaje.

Conclusión

Mendizábal, uno de los menos estudiados *episodios* de Galdós, rara vez destacado con un comentario [Gómez de Baquero 1899; Alas 1912; Dendle 1980b, 43–48], resulta ser bajo la lupa crítica un caso ejemplar de cómo el novelista toma un fragmento de historia y una figura histórica prominente y los convierte en pura literatura—es decir, puro arte—dándonos, a la vez, una mejor comprensión de la historia como suceso político, como relaciones sociales y como espíritu de una época. Mendizábal y Calpena iluminan sus vidas mutuamente, precisamente en esos intercambios ficticios en los que participan. Y ambos clarifican el espíritu de la época, la España de 1835–36, por medio de sus acciones, sean éstas históricas o ficticias. Pero todo esto surge en nuestra mente con gran claridad, gracias a la habilidad con que Galdós superpone patrones novelísticos bien conocidos sobre sus narraciones históricas e imaginativas. Nosotros, como lectores, respondemos a este juego y nos convertimos en sus cómplices.

Boston University

NOTAS

1 Donald Fanger, *Dostoevsky and Romantic Realism* (Cambridge: Harvard University Press, 1967). (Véase particularmente el capítulo primero).

2 Lionel Trilling, "*The Princess Casamassima,*" en su *The Liberal Imagination. Essays on Literature and Society* (Nueva York: Doubleday, 1950), págs 68–69. La traducción es mía.

3 Benito Pérez Galdós, *Mendizábal* (Madrid: Est. Tip. de la Viuda e Hijos de Tello, 1898), pág. 16. Todas las citas de esta novela son de esta primera edición y las páginas se indicarán en paréntesis después de cada una.

4 "[L]es prohibía estrictamente hacer cualquier averiguación . . . en cuanto a cualquier individuo como *el individuo,*" Charles Dickens, *Great Expectations* (Nueva York: Rinehart, 1958), pág. 140. La traducción es mía.

5 En su estudio *Balzac, Romancier* (París: Librairie Plon, 1940), págs 13–22, Maurice Bardèche discute la categoría denominada por él "*roman noir,*" una variante de la cual presenta una situación que podría ser otro patrón novelístico de la época. Se trata de la presencia de un "protector":

Il lui appartient de déjouer les ruses, de pénétrer les manoevres de l'adversaire, et surtout de monter autor de l'héroine une garde constante et invisible. Il est pour cela doué d'une ubiquité inexplicable, franchit les passages les mieux dissimulés, explore les souterrains les plus inviolables. Il est aidé dans sa tâche par la connaissance de tout ou partie du secret qui pèse sur la vie du traître. Mais une circonstance inconnue le condamne à rester caché et à n'agir que dans le plus grand mystère, présent toujours par son action, mais constamment invisible. Les entraves qui sont imposées à ce personnage tutélaire ne sont pas sans lui nuire auprès de ceux-là même qu'il protège: aussi lui montre-t-on beaucoup de défiance; on n'obéit à ses injonctions que par un "attrait inexplicable" et on ne découvre qu'au dernier chapitre l'étendue de ce qu'on lui doit. C'est un homme d'un certain âge: il vit presque toujours seul et retiré. (Págs 17–18)

La situación aquí descrita la encontramos, con variantes obvias, tanto en *Grandes esperanzas* como en *Mendizábal*. Agradezco a mi colega, el profesor Alan Smith, que me haya llamado la atención sobre este otro paradigma en la novela del siglo XIX.

6 Georg Lukács, en su libro *The Historical Novel* (Lincoln: University of Nebraska Press, 1983), pág. 23, revela este interesantísimo dato que parece haber

sido intuido por Galdós: "It was the French Revolution, the revolutionary wars and the rise and fall of Napoleon, which for the first time made history a *mass experience*, and moreover on a European scale. During the decades between 1789 and 1814 each nation of Europe underwent more upheavals than they had previously experienced in centuries."

7 Unos veinte años más tarde, Valle-Inclán inventará la fórmula del espejo cóncavo en *Luces de Bohemia*, precisamente para dar expresión adecuada al absurdo de la historia de España utilizada como trasfondo de esta obra.

8 Expreso mi reconocimiento a la profesora Linda Hutcheon por su libro *A Theory of Parody* (Londres: Methuen, 1985). Citaré dos cortos párrafos de su "Introducción" que me parecen particularmente aptos para mi propósito:

While we need to expand the concept of parody to include the extended "refuctioning" (as the Russian formalist called it) that is characteristic of the art of our time, we also need to restrict its focus in the sense that parody's "target" text is always another work of art or, more generally, another form of coded discourse. (Pág. 16)

* * *

When we speak of parody, we do not just mean two texts that interrelate in a certain way. We also imply an intention to parody another work (or set of conventions) and both a recognition of that intent and an ability to find and interpret the background text in its relation to the parody. (Pág. 22)

Después de leer este libro he llegado a la conclusión de que la parodia es histórica por definición; es decir, que es, esencialmente, *la modalidad* histórica.

9 No es posible, naturalmente, saber por qué Galdós dice esto. Puede ser uno de esos trucos cervantinos utilizados a veces por D. Benito para dar realce a la "ilusión" de la realidad de lo que está narrando. Por otro lado, puede ser que Galdós se enterara de la existencia de un Nicomedes Iglesias que, en realidad, terminó sus días en la Habana. Me inclino a creer que se trata de alguna persona a quien Galdós llegó a conocer, pero no por vía libresca, sino personalmente o por medio de otra persona. Hay muchos detalles patéticos, de carácter completamente incidental al meollo de la narración, sobre la vida de este ambicioso Nicomedes para que Galdós los haya inventado. No por falta de imaginación de parte del novelista, sino más bien por falta de necesidad.

10 Estas ideas expresadas aquí por Galdós tienen mucho que ver con la discusión sobre las novelas históricas de Sir Walter Scott. Véase Lukács, págs 30–63. De hecho, los *Episodios nacionales* constituyen, tal vez, una de las manifestaciones más claras de la novela histórica tal y como la concibe el crítico húngaro. Es de lamentar que no llegara a conocerlos.

Diane F. Urey

La revisión como proceso textual en los *Episodios nacionales*: el caso de *Bodas reales*

Es lugar común de la crítica galdosiana ver los *Episodios nacionales* como una historia, hasta cierto punto, revisionista, y ciertamente, como una versión de la historia, la cual constituye necesariamente una re-visión de— otra mirada a—los textos que forman la historia decimonónica de España. Y como hay referencias a personajes, símbolos y temas tratados anteriormente, cada *episodio* ofrece una revisión u otra versión de los que le preceden. Por ejemplo, las versiones aparentemente optimistas e inocentes del honor y del patriotismo ofrecidas por Gabriel Araceli en *Trafalgar* son modificadas y desarrolladas sucesivamente en la primera serie hasta *La batalla de los Arapiles*. Allí aprendemos que el honor puede parecer ser el deshonor, cuando el comportamiento honrado de Gabriel Araceli con Miss Fly es malinterpretado por sus compañeros. Y vemos que la vida desvergonzada de Santorcaz es el resultado de guardar siempre el honor de Amaranta, escondiendo su verdadero deshonor. Como ha demostrado recientemente Peter Bly [1984], la visión que tenemos de España al final de esa serie no es tan optimista y, ciertamente, mucho más antitética de la que presumimos al comenzar la lectura de los *episodios*.[1]

Esta revisión constante no sólo ocurre dentro de una serie, sino también entre series. Como señaló Montesinos [1968–72, I, 86], y afirmó tan lúcidamente Stephen Gilman [1981a, 34], Galdós aprende constantemente de sus propias obras. Se puede decir que cada serie reexamina a la España representada en la anterior. Esto es obvio cuando tenemos personajes como los Iberos que rompen la barrera entre dos o, a veces, tres series. El leer y releer estas versiones sucesivas de la historia de España crea una impresión cumulativa que en última instancia culmina en el humor negro y grotesco de la quinta serie.

Este *proceso* de revisar las versiones es lo que *produce* cada texto, que viene a ser tanto un comentario sobre sí mismo como sobre todos los textos que lo anteceden. Y dado que estos comentarios parecen ser cada vez más amargos, se puede decir que cada *episodio* engendra su propia degeneración porque cada proceso produce una visión más conscientemente crítica del ambiente y de los personajes de la obra. *Bodas reales* se ofrece como representativo de los procesos que funcionan en los otros cuarenta y seis *episodios*, ya que no es ni tan optimista como los tempranos ni tan pesismista como los tardíos, pero ocupa un lugar, como todos, entre la esperanza y la desesperanza, la historia y la ficción.

El narrador de *Bodas reales* parece estar consciente de los procesos generativos de sus discursos históricos y ficticios. Este volumen final de la tercera serie sirve para revisar y reinterpretar la época delineada por la serie entera, e implícitamente, la de las dos series anteriores también. Se observa este proceso constitutivo y desconstitutivo en los movimientos políticos, históricos, geográficos, emocionales y temporales del *episodio*. De este modo *Bodas reales* cuestiona las convenciones de la historia. Incluso el estilo de la novela crea un movimiento hacia atrás, debido a su intensa ironía. Cada elemento de este volumen, desde sus códigos históricos o ficticios, sus tramas políticas o temporales, hasta el estilo mismo de la narración, constituye una revisión de su propio proceso como texto lingüístico.

La novela comienza con una disociación del tiempo y de la historia:

Si la Historia, menos desmemoriada que el Tiempo, no se cuidase de retener y fijar toda humana ocurrencia, ya de las públicas y resonantes, ya de las domésticas y silenciosas, hoy no sabría nadie que los Carrasco, en su tercer domicilio, fueron a parar a un holgado principal de la Cava Baja. (III, 409)[2]

Las implicaciones de este pasaje son paradójicas: el tiempo que se mueve incesantemente no tiene memoria; la memoria existe sólo cuando el texto histórico señala un momento en el tiempo para la reconstrucción. La Historia oficial está llena de hechos tan insignificantes como la tercera mudanza de la familia manchega, Carrasco, protagonistas de la novela. La Historia, desde luego, no es fuente de instrucción sino una colección de detalles sin trascendencia.

Este pasaje preliminar introduce también el tema del viaje que se puede observar a lo largo de toda la serie, aunque aquí en una esfera mucho más reducida que la de los nueve *episodios* anteriores. La mudanza al barrio manchego de Madrid consuela a Leandra Carrasco. Ella "dominó sin brújula la topografía, y navegaba con fácil rumbo en el confuso espacio comprendido entre Cuchilleros y la fuentecilla" (III, 409). La distancia mínima del movimiento se subraya en la desproporción del término diminutivo "fuentecilla" yuxtapuesta a los términos geográficos de sentido "amplificador." Esta frase recuerda, por fuerza, la metáfora tradicional de la nave del estado, la cual, efectivamente, se incluye en otro *episodio* de la misma serie, *De Oñate a la Granja*:

Así hemos venido todo el siglo, navegando con sinnúmero de patrones, y así ha corrido el barco por un mar siempre proceloso, a punto de estrellarse más de una vez, anegado siempre, rara vez con bonanzas, y corriendo iguales peligros con tiempo duro y en las calmas chichas. Es una nave esta que por su mala construcción no va nunca a donde debe ir . . . pues el defecto capital está en la quilla, y mientras no se emprenda la reforma por lo hondo . . . no hay esperanzas de próspera navegación. (II, 1050)

Sólo los locos como Leandra navegan con éxito en la España del siglo XIX. Así se puede ver una relación de parodia entre los "viajeros" del *episodio* anterior y los del posterior.

Otro ejemplo de este proceso paródico o irónico que culmina en *Bodas reales* se nota en *Montes de Oca* donde los españoles buscan un nuevo pretexto de revolución tan pronto como termina la última. Después de firmarse el Convenio de Vergara, el nuevo motivo de contienda es la discordia entre los regentes María Cristina y Espartero. Con estilo sardónico que prefigura el de *Bodas reales* el narrador exclama:

¡qué delicioso país, y qué Historia tan divertida la que aquella edad a las plumas de las venideras ofrecía! Toda ella podría escribirse con el mismo cuajarón de sangre por tinta, y con la misma astilla de rotas lanzas. El drama comenzaba a perder su interés por la repetición de los mismos lances y escenas. Las tiradas de prosa poética y el amaneramiento trágico ya no hacían temblar a nadie; el abuso de las aventuras heroicas llevaba rápidamente al país a una degeneración epiléptica, y lo que antes creíamos sacrificio por los ideales, no era más que instinto de suicidio y monomanía de la muerte. (III, 284)

Sin embargo, *Montes de Oca* mantiene un sentido de aventura gracias a sus argumentos complejos y cierta grandeza quijotesca en su protagonista histórico, Montes de Oca, y en el ficticio, Santiago Ibero. Pero en *Bodas reales* se desvanece toda pretensión de acción efectiva o de idealismo. Los personajes, las metáforas y el estilo de esta novela crean sus tramas de ficción e historia como degeneración. La Historia es como Leandra, quien, "en estas idas y venidas de mosca prisionera que busca la luz y el aire" (III, 409) pide una visión más extensa, la cual no puede encontrar a pesar de releer, recordar y revisar los hechos públicos y privados. Los detalles de la época, como la caída de Espartero, el ministerio de Narváez

y las bodas de Isabel II, se narran con desgana, como se ve al comienzo
del capítulo II:

> Aunque todo lo dicho puede referirse a cualquier mes de aquel año 43, tan tur-
> bulento como los demás del siglo en nuestro venturoso país, hágase constar que
> corría el mes de las flores, famoso en tales tiempos porque en él nació y murió
> con sólo diez días de existencia, el Ministerio López, fugaz rosa de la política.
> (III, 412)

El nacer y morir de los ministerios, o las idas y vueltas de los Carrasco, se
hacen absurdamente insignificantes al ser calificados por adjetivos irónicos como "venturoso." Pero estas idas y vueltas insípidas de hombres y
ministerios son las maniobras que tejen la historia del siglo. Quejándose
de los gobernadores interesados y egoístas, el narrador lamenta: "Por esto
da pena leer las reseñas históricas del sinfín de revoluciones, motines, alzamientos que componen los fastos españoles del presente siglo; ellas son
como un tejido de vanidades ordinarias que carecen de todo interés" (III,
417). Esta visión de una historia que siempre repite los mismos errores
no es elemento exclusivo de la tercera serie, por supuesto. Pasajes parecidos a los citados arriba ocurren muy temprano, por ejemplo, en *El 19
de marzo y el 2 de mayo*, tercer volumen de la primera serie. Recordando
el motín del 19 de marzo, Gabriel observa: "pasan años y más años; las
revoluciones se suceden, hechas en comandita por los grandes hombres y
por el vulgo, sin que todo lo demás que existe en medio de estas dos ex-
tremidades se tome el trabajo de hacer sentir su existencia" (I, 396). A la
vez que narra el hecho histórico, Gabriel lo revisa con los ojos sardónicos
de un octogenario. El pasaje sigue en un tono burlón, el cual constituye
en la empresa de los *episodios* una temprana visión de la historia española
casi tan decadente como la de la tercera serie (véanse las observaciones
de Bly [1984, 123] sobre este "brilliant example of auto-reflexivity" en *El
19 de marzo y el 2 de mayo*).

Lo que pasa con la política pasa con los políticos también:

> La historia de todo grande hombre político en aquel tiempo y en el reinado de
> Isabel no es más que una serie de enmiendas de sí mismos, y un sistemático arre-
> pentirse hoy de cuanto ayer dijeron. Se pasan la vida entre acusaciones frenéticas
> y actos de contrición, flaqueza natural en donde las obras son nulas y las palabras
> excesivas, en donde se disimula la esterilidad de los hechos con el escribir sin tasa
> y el hablar a chorros. (III, 421)

Pasajes como éste subrayan la vacuidad de la designación de hombres
históricos, que se ven obligados a arrepentirse y a enmendar siempre sus

versiones de sí mismos y de la historia. Brian Dendle [1980b, 76] observa con referencia a *Bodas reales* que "the gravest defect in the national character is, for Galdós, infatuation with words. Empty rhetoric ('palabrería') is the substitute in Spain for will-power and rectitude." Las palabras de los políticos, los libros de historia o los *Episodios nacionales* no tienen ninguna relación duradera con hechos o personas. Cuando Espartero deja la Regencia, por ejemplo, Prim "llamó a Espartero *soldado de fortuna, aventurero, egoísta,* y a Mendizábal *intrigante, embaucador y dilapidador de los intereses públicos.* Andando el tiempo fue de los que creyeron que la memoria de uno y otro debía perpetuarse con estatuas" (III, 417). El elogio o la denigración de estos políticos depende de las interpretaciones variables del tiempo y de la historia.

Incluso los términos usados convencionalmente para connotar valores transcendentales o absolutos son efímeros en *Bodas reales.* Cuando, por ejemplo, las provincias y la milicia protestan las restricciones impuestas por el nuevo gobierno, éste "tuvo que desmentir su programa de reconciliaciones, concordias y abrazos, metiendo en la cárcel a infinidad de españoles que días antes fueron proclamados *buenos,* y ya se habían vuelto *malos* sólo por querer armar su revolucioncita correspondiente" (III, 425). *Bueno* o *malo* no son más que términos mudables en un sistema constantemente inestable de valores políticos: al cambiar uno de ellos se cambian los demás. Los altibajos de los hombres y de los hechos de 1843 a 1844 se catalogan rápidamente en el capítulo XII, que concluye: "y, en fin, mil sucesos y menudencias que, tejidos con estrecha urdimbre, forman la historia del vivir colectivo en aquellos tiempos, la Historia grande, integral" (III, 442). El tejido de esta narración misma es un proceso de equivocación constante porque la ironía nos hace cambiar de una interpretación a otra, frecuentemente a la contraria. La historia descrita no es literalmente "grande" ni "integral." Debemos siempre *enmendar, desmentir* o *arrepentirnos* de los significados e interpretaciones que asociamos con tales términos como *bueno* o *malo.*

El estilo irónico de esta narración constituye un movimiento que pone en duda cualquier relación de identidad o diferencia. Hayden White escribe en *Tropics of Discourse* que

irony sanctions the ambiguous, and possibly even the ambivalent, statement. It is a kind of metaphor, but one that surreptitiously signals a denial of the assertion of similitude or difference contained in the literal sense of the proposition . . . What is involved here is a kind of attitude towards knowledge itself which is implicitly critical of all forms of metaphorical identification, reduction, or integration of phenomena. In short, irony is the linguistic strategy underlying and sanctioning skepticism as an explanatory tactic, satire as a mode of emplotment, and either agnosticism or cynicism as a moral posture.[3]

Metáfora e ironía, o las representaciones de historia y ficción, son los procesos de identidad y diferencia de que los *episodios* se sirven constantemente. Mientras estos procesos pueden crear, por una parte, la ilusión de una mejor comprensión de la historia, por la otra, la ironía imposibilita una comprensión total de la historia. Manfred Frank, en "The Infinite Text," reflexiona sobre la creación de un texto abierto por medio del uso de la ironía y observa que

The text owes this open-endedness to that deficiency of an authentic representation of "absolute meaning"; to the temporalization of the subject, the phantasm of the aimless journey and the structure of that endless text.
The endless deferral of the goal which our texts relate thus corresponds to an endless deferral of sense within the structure of the texts themselves.[4]

La ironía mordaz de *Bodas reales* sirve para deshacer sardónicamente todo lo que se ha establecido en los *episodios* anteriores de la serie.

Por subrayar la equivocación del lenguaje, *Bodas reales* rechaza incesantemente la idea de que la historia tiene sentido y forma. Como las enmiendas continuas de la retórica política y los recursos irónicos de la narración misma, Isabel II se ha instruido desde la tierna infancia en "el código de las *equivocaciones*" (III, 428–34). Sus primeros actos oficiales después de ser declarada mayor de edad a los trece años son disolver las Cortes y luego reconstituirlas inmediatamente después. Según unos, estos actos se deben a su inexperiencia; según otros, a una amenaza física de Olózaga. Cuando le obligan a decir que tuvo que firmar el primer decreto, algunos dudan de la veracidad de su declaración. Sin embargo, "no podemos poner en duda la palabra de la Reina, quien, como tal Reina y señora de los españoles, no puede haber dicho cosa contraria a la verdad. . . . La verdad no se pondrá en claro, y cada cual seguirá creyendo lo que quiera" (III, 433–34). En efecto, el "pajarero *Sacris*" da una versión (III, 428–29), mientras un zapatero y un matarife dan otra (III, 432). Estas voces diferentes y versiones contradictorias reflejan el movimiento equívoco e irónico de los discursos históricos y ficticios.

No sólo se someten a la ironía las interpretaciones de hechos históricos, como los primeros actos de Isabel ya mayor de edad, sino también la historia misma como proceso. Leemos en el capítulo XIII: "Vemos luego cómo dicha Historia, mansamente, por el suave nacer de los efectos del vientre de las causas, siendo a su vez dichos efectos causas que nuevos hijos engendran, va corriendo y produciendo vida" (III, 442). La noción convencional de la historia como sucesión de causas y efectos queda desmentida en el contexto de estas metáforas irónicas. Al contrario de términos como *mansamente* y *suave*, o de las metáforas de nacimiento, los detalles que siguen a estas frases crean una crónica sarcástica de las pequeñeces de los Carrasco y una narración minuciosa de los muchos motines políticos. La ironía más aguda consiste en el "bárbaro, torpe y extremado castigo, que había de ser semillero de odios intensísimos, irreconciliables" y que culmina en el fusilamiento de veinte y cuatro revolucionarios alicantinos. La historia mansa engendra el odio y la muerte. Parecida es la narración del ministerio corto y no "totalmente estéril" de González Bravo, "el gran cínico . . . el que en vez de moral tenía la prontitud imaginativa para fingirla" (III, 443). Su caída coincide con la cesantía de Bruno Carrasco y la llegada al poder de Narváez, "continuando con pasmosa fecundidad el desarrollo de la Historia grande, como un hilo de vida sin solución" (III, 443). La frase "pasmosa fecundidad," lo mismo que la anteriormente mencionada—"no totalmente estéril"—junto con las analogías reproductivas crean una disociación intensamente irónica entre los términos "vida" e "historia." En *De la utilidad y de los inconvenientes de los estudios históricos, para la vida*, Nietzsche escribe sobre el peligro de tal exceso de historia: "El exceso de estudios históricos desarrolla un estado de espíritu peligroso, el escepticismo, y otro estado de espíritu más peligroso todavía, el cinismo; y de este modo la época se orienta insistentemente hacia un practicismo receloso y egoísta, que termina por paralizar y destruir la fuerza vital."[5] La ironía, el cinismo, el egoísmo, la deformación y la debilidad se observan en cada aspecto de *Bodas reales*: sus personajes, su estilo, la historia y la ficción.

El símil de la historia como hilo de vida sin fin es aplicable tanto al personaje Leandra Carrasco como a sus viajes. La mujer prematuramente vieja quiere volver a su casa manchega. Pero las aspiraciones materialistas de sus hijas—la moda, el teatro, el matrimonio—y los intereses políticos de su marido Bruno han "cerrado el camino de sus ilusiones de patria manchega" (III, 444). Leandra sólo encuentra consuelo "en los viajes imaginarios al país de sus amores," montada sobre Clavileño o unas escobas de bruja (III, 445, 486). Sus únicos viajes, entonces, son los mundanos que hace por las calles de su barrio, los de su imaginación y al final, el del cementerio. En los volúmenes anteriores de la serie, Fago, Nelet y mensajeras brujescas como Malaena viajaban a veces por medio de la imaginación. Pero también trazaban, como Calpena, Ibero, Beltrán, Arratia, Aurora y Demetria, movimientos geográficos muy extendidos. En *Bodas reales* cada viaje de Leandra, como los sucesos históricos, se reduce a proporciones irónicamente triviales o se desvanece en los espacios de la imaginación; son como los espacios en blanco entre las palabras.

Dendle [1980b, 77] observa sobre Leandra que "Foreshadowing, however, the unhappy marriage of Isabel, her healthy instincts are thwarted by outside pressures. Out of place in the Madrid she hates, far from La Mancha, which she adores, she degenerates, like a Spain diverted from healthful goals, into paralysis and madness." [Véase también Rodríguez 1967, 124–25]. Al progresar la novela, Leandra se queda físicamente paralizada; ya incapaz de emprender las excursiones diarias, sus viajes mentales no tienen límite. Su locura, en cierta manera, constituye una solución a su deseo de una identidad significativa o, en otras palabras, a una relación fija entre su ideal y su realidad. A diferencia de los políticos que repiten los mismos errores, Leandra busca y encuentra una solución al problema.

La relegación de casi todo movimiento en este último número de la tercera serie a los espacios de la imaginación corresponde a ese hilo de la historia cuya *grandeza* no es ahora más que una glosa irónica sobre los errores de hombres y soberanos ignorantes y vanidosos. Narváez es el ejemplo más notable de esta degeneración de una personalidad histórica y viene yuxtapuesto al de Leandra. La confluencia de los códigos discursivos de la historia y de la ficción en los personajes de Narváez y Leandra ocurre frecuentemente, por ejemplo, cuando ella se despierta de un ensueño y el párrafo siguiente comienza: "También a Narváez le llevaba su demencia del orden a estados imaginativos muy parecidos al éxtasis" (III, 446). Sin embargo, como en toda analogía, las diferencias entre las relaciones comprometen las semejanzas. Así vemos, por ejemplo, que al final de 1844, mientras Leandra sueña, Narváez se ocupa "fusilando españoles, tarea fácil y eficaz a que se consagró desde el primer día de mando" (III, 445). Esto es lo que quiere decir *"hacer país,"* un término que ha llegado a ser

como una formulilla en los amanerados entendimientos; siempre que entraban en el Poder estos o aquellos hombres se encontraban el país deshecho, y unos gobernando detestablemente, otros conspirando a maravilla, lo deshacían más de lo que estaba. Narváez vio quizás más claro que sus sucesores y hacía país por eliminación, no creando lo bueno, sino destruyendo lo malo y corrupto. (III, 445)

Crear es destruir, hacer es deshacer; Narváez ve la paradoja claramente. Así él es idéntico en ciertos aspectos a los comandantes carlistas más brutales, descritos así en *La campaña del Maestrazgo*: "el hombre iba quitando de en medio gente dañosa; y tanta fue su diligencia, que a fines del 44 ya iban despachados 414 individuos. Esto era una delicia, y así nos íbamos purificando, así continuábamos la magna obra de Cabrera y de otros cabecillas de la guerra civil, que tiraban a la extinción de la raza" (III, 445). La purificación es la extinción; Narváez cree que "sacrificando una porción de la Humanidad aseguraba la dicha de lo sobrante. Su falta de cultura, su desconocimiento de la Historia, su ignorancia infantil de las artes de gobierno lleváronle a tan descomunal sinrazón" (III, 446). Esto es la "sinrazón" de la "purificación/extinción," el "hacer país/eliminar," el "crear/destruir," lo "bueno/malo" o cualquier equivalencia entre términos opuestos. En un mundo tejido de palabras, cada correspondencia tiene tanto sentido como la que no lo tiene, es tan razonable como demente, puesto que todas las relaciones entre ellas son irónicas.

Los extremos de Narváez no generan vida ni progreso sino que resultan en degeneración: "Llevaba, como se ve, al Gobierno la maña de la caballería morisca degenerada; era, como muchos de sus predecesores, poeta político, un sentimental del cuño militar, como otros lo eran del retórico" (III, 446). Todos los códigos observados en la tercera serie convergen y degeneran en el personaje de Narváez: lo poético y lo militar, lo sentimental, lo retórico y lo político. El código literario dominante de la serie, el romanticismo, ha degenerado también. Todos los temas, símbolos y personajes se revisan y se reinterpretan aquí de la misma manera. Eufrasia y Lea Carrasco, las paisanas manchegas vueltas madrileñas cursis, reemplazan a la romántica Aurora y a la clásica Demetria. La Leandra sufrida o la charlatana Cristeta Socobio sustituyen a Pilar, a Valvanera, a Marcela Luco o incluso a Juana Teresa. Estos personajes femeninos anteriores, a pesar de su diversidad romántica o clásica, simpática o antipática, tienen en común una voluntad que no se representa en el último volumen de la serie. Los personajes masculinos han degenerado también, lo mismo que los personajes históricos; se les niega hasta la grandeza ambivalente que todavía conservaban en *Zumalacárregui, Mendizábal, Vergara* o *Montes de Oca*. El protagonista ficticio, Bruno Carrasco, es un padre y marido demasiado débil para resistir las tentaciones de Madrid o preservar la honra y la fortuna familiares. Los novios de sus hijas son o cursis o inmorales. Ellos y otros son imágenes pálidas de Fernando Calpena, quien fue encarcelado por Aurora para impedir su suicidio, o de José Fago, quien, por pura fuerza de voluntad, se murió, o de Nelet, quien se mató literalmente. Aun la moda de vestir, las cartas de amor y el teatro se vuelven insípidos. Todos estos elementos invocan los códigos históricos, sociales y literarios de la serie, los cuales se truecan aquí en la degeneración y la tontería.

Bodas reales sirve, pues, para presentar una versión irónicamente degenerada de los personajes, argumentos y estilos de los otros nueve volúmenes. Los viajes de los personajes, anteriormente hechos por España entera, ocurren ya sólo dentro de los confines de un Madrid soso. La guerra no tiene más ideal ahora que la carnicería. Los grandes motivos amorosos sólo se reflejan ahora en los juegos triviales de Rafaela Milagro, Eufrasia y Lea Carrasco, en el adulterio de Eufrasia, y, más amargamente, en las negociaciones desastrosas sobre la boda de Isabel II. Esta lleva a España por un rumbo siempre más decadente, según nos revela la cuarta serie. Toda la aventura y el heroísmo de los *episodios* anteriores, aunque bastante hiperbólicos, quijotescos o demasiado apasionados, dejan su único rastro en Leandra, que viaja a La Mancha sólo en su añoranza demente. Su marido Bruno ni siquiera puede volver a casa para mirar por sus intereses: "deber de don Bruno era dar una vuelta por allá; mas cuando lo pensaba, le invadía la pereza, la terrible parálisis de su voluntad" (III, 452).

Re-escribiendo la historia con la narración de la boda real

La revisión interpretativa en *Bodas reales* se manifiesta más conspicuamente en la reconstrucción de los sucesos anteriores al matrimonio de Isabel II con su primo, Francisco de Asís. La narración se remonta a 1833, poco antes del comienzo de la serie en 1834 con *Zumalacárregui*. Este viaje hacia atrás subraya los procesos de causa y efecto, del discurso histórico, de la mediación lingüística y de la búsqueda de un origen, de maneras sumamente irónicas.

La narradora de este viaje revisionista es Cristeta del Socobio, tía de otro historiador, Serafín del Socobio, uno de los corresponsales palaciegos de Calpena en *Los Ayacuchos*. La propia Cristeta merece "los honores de la Historia," habiendo entrado en el servicio real en 1818. Ahora una camarista favorecida de Isabel, recibe un sueldo aunque no trabaja (III, 457–59). Todo el capítulo XVIII está dedicado a la descripción de cómo llegaron a ser amigas Leandra y Cristeta. Igual que la historia que se cuenta, su contacto se efectúa por medio de una larga serie de personas y sucesos. Y mientras Cristeta cree saber la causa original de los hechos que culminan en la boda de Isabel, Leandra precia a Cristeta por su origen manchego (III, 457). Sin embargo, Cristeta no es de La Mancha, sino que es "viuda de un manchego . . . [que] salió de su pueblo a los cinco años" y nunca volvió (III, 457).

Cristeta relata los sucesos que terminaron en la alianza de Isabel con el hijo de la hermana de María Cristina, Carlota, de quien Cristeta pretende haber sido "la persona de su mayor confianza" (III, 461). El matrimonio es el resultado de una tregua entre las dos ramas de la familia real después de un alejamiento largo que originó la oposición de Carlota al matrimonio morganático de Cristina con Fernando Muñoz en 1833. La causa de este matrimonio contencioso fue la misma Cristeta:

Lo peor del caso, amiga querida—prosiguió Cristeta, tomado aliento y limpiado el gaznate—, es que yo, con la mayor inocencia, fui la primera persona que supo del devaneo de Cristina, y no sólo fui quien primero lo supo, sino algo más, Leandra, pues a mí me escogió la Providencia . . . para que abriese la puerta por donde entró la flecha de Cupido . . . Yo llevé a Palacio a la modista Teresa Valcárcel, fundamento de todo ese enredo; tras de la modista fue el guardia don Nicolás Franco, que la cortejaba, y con Franco se coló su amigote Muñoz . . . De modo que aquí me tiene usted oficiando de *causa histórica*, porque si yo no hubiera llevado a la modista . . . a estas horas la Historia de España llevaría en sus hojas cosas diferentes de las que lleva. (III, 462)

Sin embargo, la mediación que facilita el primer encuentro entre María Cristina y Muñoz, se puede atribuir a Teresa, quien lleva a su guardia, o a Franco, quien a su vez lleva a Muñoz. La causa original es tan enigmática aquí como son las razones de la amistad entre los dos guardias o el cortejo de Teresa. Cristeta tiene su propio orden de causas y efectos; ella los privilegia, clasifica y narra según la interpretación que desea dar. La cadena de relaciones entre Cristeta, Teresa, Franco, Muñoz, Cristina, Carlota, Francisco de Asís e Isabel II queda incompleta. Sólo tiene sentido, una coherencia o una causalidad, cuando Cristeta fija una secuencia que hace de ella misma el origen funcional.

El papel de Cristeta como historiadora se subraya más cuando describe la noticia del noviazgo de María Cristina:

pues quien primero tuvo en Palacio noticia de tal escena fui yo, por un guardia que vio pasear solos a la Reina y a don Fernando, y lo refirió a mi marido, . . . y, naturalmente, Nicolás me trajo el cuento . . . Yo, que siempre he mirado a la conciencia antes que a nada, me guardé muy bien guardado el secreto, hasta que empezaron a correr por Madrid y por Palacio rumores graves, malignos de toda malignidad, como que Muñoz paseaba en una berlina muy elegante y tenía casa puesta, lujosísima; que llevaba en la pechera y en la corbata alhajas pertenecientes al difunto Rey . . . Lo de las alhajas lo dudo. . . , yo no las vi, ni he conocido a nadie que las viera . . . Pero ¡ay, es tan malo el público! . . . Qué perro es el público, ¿verdad? (III, 462–63)

Cristeta se basa en la versión de un guardia, que ha contado la historia a su marido, quien se la repite a ella. Su clarificación—que no conoce a nadie que viera las alhajas—también implica que buscaba esta información para confirmación del suceso. Además, su papel como favorita no la exime de propagar los mismos rumores malignos y las mismas interpretaciones interesadas y tendenciosas por las que condena a otros. Cristeta explica la "causa" de la "muerte prematura" de Carlota como una consecuencia dolorosa de su ruptura con Cristina (III, 464). Según esta versión, la Socobio censura a Carlota:

"Pero señora—le decía yo no menos desconsolada que ella—, ¿por qué no hizo Vuestra Alteza caso de mí, que mil veces tuve el honor de advertirle que previera este matrimonio?" Y ella bajaba la cabeza, humillada, y decía: "Tienes razón: he sido una bestia, sí, Cristeta, una bestia . . . " (III, 464; ver tambien III, 461–62)

Las conversaciones que Cristeta selecciona para documentar su historia corroboran la autoridad de su interpretación y, desde luego, su papel como intérprete; pero, más que nada, revelan la subjetividad de la misma Cristeta. Los apartes humorísticos, como "limpiado el gaznate," muestran su participación inconsciente y celosa en la historia. Y Carlota parece hablar con la voz de Cristeta, no al revés, cuando repite, "una bestia . . . una bestia," como hace Cristeta en frases como "malignos de toda malignidad" o la reiteración del "malo . . . perro . . . público." Su historia verdadera y objetiva de las causas originales siempre ostenta los prejuicios, las idiosincracias y la miopía de la narradora. Esto lo exhibe más que nunca en su pronóstico del futuro glorioso de España.

La interpretación que ofrece Cristeta de la boda real es hiperbólicamente optimista. Esto se debe otra vez al papel autoritativo que se atribuye a sí misma en la serie de causas y efectos—en este caso, su contribución a la formación del carácter del Infante Francisco. Dice del rey consorte que "puedo dar informes como no los dará nadie, pues estos brazos le han zarandeado de niño . . . ¿Y quién, sino yo, le puso los primeros calzones?" (III, 461). Conforme a su papel de participante y observadora, predice un desenlace feliz a la historia que pretende haber presenciado desde el comienzo (III, 466). Su optimismo crece después de la boda; al final del *episodio* nos enteramos de su satisfacción con

el casamiento de Isabel con un Príncipe español que ha de colmarla de ventura, de lo que resultará nueva hornada de reyes católicos, y una era como dicen los periódicos, una era de prosperidades y grandezas que devolverán a este reino su preponderancia entre los reinos de la Europa. Ello es claro como la luz. (III, 508)

Lo que es tan claro como la luz para el lector, sin embargo, es la ironía de este desenlace imaginario comparado con los textos del reinado isabelino no escritos todavía para Cristeta. Aun más, la apología aparente de Isabel

II, provenga de Cristeta o del narrador omnisciente, también se debe leer con cautela. En un volumen tan mordazmente irónico como *Bodas reales*, cualquier interpretación literal se puede deshacer. El atribuir culpa, origen o causa a Cristeta, Cristina, Carlota o Isabel siempre es producto de los deseos del narrador o del intérprete, y no puede constituir una verdad absoluta. Esto se ilustra más obviamente en las últimas escenas de la tercera serie con la yuxtaposición del discurso de Cristeta y la narración de la boda misma.

La procesión de la historia: matrimonio, adulterio y muerte como conclusión de la tercera serie

El futuro alegre que predice Cristeta se trueca en una degeneración moral, social y política para los monarcas, para los personajes y para la España de las dos últimas series de *episodios nacionales*. Esta degeneración se anuncio con la muerte de Leandra Carrasco en la conclusión de *Bodas reales*. Su muerte marca una transición, igual que la de Ulibarri al comienzo de la tercera serie. La muerte de Leandra ocurre entre dos series, entre la Regencia y el reinado del Isabel y Francisco, entre un momento de optimismo durante la boda y la degeneración inevitable de hacia 1868 y después. Además, Leandra es el último Quijote de la tercera serie, y la muerte de éste para Cervantes, como para tantos otros textos posteriores, señalaba un cambio dramático. Para Lukács, *Don Quijote*,

Esta primera gran novela de la literatura universal se encuentra, pues, en el comienzo de la época en la cual el dios del cristianismo empezó a abandonar el mundo; cuando el hombre se quedó solitario y empezó a no poder hallar sentido y sustancia más que en su alma sin morada; cuando el mundo, desasido de su anterior paradójico arraigo en aquel presente más allá, quedó entregado a su inmanente sinsentido.[6]

Cuando pensamos en Fago, Nelet o Leandra vemos que sus luchas están destinadas a fracasar desde el comienzo, que sus dioses—significado trascendental—han abandonado completamente este mundo de la tercera serie. Ellos descubren que la única manera de obtener una significación, plenitud o identidad es la de la muerte.

Una de las últimas visiones lúcidas de Leandra es la de la decadencia moral de su familia y Madrid:

Mirándolo bien, sus hijas no eran honradas, pues no había honradez con tanto manoseo de novios . . . Y en cuanto a Bruno, también estaba *horriblemente echado a perder* . . . No, no; no era aquella su familia. ¡Mentira, engaño! Las personas que veía no eran sino una infernal *adulteración* de sus queridos hijos y esposo.

La verdad radicaba en otra parte, allá donde vivía despierta, que en Madrid no era la vida más que una soñación. Y esto se probaba observando que en Madrid estaba baldadita y sin movimiento, mientras que en su pueblo iba de un lado para otro con los remos muy despabilados, sin cansarse. (III, 490)

Leandra rechaza esta realidad distorsionada, adulterada y paralizada que ve en su alrededor, prefiriendo el mundo de su imaginación, pero ese mundo que rechaza existe porque tanto Bruno como Eufrasia serán pronto adúlteros literales. Leandra ve, con igual claridad, a Isabel y a Francisco, no como la historiadora Cristeta:

"¡Vivan Isabel y Francisco!" ¡A mí con esas! . . . ¿Cómo he de gritar yo tal cosa si lo que me sale de dentro . . . , y lo que me manda el corazón es lo otro . . . , que no vivan, sino que mueran . . . pues ellos y su casamiento son la causa de que yo esté como me veo? (III, 504)

Si Leandra es la historia en busca del aire libre, si es el último Quijote, entonces su muerte supone la muerte de la ilusión del sentido, el rechazo último de una significación para estos textos de historia y ficción de la tercera serie. Ella atribuye su parálisis y muerte a Isabel y Francisco. El adulterio que va a caracterizar las trayectorias de Isabel II y Eufrasia en la cuarte serie, la prostitución de España, continúa el tejido infinitamente degenerativo de sus textos; son imágenes distorsionadas de ideales ilusorios. Al final de *Bodas reales* la visión de Leandra y su muerte, la deshonra de Eufrasia y la boda de Isabel convergen y vienen a ser intercambiables en sus códigos históricos, sociales y morales. Matrimonio, muerte y adulterio coinciden, formando la ironía final de la tercera serie.

La visión de Leandra y las últimas escenas de *Bodas reales* ilustran bien los procesos irónicos, revisionistas y degenerativos de la serie: lo que parece tener sentido carece de él, lo que parece ser bueno es malo, la vida es la muerte, porque todo es ilusión. Los adornos de Madrid para la boda real no son más que un barniz de grandeza: los ornamentos que ocultan la "raquítica y casi asquerosa fachada de la iglesia" del Buen Suceso, por ejemplo, son sólo "una figuración arquitectónica y académica, pues la berroqueña, el mármol rojo y la caliza de Colmenar eran de tela pintada, al modo de teatro, y el adorno escultórico era yeso, cartón o pasta imitando mármol con admirable ilusión de verdad" (III, 503). Esta falsificación y este artificio teatral son característicos de la Madrid de Leandra y de las ilusiones de personajes y narradores. Pero no es la Leandra delirante, sino el gobierno el que crea tales simulaciones fantásticas. La "ruin arquitectura" de la Inspección de Milicias se transforma:

en el más espléndido palacio gótico que podría soñar la fantasía. Lo más extraordinario de tal fábrica era que todo debía iluminarse al transparente, con lo que resultaría un efecto de ensueño, romántico poema arquitectónico, según la feliz expresión de un cronista de aquellas soberanas fiestas. (III, 504)

Estas simulaciones no constituyen la sustancia del arte perdurable, sino la vacuidad casi hiperbólica de las imágenes. Arte y arquitectura, matrimonio y política, se funden para parodiar sus propios esfuerzos por representar la verdad, igual que "Los bien dispuestos palitroques representaban soles, lunas, estrellas, constelaciones, como una parodia del sistema planetario transportado del cielo a la tierra" (III, 504). Mientras estos adornos parodian un sentido universal o trascendental, Isabel II y Francisco van a parodiar a los "Reyes católicos," no a emularlos, como pronostica Cristeta. Según ésta, los detalles de la ceremonia "son datos precisos, de una exactitud matemática, como deben ser en estos casos los datos históricos. Si alguno de los que han de escribir de tan gran suceso quiere esta noticia y otras, véngase a mí, y cosas le contaré que no me agradecerá poco la posteridad" (III, 507). Como su interpretación divina de la plebeya Isabel, o el retrato viril del insípido Francisco, la historia exacta de Cristeta parodia una novela romántica, constituyendo así una parodia dentro de la del romanticismo de la serie.

Podemos ver en Cristeta la historiadora degenerada: gloriosa en su tiempo, se supone, ahora no puede reclamar incluso en ocasiones de etiqueta la apariencia de elegancia de que presume. La vemos en su "traje de corte" después de la boda, por ejemplo, cuando se descompone "el escote, del cual se escapaban los mal aprisionados pellejos que un día fueron lucidas carnes" (III, 507). Estas descripciones ridículas ocurren en muchas ocasiones cuando Cristeta presume de tener un conocimiento original o exacto de la historia. Esta descripción es paralela a todas las que encontramos al final de la tercera serie. Son como Cristeta y Leandra, versiones marchitas y caducas de los textos ya anacrónicos del romanticismo, la monarquía, o los ritos sociales que sólo son gestos débiles hacia el pasado, como ilustra la procesión matrimonial:

No es bien que la Monarquía se eternice en este barroquismo, negándose a la feliz asimilación de las formas de la industria moderna, y persistiendo en las lentitudes, en la insufrible pesadez de aquel paso de procesión, llevando a las Reales personas en urnas, como si fueran reliquias. (III, 509)

La traslación de esta gloria española es un esfuerzo tedioso y vano; es un viaje sin valor funcional. Estas reliquias reales no miran al futuro, sino que se pegan a las rutinas sin sentido del pasado:

Fue a parar toda esta máquina de barroquismo elegante a la más ruin y destarta-
lada iglesia que han visto los siglos cristianos, Atocha, inexplicable fealdad en el
país de las nobles arquitecturas, borrón del Estado y de la Monarquía, pues uno y
otra no supieron dar aposento menos miserable a las cenizas de los héroes y a los
trofeos de tantas victorias. (III, 509)

La gloria de España está muerta y enterrada, su tránsito marcado por el
borrón de Atocha. La elección del término "borrón" para describir el san-
tuario de la histórica grandeza española evoca la historia como proceso de
escritura y un borrón no significa otra cosa que error. La España del pasado no ofrece ningún significado, no tiene ningún sentido, ni traza ningún
curso para su futuro. Una plumada inteligible o un monumento hermoso
significa sólo ilusión, trátese de un documento escrito o de una fachada de
yeso. Este pasaje encuentra un paralelo en las últimas líneas de la novela,
donde Madrid "estaba obscuro, solitario; sólo vieron el triste desarme de
los palitroques y aparejos de madera, lienzos desgarrados y sucios por
el suelo, y las paredes de todos los edificios nacionales señaladas por
feísimos y repugnantes manchurrones de aceite. Parecían manchas que no
habían de quitarse nunca" (III, 511). Los "repugnantes manchurrones,"
ya indelebles, constituyen los únicos restos, paródicos, de la fastuosa ceremonia. No ofrecen ninguna inspiración a los lectores e intérpretes de
estos sucesos históricos. Por eso es un discurso degradante que felizmente
se olvidará. El entierro de Leandra se describe en términos casi iguales:
retrasado y dirigido por otra vía a causa de la procesión real, se caracteriza por una "precipitación irreverente." Sus portaféretros ponen a Leandra
abruptamente "en el nicho donde sus pobres cenizas debían labrarse, con
ayuda del tiempo, la petrificación del olvido" (III, 510). Cristeta le da
brevemente "a su amiga difunta el tributo de sus lágrimas" (III, 507),
hasta que "no pudo contener . . . su ardoroso afán de echar de sus labios
un par de renglones de página histórica" (III, 507). La historia continúa
su discurso siempre más degenerativo, no aprendiendo nada del pasado,
que ya es ceniza, olvidado, manchado, y que resulta insensato tan pronto
como se escribe.

Lo mismo que Cristeta mezcla sus rezos y sus lágrimas con la narración
de la boda real, otros dos historiadores inveterados de la serie, Centurión
y Milagro, "de vuelta del entierro . . . hablaron de la política y del duelo
de los Carrasco, entremezclando ambos asuntos por exigencias ineludibles
del discurso" (III, 510). Su discurso demanda la mezcla, el intercambio
entre la historia y la ficción, Isabel y Eufrasia, el matrimonio y el adulterio,
la vida y la muerte. Como son intercambiables estos discursos, también
las procesiones matrimoniales y fúnebres convergen una vez más en las

últimas escenas de la serie, que termina como comenzó, con la muerte.
Y como el primer *episodio* comienza con un viaje que nunca llega a un
fin, así el último termina con Milagro y Centurión suspendidos durante
su vuelta a casa del cementerio, y con Isabel y Francisco embarcados en
otro rumbo en la nave de España.

Bodas reales ofrece una revisión explícita de la tercera serie, e implícitamente reinterpreta los viajes, héroes, metáforas y narradores de las dos
series anteriores. No podemos evitar reconocer un personaje en otro o
viajar de un *episodio* a los ya escritos o al que está por escribir. Estamos
atrapados en los procesos y tejidos inextricables de estos textos, igual que
Leandra o Cristeta. En la tercera serie la nave de España, los Quijotes
como Leandra, los discursos históricos o novelescos, son condenados a
seguir su rumbo incesante—a veces sin dirección y siempre sin fin—de
escritura. Esta es la condición eterna del lenguaje mismo. Frank reflexiona
sobre

an old metaphoric tradition which conceives of literature in terms of navigation—
as the casting off and venturing forth of an *ingenii barca* into the unexplored
regions of interiority. As Derrida has shown for the navigation metaphor—which
is often held to be the embodiment of poetic language—the figure of carrying
over . . . of translation . . . from one expression to another takes recourse in the
linguistic play of navigation: "The figure of the vessel or of the boat . . . was
so often the exemplary vehicle of rhetorical pedagogy." As soon as the play of
metaphor becomes autonomous—but was it not always so, as the processes of linguistic transformation evidence?—there is no longer any possibility of controlling
the transfer . . . The aimlessly drifting ship begins its passage upon the tide of
speech itself, and poetic speech makes conscious this process as such . . . The
endlessness of the trip clearly becomes a problem in the interminability of writing
itself. Literature reflects its own condition when it de-limits . . . the metaphor of
the journey of life.[7]

Los viajes de los diez *episodios* de la tercera serie constituyen expresiones
temporales y simbólicas del proceso—del curso—de la escritura. De este
modo ponen de manifiesto que cualquier expresión simbólica o temporal, cualquier estructura lingüística, es un tejido indefinido e ilusorio. Y
mientras viajamos de un símbolo a otro, de una palabra a la próxima, el
texto se hace y se deshace constantemente por las relaciones de identidad
y diferencia, de metáfora e ironía, de paralelo y parodia, de presencia
y ausencia, de revisión y degeneración. La tercera serie ilustra siempre
cómo la búsqueda de sentido, en otra persona, en el pasado o dentro de sí
mismo, resulta sólo en explicaciones históricas idealizadas o artísticas que
no ofrecen ninguna verdad, ni última ni relativa, ni siquiera una vuelta a

casa ni un fin de viaje.

Illinois State University

NOTAS

1 Bly, [1984, 119] ve la antítesis como la característica dominante de la primera serie. La antítesis es implícitamente una estructura que se revisa y se invierte a sí misma, igual que la "singular dialéctica" de que habla Ricardo Gullón [1972, 307] y la "ambivalencia" de que habla Germán Gullón [1984, 45].

2 Todas las citas de los *episodios* son de Benito Pérez Galdós, *Episodios nacionales*, 4 tomos, *Obras completas*, ed. F. C. Sainz de Robles, 1a ed., 3a reimpresión (Madrid: Aguilar, 1979). El tomo y las páginas se indicarán en paréntesis después de cada una.

3 Hayden White, *Tropics of Discourse: Essays in Cultural Criticism* (Baltimore: Johns Hopkins University Press, 1978), págs 73–74.

4 Manfred Frank, "The Infinite Text," en *Glyph*, 7 (1980), 77–78.

5 En sus *Obras completas*, tr. Eduardo Ovejero y Maury, 6a ed., I (Madrid: Aguilar, 1966), 71.

6 Georg Lukács, *La teoría de la novela*, en *Obras completas*, tr. Manuel Sacristán, I (Barcelona: Grijalbo, 1975), 369–70.

7 Frank, pág. 72. La cita de Jacques Derrida es de "The Retrait of Metaphor," *Enclitic*, 2, núm. 2 (1978), 7.

Germán Gullón

"Sustituyendo el azogue del espejo": la novelización de la ideología decimonónica en *Doña Perfecta*

Galdós y las ideas del XIX

Las investigaciones históricas y las literarias atraviesan en el presente siglo una crisis que afecta las raíces y los fundamentos de la Historia y de la Crítica Literaria. Padecen el síndrome postsaussuriano: las relaciones entre lo vivido-ocurrido y su crónica verbal guardan un parentesco problemático, debido tanto al modo de compilar los datos empíricos como al vehículo, la escritura, utilizado en el empeño. Dudamos si el saber proveniente de esa síntesis permite el conocimiento histórico (Hayden White), e incluso si la lengua transmite mensajes individuales, pues quizás el lenguaje condiciona al individuo y no viceversa (de Ferdinand de Saussure a Jacques Derrida). El listón teórico a rebasar por los humanistas obliga a que acompañemos el impulso intelectual comprensivo—intento de entender lo necesitado de explicación—con uno reflexivo, el cuestionamiento de la validez de los conceptos y de los métodos de trabajo. Se exige que consideremos el texto—el cuadro o la pieza musical—bajo escrutinio mientras sopesamos su consistencia epistemológica.

Frente a tamaña barrera teórica surge una cuestión pragmática que produce un cortocircuito en la práctica crítica: cuando el objeto de estudio es una obra enraizada en nociones presaussurianas, por llamarlas con una denominación taquigráfica, caso de *Doña Perfecta* (1876), de Benito Pérez Galdós, la conciencia teórica debe ceder el paso a la interpretación lograda desde los presupuestos en que fue escrita. Galdós poseía, sin duda, una inamovible fe en la Historia, en las lecciones derivadas de ella. Confiaba también en que el mensaje enviado por el texto literario le pertenecía, y que llegaría al lector sin que las incertidumbres epistemológicas lo deconstruyesen en el camino. El énfasis puesto por el autor en las características comunicativas y de representación en *Doña Perfecta* resulta el propio de la novela realista, es omnipresente. No se trata de una novela donde los juegos o experimentos textuales predominen; la autoconciencia literaria atañe menos al texto que al mensaje remitido; la obra busca, de entrada, un sentido único, un cierre total a lo escrito, y por tanto presenta ciertas peculiaridades literarias, las de la novela de tesis (ideológica).[1]

Pérez Galdós actuó desde los albores de su carrera artística consciente de la ficción de lo novelesco y de que lo reproducido en la página copiaba imperfectamente la realidad, sabiendo que ésta superaba a lo creado por el artista. Reconocía la ficción de la ficción. Adelantada su carrera (corría la década de los ochenta) advertiría la ficción subyacente al puro narrar historias inventadas, la de la escritura. Tomó conciencia de la ficción de la ficción de la ficción, de que la escritura determina la clase de ficción de la realidad que es la novela, y no la realidad. Evidencia al respecto encontramos, sin ir lejos, en *Fortunata y Jacinta* (1886–87).[2]

Por los años cuando publica la obra que me ocupa, 1876, Galdós se halla aún en un estadio conceptual anterior; hasta quienes lo consideran avanzado en el camino hacia la autoconciencia ficticia, como Harriet S. Turner, hablan cautelosamente de "un tipo de reflexividad latente, parcial."[3] Sirva un comentario de José Rey, el protagonista de *Doña Perfecta*, realizado cuando cruza a caballo los campos que separan Villahorrenda de Orbajosa, para ejemplificar la distinción recién propuesta:

y hay un barranco pedregoso y polvoriento, donde ni los cardos encuentran jugo, y que, sin embargo, se llama *Valdeflores*. ¿Eso que tenemos delante es el *Cerrillo de los Lirios*? ¿Pero dónde están esos lirios, hombre de Dios? Yo no veo más que piedras y hierba descolorida. Llamen a eso el *Cerrillo de la Desolación*, y hablarán a derechas. Exceptuando *Villahorrenda*, que parece ha recibido al mismo tiempo el nombre y la hechura, todo aquí es ironía. Palabras hermosas, realidad prosaica y miserable. Los ciegos serían felices en este país, que para la lengua es paraíso y para los ojos infierno.[4]

Escogí este conocido pasaje porque cabe interpretarlo, a primera vista, conforme a ambos estadios, el de la ficcionalidad de todo relato (ficción de la ficción), o el subsiguiente de la autoficcionalidad (ficción de la ficción de la ficción). Cabría arguir que la posibilidad sugerida por el trozo de que el lenguaje signifique una cosa y la realidad otra distinta (las palabras hablan de un lugar paradisíaco mientras la realidad que las inspira es infernal) indica que el lenguaje existe desprendido del mundo en tres dimensiones, autónomo, puesto que puede significar algo inexistente. Mas falta aquí la autoconciencia que haría independiente al lenguaje; Galdós habla de la capacidad del lenguaje para transmitir una verdad adquirida por los ojos, por la experiencia, la del narrador. Se afirma en el trozo una conciencia que no es textual, sino al contrario representativa, con confianza en que su discurso sabrá reproducir la verdad, desenmascarar lo oculto. Es decir, el narrador utiliza la palabra escrita para denunciar las anteojeras con que un discurso reaccionario velaría lo real si no existiesen unos ojos, atentos a delatar el espejismo.

De hecho, la apertura de *Doña Perfecta* orquesta la narración para convencernos de que la realidad novelesca oculta un engaño, desenmascarado por el texto del narrador. Este abre una brecha en el propio texto que deja traslucir una realidad distorsionada, nos presta sus ojos para que no caigamos seducidos por el tilín-tilín de los cuentos y sus símbolos falsos, ni confundamos los eriales con valles amenos. Siguiendo a Rey, que persigue el brillo de la estrella de Orbajosa, Rosario, hasta la Urbs Augusta, observamos que la ciudad es un mal construido nacimiento, resalta demasiado el cartón piedra de que está hecha, "el río ceñía [la ciudad], como un cinturón de hojalata" (pág. 7). Rey que comparte la focalización con el narrador es aun más gráfico: "—El aspecto de su patria de usted [Licurgo]—dijo el caballero examinando el panorama que delante tenía—, no puede ser más desagradable. La histórica ciudad de Orbajosa, cuyo nombre es, sin duda, corrupción de *Urbs augusta*, parece un gran muladar" (pág. 8).

Las citas indican la existencia de un modo alternativo de concebir Orbajosa y lo orbajosense, aportan una estimación de la realidad desveladora del horroroso declive de una ciudad castellana (la episcopal Orbajosa) y del fracaso del sistema de convivencia retrógrado vigente en determinadas regiones de la España decimonónica. El narrador galdosiano enunciaba, cincuenta años antes de que lo poetizara Antonio Machado en los inolvidables versos de *Campos de Castilla* (1912), la ruinosa pervivencia del pasado incrustado en la naciente España moderna, el óxido simbólico de las armaduras de la nación imperial de antaño—las que el coronel Aureliano Buendía encontrará arrumbadas en tierras colombianas. Pérez Galdós en las llamadas *novelas de la primera época* elaboró una perspectiva que duplica la realidad vital, en sus facetas política y social, diametralmente opuesta a la del teatro del Siglo de Oro, de Lope de Vega por ejemplo, cuyo código rige perenne en Orbajosa—y en la novela idealista española en general, de José María de Pereda o de Juan Valera.[5] Desenmascaró el sistema de valores uniforme, gobernado por el principio unitario de la subyugación del individuo a la autoridad, el propuesto en *Doña Perfecta*, a uno derivado de una visión del individuo libre para encontrar su camino.

Recordemos que el debate filosófico del siglo XIX consistió, en términos generales, en el enfrentamiento de interpretaciones del mundo derivadas de dos concepciones refractarias: situamos a quienes apoyaban sus argumentos en un sistema de valores fijo, inmutable, de acuerdo al cual se regularizaba la sociedad, frente por frente a los pensadores que a la hora de elaborar su cosmovisión inyectaron la capacidad de la persona para conformar la propia e individual actitud ante el mundo. Con todo, predominó la mezcla de posturas y no su enfrentamiento,[6] los mejores pensadores (Kant, Fichte, Hegel, Schopenhauer, Marx, Comte, Mill, Spencer, Nietzsche, Kierkegaard) mudaban de posición en un perpetuo vaivén dialéctico. Si compulsamos el posible reflejo de tal situación en la actitud autorial adoptada por los escritores españoles al crear sus universos inventados, encontramos que los novelistas de la generación anterior a la de don Benito prefieren adoptar la primera posición, aceptando las prescripciones clásicas, las defendidas por los poderes establecidos, la Iglesia en particular. Galdós, sin embargo, refleja esa actitud dual característica del pensamiento decimonónico; admite, en ocasiones, la validez universal de ciertos valores, y, en otros momentos, los rechaza afirmando el valor de la conciencia individual, la cual los adapta a las circunstancias, y la considerable transformación sufrida por los conocimientos a causa del progreso científico e intelectual.

Carácter y formalización del conflicto ideológico

Las interpretaciones críticas de *Doña Perfecta* tienden a olvidar, en primer lugar, ese segundo componente estructural del pensamiento decimonónico, paralelo al enfrentamiento de sistemas definidos por mutua exclusión; y en segundo, la creciente corriente que afirmaba la importancia del sujeto y de cómo éste moldeaba las verdades universales recibidas con los co-. nocimientos obtenidos cada día, por la prensa o en las tertulias, de los descubrimientos ocurridos en las diversas ramas del saber—era la época del Progreso—que las cuestionaban.

Precisamente, don Benito escribió la obra basándose en los planos de la novela de tesis, apta para formalizar lo doctrinal, aunque por las presiones a que somete a los protagonistas reconocemos que una ideología sintética, basada en la conciencia de la persona, acaba por sustituir a la confrontacional.[7] En otras palabras, rearregló la casa de la ficción capacitándola para admitir los conflictos íntimos, las respuestas individuales a los conflictos planteados en la vida social y en la existencia particular. Acabará por abandonar la ideología, entendida en el sentido restrictivo, un sistema de creencias inamovibles, para dotarla de una flexibilidad emanada del fluir histórico, que tiene en cuenta los efectos producidos por el mundo, la historia, en el individuo.

Antes de entrar de lleno en el análisis de la obra, permítaseme identificar un principio textual, al que pronto convocaremos en el análisis. Todas las grandes novelas, desde *El Quijote* a *Madame Bovary* o *La Regenta*, albergan en sus páginas la consagración de un canon novelístico al lado del destronamiento de modos discursivos llamados a retirar. La creación cervantina absorbió el libro de caballerías al igual que la novela realista/naturalista, ejercida por Gustave Flaubert y *Clarín*, cautivó a la ficción romántica. El texto ficticio, por tanto, lleva inscrito otro texto—el intertexto—, dirigido por un sistema de valores distinto, con el que entabla un diálogo, mediante el cual—y en divergencia con él—irá haciéndose, labrando su perfil.

El patrón literario predominante en *Doña Perfecta* responde inicialmente, en la variedad de la confrontación, al de la novela de tesis, la cual, de acuerdo con la denominación de Susan Suleiman, es aquella donde chocan dos maneras contrapuestas de entender la realidad, siendo las dos absolutas e irreconciliables—texto versus intertexto—. Las palabras y las opiniones del narrador y de Rey, el protagonista, constituyen el texto; lo dicho por los habitantes de Orbajosa, sobre todo por doña Perfecta Rey, viuda de Polentinos, y el canónigo don Inocencio Tinieblas, contiene el intertexto, la oposición ideológica y discursiva intratextual a lo narrado en el texto dominante. El discurso principal, de mayor flexibilidad, se enrosca al/entre el intertexto, vertebrado por la inmovilidad ideológica, para exprimirle el veneno intelectual y formal.

La ideología, entendida en su primera acepción, de un sistema de valores de aplicación universal pensado para regir la vida social, se convierte en material novelable cuando hace pie en la realidad ficticia. Se incorpora a *Doña Perfecta* con suma discreción, en la intimidad de la entrañable correspondencia cruzada entre Juan Rey y su hermana, donde convienen en lo deseable de la unión matrimonial de sus descendientes. Pepe Rey, el hijo del abogado, se entera del proyecto leyendo una carta de doña Perfecta: "Mi tía quiere que me case con Rosario" (pág. 11). A lo que puntualiza don Juan: "—Ella contesta aceptando con gozo mi idea—dijo el padre conmovido—. Porque la idea fue mía" (pág. 10). La recepción de tan nobles oficios parece inmejorable: "¿no ves lo que dice? 'por ser tú un joven de singularísimo mérito, y su hija una joven aldeana, educada sin brillantez ni mundanales atractivos'" (pág. 10). No obstante, la modestia de la tía adscribe a la unión sentimental un elemento de tirantez: la falta de equilibrio existente entre el "singularísimo mérito" del ingeniero y la "educación sin brillantez" de una "joven aldeana."

A nada de llegar Pepe a Orbajosa, notamos que la tía continúa dirigiéndose al sobrino poniendo énfasis en lo negativo: "—Si almuerzas fuerte—le dijo doña Perfecta con cariñoso acento—, se te quitará la gana de comer. Aquí comemos a la una. Las modas del campo no te gustarán" (pág. 14). Es la semilla de la discordia que asoma, pero aunque Perfecta personaliza e interpreta los gustos del sobrino, éste afirma sus deseos de adaptarse a las costumbres de la vida de provincias. Su respuesta es pristina: "Me encantan [las modas del campo], señora tía" (pág. 14). Todos estos tanteos introductorios armonizados por el tema del *beatus ille*, el conocido *locus* retórico, los elevará a un plano ideológico el señor Penitenciario de la Catedral de Orbajosa, don Inocencio, persona estimada en la casa de la viuda de Polentinos, al hilvanar en sus palabras lo personal con una apreciación particular del mundo. Cuando el joven sugiere que una inyección de capital vitalizaría a Orbajosa, el cura le responde gustoso:

—En tantos años que llevo de residencia en Orbajosa—dijo el clérigo frunciendo el ceño—, he visto llegar aquí innumerables personajes de la Corte, traídos unos por la gresca electoral, otros por visitar algún abandonado terruño, o ver las antigüedades de la Catedral, y todos entran hablándonos de arados ingleses, de trilladoras mecánicas, de saltos de agua, de bancos y qué sé yo cuántas majaderías. El estribillo es que esto es muy malo y que podía ser mejor. Váyanse con mil demonios, que aquí estamos muy bien sin que los señores de la Corte nos visiten, mucho mejor sin oír ese continuo clamoreo de nuestra pobreza y de las grandes maravillas de otras partes . . . Ya sé que tenemos delante a uno de los jóvenes más eminentes de la España moderna, a un hombre que sería capaz de transformar en riquísimas comarcas nuestras áridas estepas. (Págs 15–16)

Aparte de notar en la última frase las semejanzas expresivas del cura y la tía, la falsa modestia de esas "áridas estepas" y del superlativo "riquísimas" (¿quién soplaría a la dama los conceptos estampados en la carta?), asistimos al aumento del disentimiento a causa del añadido elemento ideológico, que plantea abiertamente el enfrentamiento de los orbajosenses y los forasteros, de las dos Españas, la tradicional y la moderna. El antagonismo gana terreno con velocidad, lo que hasta entonces pasaba por meras desarmonías abstractas entre el campo y la ciudad (el desarrollo o retraso industrial del país), se convierte en cuestión de principios:

la ciencia tal y como la estudian los modernos, es la muerte del sentimiento y de las dulces ilusiones. Con ella toda la vida del espíritu se amengua; todo se reduce a reglas fijas, y los mismos encantos sublimes de la naturaleza desaparecen.

Con la ciencia destrúyese lo maravilloso en las artes, así como la fe en el alma. (Pág. 18)

Esta filípica del canónigo, representativa de muchas que adornan el libro, plantea una de las cuestiones palpitantes de la pasada centuria, el debate entre la religión y la ciencia, y sienta los cimientos ideológicos del intertexto. Coloca el estandarte de la fe a modo de insignia ante la que todo ser humano debe arrodillarse. La respuesta de Pepe acude presta:

Dirija usted la vista a todos lados, señor penitenciario, y verá el admirable conjunto de realidad que ha sustituido a la fábula. El cielo no es una bóveda, las estrellas no son farolillos, la luna no es una cazadora traviesa, sino un pedrusco opaco; el sol no es un cochero emperejilado y vagabundo, sino un incendio fijo. Las sirtes no son ninfas, sino dos escollos; las sirenas son focas, y en el orden de las personas, Mercurio es Manzanedo; Marte es un viejo barbilampiño, el conde de Moltke; Néstor puede ser un señor de gabán que se llama monsieur Thiers; Orfeo es Verdi; Vulcano es Krupp; Apolo es cualquier poeta. ¿Quiere usted más? (Pág. 19)

Cavadas las trincheras, establecido el frente, comienza un persistente fuego graneado. Los proyectiles los conocemos de sobra, el contraste entre la corrupción ciudadana y la inocencia rural, los peligros de la ciencia y las virtudes de la fe, etcétera. Jacinto, un cachorrillo apenas destetado de la escuela de Leyes, sobrino del canónigo, aportará a la discordia una de las municiones de mayor calibre. De buenas a primeras, a boca de jarro, le espeta a Pepe un inquisitivo dardo: "Dígame el señor don José, ¿qué piensa del darwinismo?" (pág. 27). El ingeniero finge ignorancia y elude la contestación, reconociendo por el silbido del proyectil el daño que pudiera causar.

Especular que Pepe Rey rehúye el cuerpo a cuerpo con Jacintito encubriendo alevosamente sus verdaderos sentimientos, pues vive en profundo desacuerdo con la tía, el clérigo y el sobrino, sería desacertado. La actitud del joven, por el contrario, concuerda con la de la mayoría de los intelectuales españoles del ochocientos con respecto al debate filosófico aludido y con las normas de una prudencia elemental. En concreto, y respecto a la cuestión del darwinismo,[8] Pepe Rey adopta una posición moderada, asimila los cambios introducidos en la concepción del mundo por los descubrimientos científicos, reservando el soplo que insufla vida a lo creado para Dios, con lo que el papel central de la religión queda salvaguardado. En consecuencia, la diferencia entre la tía y el sobrino disminuye; ella, a pesar de todo, nunca cesa de pincharlo con indirectas: "Me guardaré muy bien de vituperarte que creas que no nos crió Dios a su imagen y

semejanza, sino que descendemos de los micos" (pág. 29).
Sólo cuando acosado pierda la paciencia, se enfrentará con lo religioso, apareciendo descreído. Aunque su actitud más que descreimiento refleja la interpretación del mundo bajo una lente secular decimonónica y conserva intactos los lazos que unen al hombre con Dios, la relación de la criatura con su creador. Cambia la manera de apreciar el reflejo de lo trascendente en el mundo; en una de las explosiones de Pepe escuchamos su diagnóstico patológico de la enfermedad padecida por la España tradicional, al tiempo que efectúa una trasculturación de la perspectiva intelectual tradicional a una moderna:

No hay ya más bajada al Infierno que las de la geología, y este viajero, siempre que vuelve, dice que no hay condenados en el centro de la tierra. No hay más subidas al cielo que las de la astronomía, y ésta, a su regreso, asegura no haber visto los seis o siete pisos de que hablan el Dante y los místicos y soñadores de la Edad Media. No encuentra sino astros y distancias, líneas, enormidades de espacio, y nada más. Ya no hay falsos cómputos de la edad del mundo, porque la paleontología y la prehistoria han contado los dientes de esta calavera en que vivimos y averiguado su verdadera edad . . . Todos los milagros posibles se reducen a los que yo hago en mi gabinete, cuando se me antoja, con una pila de Bunsen, un hilo conductor y una aguja imantada. Ya no hay más multiplicaciones de panes y peces que las que hace la industria con sus moldes y máquinas, y las de la imprenta, que imita a la Naturaleza sacando de un solo tipo millones de ejemplares. En suma, señor canónigo del alma, se han corrido las órdenes para dejar cesantes a todos los absurdos, falsedades, ilusiones, ensueños, sensiblerías y preocupaciones que ofuscan el entendimiento del hombre. (Pág. 19)

Al igual que el narrador invitaba al comienzo a que abriéramos los ojos, Pepe convida ahora a que contemplemos las mistificaciones históricas, la visión medieval del mundo, y su desajuste con las actitudes e ideas en curso.
Hasta aquí he identificado a Pepe Rey con el narrador, al sujeto de la enunciación y al del enunciado, y he esquivado la mención de otro escriba y personaje importante, don Cayetano Polentinos, cuñado de Perfecta, en cuya casa habita dedicado en cuerpo y alma a escribir una magna historia, los *Linajes* de Orbajosa. Los dos, el narrador y Cayetano, escriben la historia guiados por presupuestos distintos de lo que esa actividad sea;[9] el texto del narrador enmarca el discurso de Pepe Rey, formaliza la confrontación, y afianza la defensa de la tesis progresista; el de Polentinos, en contraste, historia los acontecimientos cívicos y funciona de intertexto paródico. Supone el traslado al terreno pseudohistórico de las falsedades descubiertas por Pepe, el comentario irónico que marca la distancia entre

lo contado y lo ocurrido. Veamos un botón de muestra: "Gracias a mí, se verá que Orbajosa es ilustre cuna del genio español. Pero ¿qué digo? ¿No se conoce bien su prosapia ilustre en la nobleza, en la hidalguía de la actual generación *urbsaugustana*? . . . La caridad se practica aquí como en los tiempos evangélicos; aquí no se conoce la envidia, aquí no se conocen las pasiones criminales" (pág. 54).

De los personajes galdosianos menores, Cayetano Polentinos es uno de mis favoritos. Este ente vive encerrado en el egoísmo del erudito, preocupado por las minucias de la historia (con minúscula de nota a pie de página), consumido por la triste emoción nacida del hallazgo de datos mezquinos e insignificantes. Le falta esa solidez que concede el trato de hombre a hombre (de mujer a mujer), carnal, la sensualidad de un rayo de sol, la risa, el ejercicio o la excitación producida por una conversación absorbente—¡Estupiñá!—. Un escriba así, de vitalidad deficiente, resulta el perfecto historiador para inscribir con letra muerta el alma sin espíritu de Orbajosa, el recuento de una historia en que los antecedentes aducidos, al faltarles fundamento alguno, a no ser las supercherías y lugares comunes de una religiosidad trasnochada, desfilan por el texto disfrazados de grotescos fantasmas de antaño.

La novela concluye con un fin y con un "Final." El primero acontece en el capítulo XXXI, cuando doña Perfecta ordena a Caballuco la muerte de Pepe Rey: "—Cristóbal, Cristóbal. . . , ¡mátale! Oyóse un tiro. Después otro" (pág. 106). A continuación, el capítulo XXXII, titulado "Final," lo ocupan las cartas de Cayetano Polentinos a un amigo explicando la muerte de Pepe, achacada inicialmente a un suicidio. Cumplen la función de sustituir el texto por el intertexto y mostrar que la historia escrita por Polentinos distorsiona la realidad, manifestando que la verdad histórica ni se puede descubrir a partir de unos preceptos ni hacer que la realidad se adapte a ella, sino vicerversa. La historia de Cayetano Polentinos, el falso cronista,[10] supone, en fin, una burla de la versión fidedigna de los sucesos del narrador.

Se cierra el libro con un *exemplum*, contenido en el capítulo XXXIII, que cito completo: "Esto se acabó. Es cuanto por ahora podemos decir de las personas que parecen buenas y no lo son" (pág. 111). Probada la tesis, la sentencia final subraya con gruesos trazos la razón del caso entablado por el narrador contra las Orbajosas repartidas por la geografía imaginaria de España. El texto conquista y derrota en toda línea al intertexto: la tesis queda probada, los asesinos de Pepe Rey parecen condenados a la infamia, su ideología, que tan sutilmente fue tejiéndose en el trato personal hasta acabar dominándole, queda desacreditada, su manera de historiar los acontecimientos igualmente desprestigiada.

El nuevo azogue del espejo de la ficción

A la novela descrita hasta aquí le falta algo. Decir que *Doña Perfecta* ofrece un campo de batalla donde se baten un discurso liberal y uno tradicionalista no agota ni con mucho las impresiones lectoriales. Excluye el horizonte donde la claridad y la oscuridad, las dos tesis contrapuestas, confluyen y se difuminan, ese ambiente pre-expresionista que permea la obra, reminiscente de cuadros del tipo de los de Caspar David Friedrich, de espacios cargados de nieblas que matizan el humor ambiental de la escena. Allí donde la novela de tesis y la sensibilidad pasional, remanente del romanticismo, cohabitan, al tiempo que la obra encuentra un equilibrio renovador, una conciencia narrativa moderna, de donde fluye su encanto, que permite al lector sintonizar con el mundo creado y no sólo escuchar sus truenos ideológicos.

Apenas leída la primera página, yendo en compañía de Pepe Rey por el camino de Orbajosa, sentimos la presencia de un fuerte sustrato emotivo [Bly 1986, 141], las tierras desapacibles y los caminos tortuosos parecen propicios para una mala sorpresa. Refuerzan nuestro desequilibrio sensorial las dos figuras recurrentes en el texto, la hipérbole y la redundancia, utilizadas por el narrador y por los personajes para fustigarse mutuamente, sacar de quicio las emociones que el decir calmo controla. Cuando al escribir Perfecta que Pepe Rey es un joven de "singularísimo mérito" (pág. 10) el superlativo transmite una apreciación que ella no sabe canalizar sin un matiz arrebatado.

La fábula novelesca viene tejida con hilos bastante delgados; a la falta de complejidad de las monolíticas oposiciones ideológicas se suma la escasez de sucesos en la trama. Fuera de los amores de Rosario y Pepe, de escasísimo desarrollo (y el habido ocurre a hurtadillas del lector y del resto de los personajes) poco más hay. En contrapartida, la tensión pasional latente en la novela conmueve, el fuego lento que añade combustible a los enfrentamientos ideológicos del texto (el discurso del narrador) y del intertexto (el discurso que choca con el del narrador, perteneciente al círculo de doña Perfecta). Llamaremos a esa combustión subyacente el subtexto, lo que desde la sombra condiciona al texto implícitamente.

Con el desenlace a la vista, en el capítulo XXVI, titulado "María Remedios," el narrador desvela el origen de las corrientes ocultas, las aguas subterráneas que hacen del suelo de Orbajosa un barrizal: "Cuando vemos arrebatadas pasiones en lucha encubierta o manifiesta, y llevados del natural impulso inductivo que acompaña siempre a la observación humana, logramos descubrir la oculta fuente" (pág. 91). Y esa pasión era el amor maternal de Remedios, el ansia de casar a Jacinto con Rosarito. Se trata, en principio, del natural instinto de una madre, del deseo de quien "había sido lavandera en la casa de Polentinos" (pág. 92) de entroncar a su vástago con la heredera de los señores.

Junto al afán materno de colmar el orgullo personal, el subtexto ilumina una segunda fuente de tensión: el ansia de riqueza (pasional también). Acabado de llegar a Orbajosa, Pepe se siente enredado en una tela de araña de intereses, en la que caerá prisionero. Sin haber deshecho todavía el equipaje, Licurgo, el criado que lo recogió en la estación, saca a colación un pleito que trae contra él. Doña Perfecta misma evidencia la fuerza del incentivo monetario al perdonar a sus aparceros rentas atrasadas a cambio de que contribuyan a la causa reaccionaria, levantándose en armas contra el poder de Madrid. El interés enconómico, pues, está presente a lo largo de la novela.

María Remedios e Inocencio repasan con fruición los pingües beneficios que les aportaría el emparentamiento con los Polentinos: "siete casas del pueblo, de la dehesa de Mundogrande, de las huertas del cortijo de Arriba, de la Encomienda y demás predios urbanos y rústicos que posee esa niña" (pág. 94). Por conseguir la dignidad y el poder que otorga la riqueza, don Inocencio crucificó al forastero: "Ya sabes, Remedios, que la puse la proa" (pág. 94). Estas confidencias de última hora—página— amplían la extensión del subtexto, explicando mejor por qué Pepe Rey fue la diana de la enemistad encubierta, forzado a luchar con un enemigo emboscado.

Cabe igualmente adscribir al subtexto la nefasta experiencia matrimonial de Perfecta Rey de Polentinos. Sabemos que su marido al morir la dejó en la ruina, tras malgastar en el tapete verde una regular fortuna. Con esfuerzo y la ayuda del hermano, la viuda reflotó el patrimonio familiar, devolviéndole crecida su antigua prosperidad. El resentimiento hacia el marido, las inevitables heridas y cicatrices producidas en la lucha por la vida incrementan ese trasfondo emocional, y quizás influyen en su oposición a Pepe, para quien alcanzar la felicidad equivale a extender la mano y arrancar del árbol la fruta en sazón.

El subtexto de una novela—o de cualquier escrito, la Constitución de los Estados Unidos, por ejemplo—,[11] lo compone el crítico con cuanto quedó sin expresar, lo tácito, que informa a lo dicho vía su consciente exclusión. En *Doña Perfecta* encontramos un caso híbrido; durante cien páginas, de las ciento once de que consta la edición manejada, el móvil económico brilla por su ausencia; sin embargo, el lector percibe su sombra. Circunstancia que dice bastante del tipo de obra que Galdós pretendía escribir, una donde predominara la lucha de ideas. Sólo cuando la novela iba avanzada y el conflicto a banalizarse en la unicidad significativa de la novela de tesis, el lector descubre en el trasfondo subtextual motivaciones iluminadoras de una mayor latitud de lo humano.

Al salir del terreno de lo implícito, del entredicho, los impulsos pasionales primarios y aflorar en el texto, las posiciones filosóficas mantenidas desde el comienzo quedan relegadas a favor de un descenso hacia la contingencia de lo humano. La lucha entre la Ciencia y la Religión, tan ferozmente entablada, acaba en tragedia para Pepe Rey, asesinado por un matón; los instigadores del crimen, Inocencio y Perfecta, terminan destruidos en un mar de remordimientos, víctimas de su propia conciencia, el castigo se lo imponen a sí mismos, les viene de dentro, de su conciencia, y no de fuera.

Doña Perfecta ofrece, en resumen y como ya apunté, una base emocional, subjetiva, sobre la que se cuaja una novela de tesis, a la que los ímpetus del romanticismo prestan su impulso. Afortunadamente, esos planos, revisados por el autor, sirvieron para orientar toda esa emocionalidad hacia la redefinición del ser, uno en que predomina la conciencia como guía de la conducta personal.

Correspondiendo con la decidida actitud de los intelectuales españoles del XIX de borrar la cara de Dios de la faz de la tierra, la Iglesia y los altos escalones de la sociedad organizaron una defensa cerrada del *statu quo* contra la secularización. La novela idealista contribuyó a esa defensa. Galdós, por el contrario, encaminó la ficción nacional hacia un mejor equilibrio entre la realidad y su representación. Los efectos del cambio influyeron profundamente en las formas narrativas, transformándolas radicalmente. Además del acrecentamiento de las técnicas narrativas conducentes a prestar una superior verosimilitud a lo contado, al adoptar el narrador la actitud de testigo, o el aporte de documentos, las mencionadas cartas, por ejemplo, utilizadas con el fin de corroborar lo dicho por un conducto "independiente" y el resto de los recursos típicos del primer realismo decimonónico, la mudanza esencial en el arte narrativo ocurriría cuando Galdós permite al texto transmitir una valoración renovadora del mundo, elaborada desde dentro, al escribir, cuando el hombre busca equilibrar los deseos íntimos con las convicciones y creencias impresas en nuestra conducta por vía de la educación, la familia, las convenciones sociales, etcétera. La novela se convertirá así en el vehículo de la expresión de los anhelos íntimos de sus moradores.

La mejor evidencia del cambio en *Doña Perfecta* la hallamos en una situación, que Galdós había esbozado con anterioridad en *La corte de Carlos IV*, escrita en 1873 [Germán Gullón 1984, 50], donde el personaje tiene que habérselas con las consecuencias de sus actos. Leamos la reacción del ingeniero Rey: "Soy un miserable, porque es un miserable quien carece de aquella poderosa fuerza moral contra sí mismo, que castiga las pasiones y somete la vida al duro régimen de la conciencia" (pág. 100)— en confesión epistolar a su padre. Por encima de las ideas asoman las maneras de ser: "Ya no soy aquel a quien una educación casi perfecta dio pasmosa regularidad en sus sentimientos," añade Pepe.

Galdós invierte el texto, que abandona los rieles de lo ideológico y marcha ahora a su aire, enseñando las costuras emocionales, los efectos del mal desencadenado. Don Inocencio Tinieblas, el cura reaccionario, alejado de todos, se oculta, abatido por el remordimiento, a sufrir en soledad; doña Perfecta pierde a la locura el objeto de su amor, Rosario; Pepe entregó la vida, sabiendo que el descontrol de la conducta conllevaba un alto precio. Desprovisto el ser de las muletas ideológicas, el sentir y la reflexión sustituyen a los impulsos pasionales.

Coincidiendo con el cambio de signo en la ficción, Galdós comenzó a utilizar una de las técnicas que luego manejaría con impecable soltura, el monólogo interior. Las dos citas de Pepe transcritas arriba, que son parte de las cartas donde el joven confiesa al padre su culpa en el asunto, suponen un anticipo de tal procedimiento y desempeñan el mismo papel. Cabría denominarlas pre-monólogos interiores, ya que auscultan con igual habilidad las profundidades del ser consciente, y proclaman con fidelidad el estado de la narrativa galdosiana, cruzando el borde hacia la novela de acción interior. Con estas técnicas el discurso de ficción realista recibía el azogue apropiado para las funciones que se le encomendaban: reflejar un mundo secularizado.

University of Pennsylvania

NOTAS

1 Susan Rubin Suleiman, *Authoritarian Fictions. The Ideological Novel as a Literary Genre* (Nueva York: Columbia University Press, 1983), págs 21–22.

2 John W. Kronik, "Galdosian Reflections: Feijoo and the Fabrication of Fortunata," *MLN*, 97 (1982), 287.

3 Harriet S. Turner, "The Shape of Deception in *Doña Perfecta*," *KRQ*, 31 (1984), 125–34. La traducción es mía.

4 Benito Pérez Galdós, *Doña Perfecta. Misericordia* (México: Porrúa, 1977), pág. 3. Todas las citas de esta novela son de esta edición y las páginas se indicarán en paréntesis después de cada una.

5 Vernon A. Chamberlin, "*Doña Perfecta*: Galdós' Reply to *Pepita Jiménez*," *AG*, 15 (1980), 11.

6 Véase Henry D. Aiken, *The Age of Ideology: The Nineteenth-Century Philosophers* (Nueva York: Mentor, 1956), pág. 14.

7 Véase Ricardo Gullón, *Técnicas de Galdós* (Madrid: Taurus, 1970), pág. 29.

8 Véase Genaro Alas, *El darwinismo*, ed. Francisco García Sarriá (1887; España; reimpresa Exeter: University of Exeter, 1978), pág. xliii.

9 Lee Fontanella, "*Doña Perfecta* as Historiographic Lesson," *AG*, 11 (1976), 60.

10 Según Lee Fontanella, pág. 68.

11 Véase E. L. Doctorow, "A Citizen Reads the Constitution: An Untraditional Discourse on the Text and the Subtext," *The Nation*, núm. 244 (1987), 213.

Peter B. Goldman

"Cada peldaño tenía su historia": conciencia histórica y conciencia social en *Fortunata y Jacinta*

Desde hace tiempo me interesa el problema del determinismo y la conciencia histórica en *Fortunata y Jacinta*. Creo que Galdós rechaza el sistema determinista, reconociendo, no obstante, que en cuestiones sociales el determinismo proporciona a la sociedad española de su época la dominante perspectiva.[1] En este trabajo me propongo examinar el manejo galdosiano de algunos objetos que se prestaban al desarrollo de una visión materialista y mecanicista y, por ello, a la objetificación del determinismo en el último tercio del siglo XIX. Mis objetivos son dos: 1) investigar cómo en *Fortunata y Jacinta* Galdós rechazó el determinismo empleando, para hacerlo, algunos de los símbolos y metáforas más representativos del mismo sistema; y 2) subrayar así las diferencias determinantes entre la conciencia histórica y la conciencia social, siendo ésta la que para Galdós se reviste de valor trascendental.[2]

1. Visión mecanicista y desvalorización de la historia: el reloj

Como la máquina de vapor, el reloj fue uno de los símbolos más importantes de progreso nacional y categoría social durante el siglo XIX.[3] Lo que un siglo antes fue presea de las clases altas, en el diecinueve simbolizaba el bienestar y respetabilidad modestos de la clase media. Debido a la exactitud hasta entonces desconocida con que medía su transcurso, llegó a ser considerado como señal victoriosa de la conquista del tiempo.

Con la industria y sus máquinas, con el capital y la inversión financiera, el concepto y la importancia del tiempo cambiaron radicalmente en Europa y Estados Unidos. Si el tiempo del antiguo régimen era biológico y natural, el de las ciudades industrializadas del diecinueve era más bien económico y maquinal. El reloj simbolizaba así no solamente progreso y bienestar, sino precisión, productividad, utilidad. Y abstracción, porque el reloj no es el tiempo, sino indicador de su movimiento.

El fluir cronológico es lineal. Paradójicamente, el ciclo horológico del reloj nos recuerda que el tiempo también tiene su elemento circular: a pesar de la trayectoria más bien recta, y única, del tiempo individual, la especie se caracteriza por la repetición. Según la visión decimonónica, el reloj regularizaba el pasar del tiempo individual, que se hacía "objetivo." Acentuaba la *cronología*, en oposición a la vida y la perspectiva personales. Estas se esforzaban en organizarse según la *conciencia* individual, que se fijaba en un movimiento temporal conforme a criterios subjetivos. Así, el reloj era también símbolo de una ruptura profunda entre la vida exterior y social, y la interior e individual, de cada persona.

Para entrar de lleno en el mundo "civilizado" y "moderno" del siglo XIX era preciso aprender las horas—"tan guapas" las llamó Galdós en *Fortunata y Jacinta*.[4] En tal ambiente, el reloj lograba categoría explícitamente burguesa. Uno no era de las clases medias (también conocidas como acomodadas) sin él. Es interesante notar que Mesonero Romanos, mentor de Galdós, al escribir el artículo "El romanticismo y los románticos," nos muestra que el rebelde sobrino, como primer acto de liberación romántica al rechazar la sociedad burguesa, se quita el reloj y la cadena. En Galdós, tanto como en Mesonero, el reloj está omnipresente. Pero en manos de Galdós el símbolo adquiere proporciones más amplias. Joaquín Gimeno Casalduero [1982, 69] nos llama la atención sobre el hecho de que si el reloj en casa de las Porreño no anda, parado para siempre a la medianoche del último día de 1799 para no sonar jamás la entrada del nuevo siglo, en *Un faccioso más y algunos frailes menos* sí que anda, pero hacia atrás. Desde los primeros intentos de Galdós, el reloj con frecuencia se reviste de otros tiempos además del cronológico, especialmente el de la historia. Podríamos añadir que el manejo del reloj nos obliga a estar conscientes de la historia. Atentos al reloj o al tiempo cronológico, aunque sea sólo para rechazarlo, muchos de los mejores personajes galdosianos (y novelísticos), compenetrados de la historia como los de que habla Lukács, nos despiertan a ella.[5]

Los observaciones más completas sobre la aparición del reloj en *Fortunata y Jacinta* son de Pedro Ortiz Armengol: documenta que los relojes se oyen y se ven por todas partes; en verdad, la novela abunda en referencias al tiempo cronológico y al instrumento que lo mide.[6] Sin embargo, para la mayoría de los personajes el reloj es mercancía y objeto de cierto prestigio, tiene valor de cambio, y nada más. Los burgueses madrileños apenas comprenden su intrínseco valor temporal e histórico.

¿Por qué, entonces, parece el reloj frecuentemente falto de su dimensión histórica en *Fortunata y Jacinta*? Se debe al hecho de que muchas veces en la novela la representación del tiempo y el reloj proyectan una visión mecanicista, por medio del individuo asociado a ellos. Pero si ciertos personajes no muestran conciencia histórica, incluso al hablar de relojes y tiempo, el hecho de que recurren al instrumento horológico refleja la del autor. Esto lo colegimos al dar con una referencia temprana en nuestra lectura. Galdós describe el apego de Barbarita a su "arrabal nativo" y a su casa, sita en la Plaza de Pontejos a espaldas de la Puerta del Sol:

para ella no había en Madrid quien no oyera por las mañanas el ruido cóncavo de las cubas de los aguadores en la fuente de Pontejos; quien no sintiera por mañana y tarde la batahola que arman los coches correos; quien no recibiera a todas horas el hálito tenderil de la calle de Postas, y no escuchara por Navidad los zambombazos y panderetazos de la plazuela de Santa Cruz; quien no oyera las campanadas del reloj de la casa de Correos, tan claras como si estuvieran dentro de la casa; quien no viera pasar a los cobradores del Banco cargados de dinero y a los carteros salir en procesión. (Pág. 68)

Tan acostumbrada está a estos ruidos que verdaderamente ella no puede vivir sin ellos. Las palabras del autor confirman que la casa, la familia, su clase social, todas están compenetradas del tiempo burgués y su nexo comercial. Pero como pronto llegamos a ver, ni lo oyen ni lo ven. Si Barbarita—y su familia y su clase—vive sumergida de veras en el tiempo burgués, está inconsciente del sentido de este hecho. Envuelta por su ambiente, no hace caso ni de lo oído ni de lo visto; siente únicamente la ausencia de estos estímulos. Hay que concluir que en *Fortunata y Jacinta* Galdós emplea relojes y tiempo para subrayar la falta burguesa de conciencia histórica y socio-económica. Así, la familia Santa Cruz y sus congéneres no sienten ni la más mínima disyunción entre tiempo interior y tiempo exterior.

En cambio, si Juanito vive tan inconscientemente sumergido dentro del tiempo bursátil del Madrid financiero, Fortunata, al principio, está fuera de él. Ni entiende las horas ni el calendario (pág. 179). Más tarde, habiendo aprendido algo del tiempo, y metida en el piso en que la mantiene Juanito, Fortunata sí que tiene reloj, regalo de su amante. Está en la sala, sobre la consola. Pero cuenta el narrador que es sumamente cursi y "no había sabido nunca lo que es dar la hora" (pág. 322). En estos momentos Fortunata entiende lo que es el tiempo según criterios más o menos superficiales y sociales; todavía vive aislada, fuera de él.[7]

Subraya este hecho Galdós cuando le permite vagar por las calles alrededor de la Plaza de Pontejos y Puerta del Sol, caminando "inconscientemente," "sin saber cómo," "como si estuviera en el eje de un tiovivo."

Se opone a la realidad, que le es "odiosa," procurando "mantenerse en aquel estado delirante" (págs 325–26). Es decir, en el centro del mundo más estrictamente ordenado por el correr cronológico, donde el tiempo de veras equivale al dinero, Fortunata está inconsciente del mismo. Escucha fijamente las campanadas del reloj de Correos sólo al final de la novela, en vísperas del nacimiento de su hijo y la muerte de ella, pero en compañía de las de otro reloj: el de la Casa-Panadería de la Plaza Mayor. Galdós nos llama la atención de esta manera, sugiere Ortiz Armengol, sobre la "discordancia" entre el Madrid del tiempo tradicional y el del moderno.[8] Pero como bien demostró Stephen Gilman [1981a], es solamente en estos momentos cuando Fortunata, por fin, concilia los tiempos y las historias sociales e individuales, escuchando los dos relojes más emblemáticos de Madrid, mientras observa transformarse al agua el gorro de dormir del rey Felipe (pág. 483–84).

De otra parte, lo esencial de la mentalidad temporal (e histórica) de la sociedad burguesa lo articula Galdós, al desplegar la perspectiva del personaje más organizado según críterios horológicos, Maxi Rubín:

Le había entrado fe ciega en la acción directa de la Providencia sobre el mecanismo funcionante de la vida menuda. La Providencia dictaba no sólo la historia pública, sino también la privada. Por debajo de esto, ¿qué significaban los símbolos? Nada. (Pág. 226)

Así que, al desarrollar una crítica extensa de esa misma sociedad burguesa, Galdós mantiene resueltamente a su protagonista al margen del fluir cronológico, social, y objetivo, hasta el final, cuando ya tiene la capacidad para trascenderlo.

* * *

Las referencias relojeras en *Fortunata y Jacinta* proceden mayormente según criterios bien mecanicistas. Hay dos categorías generales: el empleo verdadero de un reloj o del tiempo, y el uso metafórico de los mismos. Dentro de cada categoría hay, además, dos aplicaciones distintas: una al nivel individual y la otra al social. Las verdaderas e individuales, muchas veces con valor decididamente simbólico, son las más numerosas. Por ejemplo, la Restauración alfonsina se refleja en el fatuo don Basilio Andrés de la Caña. Instalado por fin en su despacho administrativo, se jacta de regirse por el horario burocrático para demostrar a sus contertulianos la consideración de que ya goza (pág. 344). En la vida íntima de otro personaje, el reloj de la Puerta del Sol da la hora como señal de término de un ciclo diurno: momentos después, en efecto, en el silencio profundo de la medianoche, termina también la existencia de Manuel Moreno-Isla, "materialista" (según Guillermina, pág. 459) y comerciante a lo inglés. Así, el reloj de la Puerta del Sol acompaña a los Santa Cruz y a los suyos incluso en la muerte (pág. 461).[9] Otro devoto del dinero, el usurero, Torquemada, trata de adquirir los relojes de tenderos establecidos (pág. 196). El mismo día en que estrena uno de cadenas exageradamente largas, que acentúan fácilmente el lazo que le ata estrechamente a las monedas, Maxi le acusa de materialismo inextirpable, insistiendo finalmente en que no entre más en casa. Vemos con frecuencia que el reloj está unido o al nexo explícitamente político y estatal, o al económico y comercial.

También marca el reloj el progreso de las relaciones personales, expresando a la vez algo de la personalidad de los que lo utilizan, por ejemplo, el cursi burgués de los adúlteros, antes mencionado, que—espejo de su vida amorosa—no anda. El caso más significativo de este recurso es Maxi. Se ha hablado de la importancia de los primeros encuentros entre Fortunata y otros personajes.[10] Sus encuentros con Juanito y Maxi, respectivamente, reflejan las semejanzas y diferencias características de cada señorito. Cada uno sube una escalera, Santa Cruz en busca de Estupiñá, Maxi a visitar a su compinche, Olmedo, que en esa época vive con Feliciana. Los dos hombres pasan por delante de la puerta abierta del piso, y lo primero que ven es a Fortunata. En cada caso, su hermosura les maravilla. Pero si el encuentro le carga a Juanito de agresividad biológica, a Maxi le hace retirarse silenciosamente. Juanito ve en Fortunata una "criatura," pero ella mira a Maxi como si viniera de otro mundo. Con el animalismo crudo del encuentro entra Santa Cruz y Fortunata, contrasta lo absolutamente abstracto del de ella con Maxi. Recordemos que, disminuido su asombro, el joven pasa a la sala y se sienta, todavía sin decir una palabra. Entra Feliciana. Desahogadamente se echa en la butaca y en voz alta pregunta a Fortunata:

—¿Vas a salir ya?
—Sí; ¿qué hora es?
Rubín se alegró de aquella ocasión que se le presentaba de prestar un servicio a mujer tan hermosa, y sacando su reloj con mucha solemnidad, dijo:
—Las nueve menos siete minutos . . . y medio.
No podía decirse la hora con exactitud más escrupulosa. (Pág. 165)

En el manuscrito de la novela Maxi tropieza con Fortunata en la calle.[11] Preciso es, por ello, comprender por qué Galdós cambió la escena, incluso en los detalles secundarios, relacionándola al encuentro en la Cava de San Miguel.[12]

En la versión publicada, lo concreto y carnal de Juanito, su imponente espacio físico, están yuxtapuestos a lo abstracto y temporal de Maximiliano. Juanito enseña a Fortunata según su credo, enunciado en otro sitio (pág. 16), a "relacionarse, gozar y padecer, desear, aborrecer y amar." En cambio, Maxi por un lado la instruye en, y por otro la incita al, conocimiento de sí misma. Maxi la conduce a este autoconocimiento al impelerla a existir dentro del tiempo, y dentro también de una conciencia del fluir temporal de la existencia. En las lecciones formales de este redentor, Fortunata aprende las horas, los días de la semana, los meses del año—en otras palabras, el tiempo cronólogico, social y objetivo. Más importante, en las conversaciones descansadas después de la comida, Fortunata poco a poco empieza a tener conciencia de su pasado y a darse cuenta de que tiene un futuro. Gracias a Maxi, Fortunata descubre su propia biografía, y que gran parte de ella está todavía por escribirse—en otras palabras, el tiempo individual y subjetivo. Este es uno de los pasos previos a la autonomía, y el primer requisito para capacitar a la conciencia a trascender los límites de la sociedad burguesa.

Pero las enseñanzas de Maxi, como las de Juanito, tienen también sus límites. Si el reloj sirve de medio de comunicación primeriza entre él y Fortunata, también sirve para dar énfasis a las rupturas de su unión. Maxi ordena su vida según un reloj de bolsillo. Con sólo pensar en Fortunata, pierde ese orden y, lo que importa más, el bienestar que le acompaña. Separado de ella (por ejemplo, después de dejarla en las Micaelas), mira su reloj sin poder darse cuenta de la hora (págs 228–29).

A fin de cuentas, el reloj es como toda máquina con engranaje: producto industrial, fruto de un pujante racionalismo económico y científico que está puesto al servicio de una sociedad en que la vida del espíritu no encuentra sitio adecuado. Maxi, como todos los que se dejan gobernar según el sistema representado por el reloj, corre riesgo o de ahogarse espiritualmente o, inexperto ante los impulsos más vitales y fuertes de las pasiones, de dejarse arrastrar por ellos. Separado definitivamente de Fortunata, el ingenuo racionalista va poco a poco recobrando la salud. Disfruta de una vida arregladísima, gracias a costumbres impuestas por la familia y repetidas con puntualidad diaria. La ducha "circular" y el paseo, primero con Juan Pablo, luego a solas, le transforman: "Era como un retroceso a la edad en que estudió los primeros años de su carrera, y aun parecía que se renovaban en él las ideas de aquellos lejanos días . . . Su vida era muy metódica" (pág. 486). Pero tanto esta vez como antes, con sólo pensar en Fortunata Maxi pierde el equilibrio, volviéndose cada vez más obsesivamente racional, negando emociones y pasiones. Emplea la lógica y su compañero, el tiempo cronológico, para confirmar que Fortunata vive aún. Gracias a tales investigaciones la localiza: mide el tiempo que Izquierdo tarda en subirle dátiles a Fortunata (pág. 489). Adopta en consecuencia el determinismo dictado por la misma lógica implacable, se concibe como el mero instrumento de castigo providencial, y ocurre la visita fatal entre los señores de Rubín.

Los usos metafóricos no son menos mecanicistas que las referencias a relojes y tiempo verdaderos. Con frecuencia el cuerpo y la salud son comparados al reloj, algunos al enfermarse (por ejemplo, Ido del Sagrario [pág. 90] y Feijoo [pág. 339], otros al reponerse (por ejemplo, Fortunata, según Feijoo [pág. 327], y Maxi [pág. 509]). Más impresionantes son las comparaciones con la vida misma. En esta larga novela sólo hay dos: la primera tocante a las rutinas de doña Lupe, "reloj con alma," cuya existencia "era muy semejante a la de un reloj" (pág. 356). Nos acordamos de que, al despertarse diariamente, doña Lupe piensa en sus quehaceres comerciales, qué cuentas va a liquidar durante el curso del día que empieza, etcétera. Según Galdós, este rito de preparación mental y espiritual equivale a "darse cuerda" (pág. 357). El narrador afirma que vivir así es someter cuerpo y espíritu, como toda persona "rutinaria," al "régimen de las horas" (pág. 356). Aquí existe armonía perfecta entre lo exterior y lo interior.

Con tanta referencia a relojes en sentido mecanicista, sorprende ver la metáfora del reloj aplicada en otra ocasión de una manera que lo subvierte. Fortunata compara la sociedad entera a un reloj, mostrándose consciente del sentido social de esta palabra. Ocurre después de sus relaciones con Feijoo, que se empeñaba tanto en demostrarle la realidad social de Madrid. Ha vuelto Fortunata al lecho de Maxi; Feijoo ahora frecuenta la casa de doña Lupe y los señores de Rubín. A Fortunata esta costumbre le da asco por hipócrita. Sabe que es preciso mantener las apariencias, pero le incomoda la idea de que su antiguo amante reciba acogida tan amistosa de la familia ultrajada:

¿Será verdad—pensaba—, como me ha dicho él [Feijoo], que de estas barbaridades increíbles está llena la vida humana? . . . ¡Qué cosas hay, pero qué cosas! . . . Un mundo que se ve y otro que está debajo, escondido . . . Y lo de dentro gobierna a lo de fuera. . . , pues. . . , claro. . . , no anda la muestra del reloj sino la máquina que no se ve. (Pág. 366)

Empieza Fortunata a comprender que la vida social y la personal a veces no coinciden, ni siquiera corren paralelas. Muchas veces ni se ve el tiempo "objetivo" e histórico reflejado en el "subjetivo" y personal. La realidad

verdadera e interna muchas veces es contraria a las aceptadas manifestaciones externas que más bien indican una realidad aparente y engañosa.
Fortunata se da cuenta de esta verdad, que más adelante explica en términos casi idénticos. Cuando su cuñado, Nicolás, sucede a la canonjía,
gracias a los esfuerzos de Feijoo, Fortunata dice entre sí: "¡Lo que es el
mundo! . . . Razón tenía don Evaristo. Hay dos sociedades, la que se
ve y la que está escondida. Si no hubiera sido por mi maldad, ¡cuándo
habría sido canónigo este tonto de capirote, ordinario y hediondo! ¡Y él
tan satisfecho!" (pág. 388). Estas ideas tampoco distan de las de Juanito,
emitidas en el famoso viaje de novios al principio del libro. A Jacinta le
declara:

Hija de mi alma, hay que ponerse en la realidad. Hay dos mundos: el que se ve y
el que no se ve. La sociedad no se gobierna con las ideas puras . . . La conducta
social tiene sus leyes, que en ninguna parte están escritas, pero que se sienten y
no se pueden conculcar . . . En cosas de moral, lo recto y lo torcido son según de
donde se mire. (Pág. 64)

Las interpretaciones de Feijoo, entonces, son idénticas a las de Juanito;
es en su comportamiento en lo que los dos son distintos. Si hay de veras
dos mundos, en el social por lo menos rige una perspectiva mecanicista,
que dicta valores uniformes, e impone límites rigidísimos a la voluntad
propia. Apoyándose en la imagen del reloj, Fortunata afirma el hecho y
toma la interpretación por exacta.

Sin embargo, Juanito y Feijoo se conforman con este régimen; a Fortunata le molesta. El reloj subraya el sincronismo entre los tiempos interior
y exterior, personal y social, de los demás miembros de la sociedad madrileña. En el caso de Fortunata sirve de manera contraria: indica las
disyunciones, si no un diacronismo completo. Verdad es que el reloj,
como la máquina, refuerza en la mente de Fortunata la idea de la sociedad como mecanismo, y el individuo como ser sin voluntad, impulsado
por fuerzas desconocidas. Pero a los demás este concepto mecanicista les
corta las raíces históricas, les permite afirmar su manera de existir y seguir
en sus trece, oliendo a anti-historicismo burgués. En Fortunata tales ideas
fomentan un ser rebelde. En los demás, el punto de vista mecanicista, que
trivializa los hechos históricos, aplaca y luego extingue las conciencias
verdaderamente histórica y social. Y es esta gente, paradójicamente, la
que atiende a cada momento a los hechos históricos, siempre para redu-
cirlos a nimiedades, sean los amigos accionistas de don Baldomero, los
compinches políticos de Juanito, o los contertulianos de Juan Pablo. Ni
resiste Jacinta el impulso burgués de ahogar la conciencia histórica cuando

amenaza invadirle el pensamiento.[13]

A Fortunata la visión mecanicista la enciende y la nutre dialécticamente, incitándola primero a la rebelión, luego a una resolución. Tal visión tiene efectos parecidos a los de las drogas fuertes, descritas por Ballester, que matan a algunos y a otros les salvan la vida. Sucede esto último en el caso de Fortunata, debido a sus poderosos impulsos naturales, biológicos, en combinación con un creciente autoconocimiento y, bajo la tutela de Feijoo, con una creciente conciencia social. Pero le falta una conciencia histórica, incluso en los momentos finales de la vida. Igualmente le falta a Fortunata, en absoluto, una conciencia de clase, hasta el momento en que deja el pueblo para irse con la burguesía.

2. Transformaciones: la piedra de cantera y la escalera de piedra

El siglo XIX, siglo de problemas colosales en cuanto a la vida social, es también época en que el tiempo recibe una revalorización fundamental. La máquina de vapor, el ferrocarril, y el reloj son tres fenómenos que favorecen esta revisión del tiempo y su percepción. En este siglo, también conocido como el del tiempo, los problemas más agudos son paradójicamente del espacio, y tienen que ver con las mismas condiciones materiales de la vida.

Galdós reconoce la paradoja de que la máquina, objeto representativo de la edad progresiva e industrial, refuerza una teoría social no totalmente avanzada. Si el determinismo pretende basarse en las teorías modernas y científicas, su negación del libre albedrío más bien confirma la idea de que las clases bajas deben quedarse en su sitio, y no animarse a mejorar el degradante nivel de vida en que se halla la gran mayoría. A pesar de un considerable temor a las bajas capas sociales, y una antipatía a las clases trabajadoras, Galdós no puede dejar de creer en el pueblo como instrumento para la salvación de la sociedad española. Si para demostrar las insuficiencias del determinismo Galdós utiliza algunos de los emblemas de este sistema, a fin de reforzar su propia visión recurre a objetos que no son industriales sino populares.

La crítica siempre ha admitido que los símbolos son proyecciones de situaciones reales y estados mentales del personaje literario. En los estudios galdosianos, una de las discusiones más recientes sobre el tema es la de William R. Risley, que observa que en las novelas contemporáneas de los años ochenta las máquinas son proyecciones simbólicas del estado o proceso mental de un personaje, por lo común "of *defective* mental process."[14] Lo que hemos observado acerca del reloj y otros símbolos importantes en *Fortunata y Jacinta* confirma la hipótesis de Risley. Pero vamos ahora a discutir uno que no se conforma con esta regla general, la famosa escalera de piedras de la casa en la Cava de San Miguel, número 11.

En la segunda mitad del último tomo de *Fortunata y Jacinta*, es decir, la Parte IV, el piso más alto del número 11, Cava de San Miguel, sirve de escena de casi toda la acción. Peter A. Bly acierta al considerar esta casa como uno de los sitios más importantes para comprender la novela, pues, desde el momento en que se despide Fortunata de Feijoo, incluso cuando la narrativa nos lleva a otro sitio, por ser el centro de interés de todos los personajes, la casa es también el nuestro. Para referirnos a esta casa, entonces, tendremos que considerar los capítulos finales en conjunto, de los cuales es inseparable.[15]

Se puede disputar, desde luego, el valor ideológico de la solución novelística de Galdós: que la única manera de trascender la realidad es abnegarse y morir, solución que señala el triunfo terminante de la Restauración burguesa y decadente. Pero no pueden negarse ni la técnica magistral ni la narrativa conmovedora de esas páginas. Como siempre, uno de los recursos literarios de Galdós, que pone de manifiesto su destreza, es el manejo simbólico y metafórico del mundo cotidiano.

Para comprender cómo Galdós reviste la escalera de piedra de un sentido profundamente socio-económico, tendremos que volver a un problema previo, el del tiempo histórico en *Fortunata y Jacinta*. Tengamos en cuenta que las dos mujeres cuyos nombres figuran en el título de esta novela apenas muestran conciencia histórica propiamente dicha. Si hablan de los hechos estrictamente históricos, es mayormente con palabras despectivas, como si estorbasen (por ejemplo, la restauración del Rey y la actitud de Jacinta, que acaba de descubrir el adulterio más reciente de su marido [págs 309–10]). Apenas conocemos en la literatura a dos heroínas más separadas, por los acontecimientos personales, de los históricos. Galdós las hizo inconscientes de la historia política porque creía que era una historia sórdida, si no totalmente corrupta. Los hechos que componen la historia decimonónica aniquilaban a millones de Fortunatas para enaltecer a unos centenares de tipos como Santa Cruz, Pez y Villalonga. ¿Qué valor positivo puede residir, entonces, en la conciencia y el tiempo puramente históricos? ¿Cómo identificar a Fortunata y a Jacinta con un mundo fétido, arraigado en hechos tan malignos como la Restauración y el turno pacífico, donde se ofrecen reconocimiento y honores a un Jacinto Villalonga, a un Basilio Andrés de la Caña, a un Nicolás Rubín? En *Fortunata y Jacinta*, los que aparentan tener conciencia histórica y son sensibles al tiempo histórico son los burgueses, los que se apoderan de las clases trabajadoras y se aprovechan de los infortunios de la nación. En ellos, la conciencia histórica apenas existe excepto en nombre; el historicismo burgués sirve de instrumento para sacar de los hechos sus elementos vitales, dejando sólo un cuerpo muerto de datos insignificantes. Para comunicar a sus lectores una perspectiva crítica de la historia y el historicismo de esta clase, Galdós acudió a elementos que estaban más bien plantados en el mundo socio-económico.

La historia no es meramente la cronología política y diplomática, que nos ahoga en un mar de fechas específicas y detalles minuciosos como los que llenan la existencia de los Santa Cruz. El novelista, como el estudioso, entiende que la historia más verdadera, más palpable, es la experiencia de las masas hecha carne de la única manera posible: en la conciencia de una persona que vive esa experiencia, contemplándola mientras la vive, relacionando los datos y acontecimientos personales a los sociales, sintetizando lo individual con lo social.[16]

¿Cómo lograr esa síntesis? ¿Cómo escapar del régimen opresivo del siglo? ¿Cómo o conciliar las diferencias radicales entre el ser interno y el mundo externo, o entregarse a éste y vivir espiritualmente entumecido, de una manera maquinal, como las mujeres en las fábricas de Barcelona, de quienes se compadece Jacinta?

No puedes figurarte . . . cuánta lástima me dan esas infelices muchachas que están ahí ganando un triste jornal, con el cual no sacan ni para vestirse. No tienen educación, son como máquinas, y se vuelven tan tontas. . . , más que tontería debe de ser aburrimiento. . . , se vuelven tan tontas, digo, que en cuanto se les presenta un pillo cualquiera se dejan seducir . . . Y no es maldad; es que llega un momento en que dicen: "Vale más ser mujer mala que máquina buena." (pág. 54)

No nos engañemos: el caso de Fortunata es históricamente descomunal, si no del todo inverosímil. La enajenación de las trabajadoras catalanas es la norma. Las mujeres como Mauricia, Refugio, Segunda, y Nicanora, son las representantes verdaderas de las mujeres del cuarto estado. Viven siempre en la superficie, creen que lo que ven es todo lo que se les ofrece. Que discernamos nosotros, ninguna de ellas tiene la oportunidad de concebir la vida, y vivirla, como realización de la voluntad propia.

Lo mismo suponía Fortunata hasta conocer a Maxi y a Mauricia. Debido al influjo de Rubín empieza Fortunata a creer que tiene un futuro, y que las "cosas" pueden seguir un rumbo no del todo predeterminado. Pero la autonomía, la voluntad, y el saber preciso para buscar y encontrar el camino adecuado, ésos requieren algo más. Lo esencial es la comprensión aguda de que existe una vida por debajo de la superficie, y cómo funciona; luego, entender que la visible es efímera y, si no contradice la invisible y duradera, por lo menos no la refleja fielmente. El que le enseña a Fortunata la existencia de un mundo interior, a diferencia del exterior, es Feijoo. Es el que le muestra además que aquél determina a éste. Cómo Fortunata se da cuenta de que hay una realidad escondida nos revela la importancia de las enseñanzas progresivas de Maxi, Mauricia, y Feijoo. Reconoce con toda fuerza cognitiva la separación entre las dimensiones internas, abstractas, y temporales de la vida, por un lado, y las externas, concretas, y espaciales, por otro.

Después de abandonar a Maxi para siempre, pero antes de ir a su nuevo domicilio, Fortunata se dirige a casa de Feijoo. Allí espera recibir de su viejo protector consejos y auxilio moral; pero él está débil y enfermizo, las facultades extenuadas. Se pierde mentalmente, ni puede atender a las necesidades de ella; sólo intuye "que ha habido algún *rasgo*." En fin, rehúsa la custodia de la inscripción bancaria que Fortunata quiere entregarle. Ella comprende que no puede esperar más amparo moral ni protección de Feijoo. Tiene que aceptar su independencia económica (la inscripción), a pesar de sentirse huérfana desconsolada y necesitada de una persona "que la dirigiera" (pág. 476). Con tanta soledad y tristeza a cuestas, camina hacia la Cava Baja y, al entrar, pasa junto a un pianito. Escucha la música. Posiblemente le hace recordar la vida con Feijoo cuando otra música de pianito les separaba, no permitiéndoles conversar (pág. 338). Señal ahora de una independencia espiritual, la música le llega "al alma" y Fortunata registra su vida y su destino. En el mismo instante le sobreviene un arranque de éxtasis espiritual y se echa a llorar, abriendo paso otra vez a un lenguaje tan descriptivo como significativo: "Lo que sentía era como si su espíritu se asomara al brocal de la cisterna en que estaba encerrado, y desde allí divisara regiones desconocidas" (pág. 476). Además del simbolismo innegable, estas palabras nos recuerdan el vagar delirado de Fortunata por las calles de Madrid cuando Juanito se separó de ella. Se paró Fortunata en la Puerta del Sol, delante de la fuente: "Inconscientemente se sentó en el brocal de la fuente y estuvo mirando los espumarajos del agua." Entonces sí que se veía o en una cisterna o en un abismo. Pero en el acto Feijoo tropezó con ella, y dieron principio a sus amoríos (págs 325–26). El "brocal de una cisterna" es el marco figurativo de la tutela de Feijoo. Esa etapa ahora termina, con la salida efectiva de la casa matrimonial y la senectud e inhabilitación de su protector. La despedida de él señala el crecimiento espiritual y material, la subida verdadera en las circunstancias de Fortunata, y confirma que está ascendiendo la escalera socio-económica de la vida.[17]

Momentos después se detiene enfrente de la casa en que nació, delante del portal de la pollería. Interviene el narrador para subrayar lo que acaba de suceder, recordándonos la circularidad histórica, ya que son "el mismo portal y el mismo edificio donde tuvo principio la historia de sus desdichas" (págs 476–77). Pero, claro, ella no ha vuelto al principio; los cambios de Fortunata son terminantes y la circularidad engañosa. Más bien, la estructura de su vida es espiral.

El "brocal de cisterna" al que "se asoma" el espíritu de Fortunata nos hace pensar además en otro encierro que la aisla, la tapia de las Micaelas, vista primero por Maxi (pág. 231), luego por ella (pág. 241). Más interesante es la presentación de esa tapia como parte íntegra de un conjunto simbólico. La acompaña un sonido especialísimo. Lo oye primero Maxi: contemplando la huerta del convento, nota que linda con un taller de cantería, "donde se trabajaba mucho." Nos advierte el narrador que el oído de Maxi "estaba preso, por decirlo así, en la continua y siempre igual música de los canteros, tallando con sus escoplos la dura berroqueña . . . Detrás de esta tocata reinaba el augusto silencio del campo" (pág. 232). Para Fortunata es aun más importante. Una vez que la tapia oculta la vista del mundo fuera del convento, no le quedan más que los sonidos: "Pero si ya no se veía nada, se oía, pues el tiquitiqui del taller de cantería parecía formar parte de la atmósfera que rodeaba el convento" (pág. 241).

Y para volver a nuestro punto de arranque, recordemos que la escalera de la casa número 11, Cava de San Miguel, es de piedra berroqueña. Creemos que la casa es una extensión simbólica de la tapia de la Micaelas. Y no sólo figurativamente: es la tapia más alta y fuerte, más difícil de subir, porque no es solamente un objeto sino también metáfora de la jerarquía social madrileña. Bly nota que la casa apenas se menciona en la novela después del primer encuentro entre Fortunata y Juanito hasta la segunda mitad de la Parte IV. A pesar de esto, a lo largo de la obra hay referencias indirectas, especialmente al hablarse de las clases bajas y el pueblo, que nos recuerdan la famosa casa. Destácanse las palabras escogidas por varias personas para opinar sobre el pueblo: "cantera," "bloque de mármol," "pirámide," "canto sin labrar," etcétera, todas acertadamente relacionadas por Bly a las murallas de la casa y a su escalera de caracol tan "monumental":

The symbolism of No. 11 is, thus, strengthened by the metaphorical use of descriptive words, *so applicable to its own physical structure, in contexts where the subject treated is the class to which Fortunata belongs.* No. 11 may disappear from view for most of the novel, but it is difficult to avoid some suggestive reminiscences from time to time.[18]

La casa, como cualquier otro objeto, puede tener varios sentidos simbólicos o metafóricos (o, según Bly, "niveles de interpretación"). Bly considera la casa simbólicamente como un castillo, una prisión, y una casa de la naturaleza. Nosotros, sin embargo, queremos llamar la atención sobre las palabras agudas de Bly que arriba subrayamos, para añadir que es también una verticalización espacial de la estructura social. Semejante a la sociedad madrileña, esta casa es propiedad o de los comerciantes (Moreno-Isla), o de su heredera, la iglesia (Guillermina), y sirve para explotar al pueblo y a la pequeña burguesía (los inquilinos). Físicamente, la casa es, según el narrador, el punto más alto de Madrid, con una base ("estribación") sólida e impresionante. El número 11 está sito en el costado occidental de la Plaza Mayor, símbolo de la sociedad entera. El edificio tiene dos entradas, reminiscencia de la parroquia de San Sebastián de *Misericordia* también con sus dos caras. E igual a esa parroquia el número 11 tiene una entrada, la de la misma Plaza Mayor, que da al Madrid céntrico y "el señorío mercantil" de los Santa Cruz; y otra, que mira la Cava y los barrios bajos. Por ésta, la de la Cava, hay que pasar por la pollería con su barro y sangre y "olor de corral" (pág. 40). Aquí la entrada es franca. En cambio, desde la Plaza Mayor hay que obtener permiso para entrar del dueño, el pequeño burgués de la tienda *Al Ramo de Azucenas*, ahorrando así treinta, o una cuarta parte de los escalones (¿juego galdosiano con "cuarto estado"?) La casa es siempre conocida por la escalera de piedras berroqueñas, es decir, piedra de cantera. Por supuesto, para llegar arriba, hay que caminar pisando estos peldaños.

Por ser alta, estrecha, tortuosamente espiral, la escalera es fatigosa de subir; hace que la entrada a los pisos sucesivos sea cada vez más difícil, hasta el último: "El domicilio del hablador [Estupiñá] era un misterio para todo el mundo" (pág. 40). Este piso, reserva del único representante de las clases dirigentes, está habitado primero por Estupiñá, comprador, corredor, administrador, es decir funcionario y extensión de ellas, y luego por Fortunata, ya plena burguesa, que también vive de la explotación del pueblo y del gobierno.[19] La puerta gruesa tiene su ventanillo "cubierto de una chapa de hierro con agujeros (estilo primitivo)" (pág. 480); se abre con una llave exageradamente grande y enorme. Y todos sabemos que al fin Fortunata es tan dueña del piso que cuando sale a la batalla con Aurora todo el mundo tiene que esperarla, sentado en los últimos peldaños.

El número 11 se rinde finalmente a Fortunata, quien, después de "asomarse" al "brocal de la cisterna," sigue subiendo hasta lo más alto del edificio. La decisión personal de abandonar a Maxi, lo cual significa que se queda sola, y la económica de dejar las monedas con doña Lupe pero quedarse con la inscripción, son muestras del acceso definitivo a la autonomía de Fortunata. Lo vemos comprobado en la descripción de ella al entrar en la casa y subir la escalera en que ve pintada su biografía: "Cada peldaño tenía su historia." Casa y escalera, ambas "tenían ese *revestimiento de una capa espiritual*" que refleja o un lugar consagrado por la religión "o por la vida." Fortunata contempla "las vueltas del mundo" mientras real y simbólicamente está "dando las de la escalera," "venciendo con fatiga los peldaños" uno a uno. Cuando llega al último, se da cuenta de que ya no es del pueblo sino de la burguesía: "Ahora es cuando conozco que, aunque poco, algo se me ha pegado el señorío. Miro todo esto con cariño: ¡pero me parece tan ordinario!" (pág. 477).

* * *

Es solamente ahora cuando Fortunata puede conciliar los tiempos interior y exterior. El final de esta sección del capítulo está repleto de imágenes del agua mientras fluye la conciencia, no histórica, sino social, de Fortunata: conciencia de clase, pero de clase media. Piensa en "lavar" la casa, "limpiar," ya que hay "agua en abundancia," en "las fuentecillas" del jardín de abajo, de la Plaza Mayor. Al mismo tiempo Fortunata mezcla tales pensamientos con los de la realidad: los pudientes económicos que heredan fincas; ella misma que jamás las heredará; el dueño de esta casa, todavía desconocido para ella; la jaqueca que va a dar al administrador—Estupiñá—al descubrir él que tiene que atender a Fortunata como inquilina (y que será para Fortunata, ironiza el narrador, su "gozo en el pozo") (págs 477–78). Interviene en esta serie de asociaciones mentales incluso Juan Pablo Rubín, oportunista emblemático de los burgueses revolucionarios de la Gloriosa y la Restauración, calificado antes por Galdós como "asesino implacable y reincidente del tiempo" (pág. 293), y cuya presencia allá abajo en la Plaza Mayor observa Fortunata desde su ventana. Galdós da el cierre a la sección y a las contemplaciones de Fortunata con una vista de Juan Pablo, para subrayar el hecho de que ella definitivamente ha logrado otro nivel de existir, lejos de la Madrid burguesa de la Restauración (pág. 478).

Fortunata, que era una vez pueblo, piedra de cantera, sube ahora pisando piedras talladas, símbolos de sí misma, de todos los de su antigua clase social, y de su historia individual y colectiva. Una vez llegada arriba, símbolo y realidades históricas y sociales se entremezclan, como tantas veces antes. Durante los días después de haberse instalado en el piso, Fortunata pasa revista a todo el tiempo de su vida, pasado, presente, porvenir. Los pensamientos y las imágenes se desencadenan trazando una forma espiral como la escalera. Primero, "no pudo la prójima apartar de su pensamiento" a Guillermina. En seguida la relaciona con su propia situación: "¡Quién le había de decir a ella y quién me había de decir que viviría en su casa!" Repite entonces la frase que oímos antes, al subir la escalera, "¡Qué vueltas da el mundo!" (pág. 482). El lenguaje de Fortunata expresa una distancia temporal, paralela a la física, en el espacio vertical entre las alturas del piso y el suelo madrileño: "En aquellos días, ni a mí se me pasaba por la cabeza venirme aquí." La vida independiente, a solas—dice el narrador—favorecía una "resurrección mental de lo pasado, inspirábale juicios muy claros de sus acciones y sentimientos." Antes de concentrarse en el presente, dando remate a este recuerdo largo y profundo, añade Galdós: "Todo lo veía entonces transparentado por la luz de la razón, a la distancia que permite apreciar bien el tamaño y forma de los objetos" (pág. 482).

Fortunata sigue examinando su vida; se planta en el presente, pensando mayormente en Jacinta y cómo ella también ha sido maltratada por Juanito. Las dos le han sido fieles, y son, por ende, virtuosas; de aquí pasa a la idea de que las dos son ahora iguales, incluso en los modales sociales:

Por más que digan, yo me he afinado algo. Cuando pongo cuidado digo muy pocos disparates. Como no se me suba la mostaza a la nariz, no suelto ninguna palabra fea. Las señoras Micaelas me desbastaron, y mi marido y doña Lupe me pasaron la piedra pómez, sacándome un poco de lustre. (Págs 482–83)

Este repaso de su biografía es un contemplar flúido, continuo, y Fortunata constantemente embellece su lenguaje con un simbolismo que ayuda a ensamblar conciencia y realidad, tiempo exterior e interior. Llega finalmente a considerar su futuro, la importancia de ser madre del hijo de la casa. Galdós termina esta sección del capítulo, que ha sido un examen extenso del estado mental y espiritual de Fortunata, con las siguientes palabras: "Y su convicción era tan profunda, que de ella tomaba fuerza para soportar aquella vida solitaria y tristísima" (pág. 483). Afirmada ya su autonomía, Galdós abre la sección siguiente con la escena tan importante (bien explicada por Gilman [1981a, 345–48]) de la mañana de nieve en la Plaza Mayor.

3. Conclusiones: piedra de Novelda

Acompañamos a Fortunata durante su transformación, de bloque de cantería a escalera de peldaños y, por fin, a piedra de Novelda, la que costea Ballester para el sepulcro: "la gran losa de cantería de Novelda, en cuyo extremo superior había una corona de rosas bastante bien tallada, debajo el R.I.P. y luego un nombre . . . Y al nombre y apellido . . . se añadía *de Rubín*" (pág. 546). Tallada y pulida cada vez más, termina Fortunata siendo escultura típica de la burguesía: la lápida funeraria.[20]

Cabe añadir que presenciamos a lo largo de esta novela la transformación o metamorfosis—como aseveran muchas veces personajes y narrador[21] —de una persona u objeto en otro: la nieve (en la Plaza Mayor) se transforma en agua; el suelo monjil en un patinadero donde Fortunata y Mauricia se conocen; el disco de viento de noria en una sombrilla japonesa y ésta luego en un pájaro; el horizonte detrás de la tapia en un mar en que se hunden los edificios de Madrid; las drogas que salvan la vida en otras drogas que matan; una muchacha del pueblo en señora burguesa y dueña de acciones bancarias; una llave en un arma; la Fortunata primitiva en madre de la casa y ángel, "a su manera" (pág. 546). Algunas de estas transformaciones, por ejemplo, la de la nieve cuando se derrite, y del disco de la noria de las Micaelas cuando da giros, nos dejan entrever cómo la existencia estática se convierte en dinámica. La conciencia humana funciona de manera parecida. Repentinamente, algo interno del individuo en estado de reposo aparente se manifiesta: se inicia una reacción fuerte que se expresa externamente.

Pero al fin, el gorro de dormir del rey Felipe desaparece bajo el calor del sol. Y la noria es una máquina; se pone en marcha según estímulos que vienen de fuera. Por otro lado, para ser persona autónoma y salvarse, Fortunata tiene que cambiarse a sí misma. Tiene que ponerse en marcha, hacer los esfuerzos para subir la escalera de la vida. La diferencia clave entre la noria y la escalera es que aquélla se mueve según esfuerzos ajenos, mientras ésta ni se mueve, es decir, queda a disposición de los que quieran utilizarla. Por la escalera se alcanza un nivel más alto del existir, pero solamente a fuerza propia. La salvación se logra únicamente así, sin auxilio ajeno. En este sentido la escalera simboliza lo contrario del determinismo y la visión mecanicista.

La subida de Fortunata es, para Galdós, rechazo terminante de la pasividad humana. El determinismo describe un mundo en que cada persona es producto de las circunstancias. Estas, notó más de una vez Juanito, se le imponen a la persona social, le infunden ideas e impulsos ajenos, ante cuales cede sumisa la voluntad. A lo que contestó una Fortunata aún no independiente, "¡Ah! Esas señoras circunstancias son las que me cargan a mí. Y yo digo: 'Pero, Señor, ¿para qué hay en el mundo circunstancias?' No debe haber más que *quererse* y a vivir" (pág. 413). En fin, en una sociedad determinista la dirección o el camino tomado por una persona y su evolución social son productos totales del ambiente y de la experiencia sociales. Paradójicamente, para allanar esta realidad, Galdós tiene que matar a su protagonista.

* * *

Las transformaciones de Fortunata y el mundo que la rodea no son sino extensiones de otras, algunas de ellas trascendentales, las transformaciones *socio-económicas* de España durante una época de historia sórdida y muy burguesa: transformaciones de materias primas o crudas en productos industriales y de consumo, de joyas preciosas en dinero, de crédito financiero en riqueza ostentosa, de la pobreza ajena en el bienestar propio, de la caída de un gobierno y desastres nacionales en ganancias bursátiles y beneficios particulares. Por desagradables que sean sus efectos, expresan el dinamismo de los procesos evolutivos.

Paralelamente, hay transformaciones más aparentes que reales: de adúltero en marido fiel, de pretendiente político en colocado, de cura sin parroquia en canónigo, de amante loco en marido cuerdo, de la restauración de un rey en el turno pacífico de un gobierno. Estas transformaciones aparentes son *históricas*. No representan un proceso de evolución sino un mero cambio de un estado estático en otro, sin ningún incremento del valor intrínseco del sujeto.

Para Galdós, la conciencia histórica consiste en las formas; la social, en las esencias, y cómo se relacionan. La histórica nota el cambio de levita de Basilio Andrés de la Caña; la conciencia social indica su valor. En este caso la sociedad que premia la levita y el hombre que la lleva tienen el mismo valor. Así, la conciencia social no se fija en la cronología de los acontecimientos históricos. Aseveró Américo Castro, y con tanto beneficio lo repitió Stephen Gilman [1981a, 345], que la novela en general no cuenta lo que pasa sino cómo uno se siente, cómo se encuentra, al experimentar lo que pasa desde dentro del suceso. Análogamente, la conciencia social se concentra en el efecto de los sucesos históricos sobre el individuo y la colectividad: principalmente, en cambios y transformaciones ejercidos sobre la formación de valores y mentalidades sociales.

La conciencia histórica en *Fortunata y Jacinta* conduce a una visión de la realidad estructurada por la cronología, los relojes, y las máquinas de vapor. El tiempo histórico de la sociedad en conjunto es circular, recurrente, análogo a las ruedas que mueven los relojes. Pero en el nivel particular la realidad es rectilínea, con principio y fin determinados por hechos como el nacimiento y la muerte. El tiempo de cada vida es esencialmente idéntico y todos somos, con Moreno-Isla, hojas del gran árbol de la humanidad, y, con la Caña, estrenadores de levita.

A diferencia de la histórica, la conciencia social refleja una visión espiral o dialéctica, progresiva, que nunca le permite a uno volver atrás. Tal visión no manifiesta repeticiones sino relaciones evolutivas. La segunda llegada de Fortunata a la Cava de San Miguel, por ejemplo, es una vuelta solamente a primera vista: en el fondo es un gran paso adelante. Si en sus líneas generales la forma insinúa duplicación, en los detalles esenciales vislumbramos cambios terminantes y fundamentales. En este sistema galdosiano, trascendencia equivale a autonomía, al poder de renunciar las realidades rectilínea y circular, la sociedad que reflejan, y al de entrar en la dialéctica de la vida, moviéndose a lo largo de esta estructura. Fortunata la consigue, da a luz al nuevo Delfín, y con abnegación absoluta, anula su propia existencia. Pero el premio de tal generosidad y esfuerzo es ser expulsada de los mundos lineal y circular, donde Fortunata siempre será vista como mujer deshonrada. Los que así la ven son los que la destruyen, y finalmente la condenan por mujer que rehusó el sacramento (pág. 541). Sólo el insano Rubín y los dos marginados, Feijoo y Ballester, perciben el valor verdadero de esta mujer y comprenden lo que es realmente. Ella sufre el destierro por haber trascendido esta vida. Al permitirle entrar en la dialéctica de la vida, Galdós expresa un optimismo fundamental en cuanto a Fortunata. Pero al revelar cómo los mundos lineal y circular la relegan al olvido, manifiesta un pesimismo terrible acerca de su propia sociedad burguesa que no admite una dialéctica. Por ello, mientras la muerte puede ser revolucionaria y positiva en una película de la segunda mitad del siglo XX (como *La batalla de Argel* de Pontecorvo, por ejemplo), en las novelas del siglo XIX es comúnmente, como en *Fortunata y Jacinta*, la última exclamación negativa, el acto de acusación de un mundo inhospitalario al espíritu humano. Si Fortunata asciende a la salvación como una figura literaria, como una figura existencial de su propia sociedad se precipita al abismo de la aniquilación. El mundo madrileño de Fortunata, entonces, no se ha mejorado, a pesar de su presencia en él.

Syracuse University

NOTAS

1 Dentro del determinismo como sistema filosófico y social caben las tres variantes del materialismo, del naturalismo, y del positivismo. A pesar de distinciones verdaderas entre sí, las tres, como es bien sabido, coinciden fundamentalmente en la negación de la voluntad propia y del libre albedrío, afirmando, al contrario, la primacía de las causas antecedentes. También véase el nutrido ensayo de James Whiston, "Determinism and Freedom in *Fortunata y Jacinta*," *BHS*, 57 (1980), 113–27, cuyas conclusiones interesan mucho.

2 Siempre que digamos "conciencia social," se entenderá en el sentido más amplio de conciencia *socio-económica*. Aunque se admite que puede existir una conciencia estrictamente "social," a nuestro parecer el estado y la conciencia social están estrechamente ligados a consideraciones económicas. El aristócrata pobre es en su opinión noble y honrado; pero, según los criterios del mundo burgués, es, sencillamente, pobre.

3 Véanse David S. Landes, *Revolution in Time: Clocks and the Making of the Modern World* (Cambridge, Mass.: Harvard University Press, 1983); J. T. Fraser, *The Voices of Time*, 2ª ed. (Amherst: University of Massachusetts Press, 1981); Carlo M. Cipolla, *Clocks and Culture 1300–1700* (Nueva York: Norton, 1974); Sebastian De Grazia, *Of Time, Work, and Leisure* (Nueva York: Twentieth Century Fund, 1962). Para España, véase José Luis Basanta Campos, *Bibliografía relojera española (1265–1972)* (Pontevedra: 1975).

4 Benito Pérez Galdós, *Obras completas*, ed. F. C. Sainz de Robles, V (Madrid: Aguilar, 1961), 484. Todas las citas de esta novela son de esta edición y las páginas se indicarán en paréntesis después de cada una de ellas.

5 Georg Lukács, *The Theory of the Novel*, tr. Anna Bostock (Cambridge, Mass.: MIT Press, 1971).

6 Pedro Ortiz Armengol, *Relojes y tiempo en "Fortunata y Jacinta"* (Las Palmas: Excmo Cabildo Insular, 1978).

7 Ricardo Gullón, "Estructura y diseño en *Fortunata y Jacinta*," en su *Técnicas de Galdós* (Madrid: Taurus, 1970), pág. 194, dice que este reloj significa la parálisis de Fortunata estando ausente Juanito; sin Santa Cruz, para ella el tiempo está muerto. Añadiríamos nosotros que refleja también el hecho de que las relaciones entre los amantes no marchan bien, ni tienen buen futuro.

8 Ortiz Armengol, págs 6–7.

9 Galdós aquí reconoce la tensión entre los dos tiempos humanos, la circularidad de la especie y la trayectoria recta, unidireccional, del individuo, al comentar que si una vida acaba, principia otra (pág. 461).

10 Peter B. Goldman, "Feijoo and the Failed Revolution: A Dialectical Inquiry into *Fortunata y Jacinta* and the Poetics of Ambiguity," en Peter B. Goldman, ed., *Conflicting Realities: Four Readings of a Chapter by Pérez Galdós (Fortunata y Jacinta, Part III, Chapter IV)* (Londres: Támesis, 1984), págs 113–17.

11 Geoffrey Ribbans, *Pérez Galdós: Fortunata y Jacinta* (Londres: Grant and Cutler, 1977), pág. 52, fue el primero en llamar nuestra atención sobre esta revisión importante. La transcripción del manuscrito fue realizada por Diane Beth Hyman, "The *Fortunata y Jacinta* Manuscript of Benito Pérez Galdós," tesis doctoral, Harvard University, 1972.

12 Por ejemplo, Estupiñá, epígono de la oralidad, odia la lectura. Estando enfermo, sin embargo, el aburrimiento le va matando. Lo único que le queda por hacer en la cama es hojear un volumen suelto—el tomo undécimo—del *Boletín eclesiástico de la diócesis de Lugo*. Por primera vez en su vida, empieza a gustarle la lectura, y lee en voz alta con tanta exaltación que parece como

si estuviera recitando algo sacado de Paul de Kock (pág. 42). Paralelamente, Olmedo afecta el desgaire parisiense, se da aires exagerados, "imitación mala" aprendida de las novelas que conoce del mismo autor francés (pág. 164).

13 Por ejemplo, la entrada del Rey en Madrid la interrumpe mientras escucha la noticia de que Juanito y Fortunata son otra vez amantes. Se queja amargamente, "Pero a este buen señor, ¿qué le va ni le viene con el rey? . . . ¡Qué les importará! . . . Yo estoy volada, y aquí mismo me pondría a dar chillidos, si no temiera escandalizar. ¡Esto es horrible!" (Pág. 309)

14 "Galdós, 'Poet of Space': On the Interrelationship of Character and Milieu, and Physical Symbols of Mental Process, in the Early *Novelas españolas contemporáneas*," *Proceedings MACHL 1984*, ed. Luis T. González-del-Valle y Catherine Nickel (Lincoln, Nebraska: Society of Spanish and Spanish-American Studies, 1986), págs 116–17.

15 Peter A. Bly, "Fortunata and No. 11, Cava de San Miguel," *Hispano*, núm. 59 (1977), 31–48.

16 Pensamos, por ejemplo, en historiadores como Antonio Domínguez Ortiz y Jaime Vicens-Vives, Fernand Braudel y E. P. Thompson; y críticos como Américo Castro y Noël Salomon, Ian Watt y Richard Altick. Dice certeramente Miguel de Unamuno que "la novela es la más íntima historia, la más verdadera," *San Manuel Bueno, Mártir* (Madrid: CIAP, 1931), pág. 62.

17 Paralelamente, Francisco Caudet, en su introducción a la edición de la novela (Madrid: Cátedra, 1983), I, 79–80. habla del "proceso de concienciación" de Fortunata, que "corre parejo con su ascenso al plano de . . . protagonismo." Según Caudet, la estructura de la novela se relaciona íntimamente a este proceso, que él llama también "proceso de emergencia" de Fortunata.

18 Bly, "Fortunata and No. 11, Cava de San Miguel," pág. 39; el énfasis es mío.

19 Véase nuestro "Feijoo and Mr. Singer: Notes on the *aburguesamiento* of Fortunata," *REH-PR*, 9 (1982), 108–09.

20 A mediados del siglo pasado Novelda tenía canteras de piedra jaspe y de sillería, "de muy buena calidad," según Pascual Madoz, *Diccionario geográfico-estadístico-histórico de España y sus posesiones de ultramar*, XII (Madrid: Imprenta del Diccionario, 1849), 185.

21 Por ejemplo, referente a Fortunata (págs 151–53); a Maxi (pág. 182); y a de la Caña (pág. 344), etcétera.

Geoffrey Ribbans

¿Historia novelada o novela histórica? Las diversas estrategias en el tratamiento de la historia de las *Novelas contemporáneas* y los *Episodios nacionales*.

La crítica galdosiana está muy dividida sobre la cuestión de si existe realmente diferencia entre los *episodios nacionales* y las *novelas contemporáneas*. En otros estudios [Ribbans 1980, 1981, 1986], he intentado definir mi propia postura frente a tan diversos criterios. Procuro ahora sintetizar rápidamente mi criterio.

Me parece evidente que hay que aplicar a toda narrativa novelesca ciertos principios artísticos comunes. El que existan o no ciertos incidentes históricos dentro de la narración nada tiene que ver con este hecho previo; por entrar dentro de la obra—si es que entran—se convierten en componentes de aquélla, así como, si un escritor se introduce—mejor dicho, si introduce su nombre—en la trama, se convierte en personaje.[1] No se rompe por eso la estructura discursiva, y ésta está igualmente sujeta a análisis y a enjuiciamiento tal como está, según las normas que salen de esta misma estructura.

Al mismo tiempo la teoría narrativa más reciente tiende a postular la historia y la metaficción como los dos polos de los modos básicos de la narración. Así, por ejemplo, la gráfica que propone Robert Spires, como revisión de otra de Robert Scholes, a su vez elaborada del conocido esquema de cinco modos ficticios de Northrop Frye,[2] coloca "novelistic theory" y "history" a los dos extremos fuera del esquema, con "metafiction" y "reportorial fiction" como las dos formas novelescas correspondientes dentro del cuadro. Aunque no se debe identificar éste—"reportorial fiction"— exactamente con el *episodio nacional*, por razones que ya veremos, al menos se aproxima a él.

Cuando se trata de la narrativa ochocentista, que está caracterizada por su esfuerzo consciente de captar y elucidar los acontecimientos así como ocurren—un enfoque esencialmente histórico—, el acercamiento entre historia y ficción es evidentemente más estrecho. Tanto la época como el género parecen ajustarse admirablemente al criterio de "Historism" elaborado por Erich Auerbach en *Mimesis*.[3] Asimismo, la novela histórica, según la amplia definición de Georg Lukács, llega a abarcar casi la totalidad de la narrativa realista del ochocientos, la cual concibe como empapada de historicismo:

The novel's aim is to represent a particular social reality at a particular time, with all the colour and specific atmosphere of the time . . . it must bring out what is specific to this time through the complex interaction of all these details . . . It must be historically authentic in root and branch.[4]

Desde otra perspectiva, Robert Alter, en su libro pionero sobre la novela autoconsciente *Partial Magic*, explica el "eclipse" de la autoconciencia[5] en la novela decimonónica por esta preocupación con la historia: opinión justificable, si bien por cierto exagerada, sobre todo con referencia a Galdós, como han indicado John Kronik y Spires.[6]

Una profunda preocupación por la historia en la novela no excluye, pues, la aplicación de criterios narratológicos. Asentada la novela histórica dentro de las normas del género novelesco, creo importante reconocer que la presencia de importantes sucesos históricos dentro de una obra de ficción le da una configuración especial. Las referencias externas siguen conservando su realidad fuera de la obra y esta realidad no puede dejar de influir en el lector. Si un novelista utiliza la historia real de un país o de determinadas figuras históricas (un Napoleón, o un Prim, o un Cánovas) ha de contar con el Napoleón, Prim o Cánovas externo, con toda su biografía y bibliografía a cuestas, además de con el personaje, más o menos cercano a éste, pero nunca idéntico a él, que el autor crea dentro de su obra. Esta dimensión externa influye incluso en la distribución estructural de la obra—los hechos históricos condicionan al autor, aun cuando no los respete—pero pesa más el efecto que produce en el lector, consciente tanto de la realidad externa como de la ficción.

Al volver la atención a Galdós, nos encontramos otra vez con ese hecho curioso, que por puro obvio pasa a veces inadvertido: disponemos de dos clases de narración que caen, ambas, dentro de esta definición historicista de la novela decimonónica. ¿Quiere decir esto—para replantear nuestra pregunta inicial—que debemos identificar las dos formas, novela realista (socio-histórica) y aquel subgénero especial de la novela histórica que es el *episodio nacional*, como sostiene Casalduero [1970, 43] y, con más cautela, Amado Alonso?[7] Mi contestación es inequívoca. De ningún modo: de acuerdo con Alfred Rodríguez [1967b, 198] y Madeleine de Gogorza Fletcher [1973, 1–3], pero con más ahínco, encuentro insostenible tal identificación. Veamos por qué.

No faltan buenos estudios del papel de la historia en las dos formas. Sobre las *novelas*, Peter Bly [1983], y en menor grado, Stephen Gilman [1981]; sobre los *episodios*, Brian Dendle [1980b, 1986] y Diane Urey [1983a, 1985, 1986]. Sin embargo, no se ha cotejado de modo sistemático, haciendo resaltar las coincidencias y discrepancias entre ellos, el contenido histórico tanto de *novelas* como de *episodios*. Esto es lo que me propongo estudiar en este ensayo.

Paso, pues, a la comparación. Primero, hay que notar que la técnica narrativa de las *novelas* difiere de modo sustantivo de la de los *episodios*. En aquéllas—salvo en el caso de las narraciones en primera persona—existe una distancia cronológica muy apreciable—al menos diez años—entre el tiempo de la acción y el de la narración, a la vez que éste coincide con el momento de composición. De este modo, el lector acompaña, por decirlo así, al narrador en sus actitudes—sin compartirlas necesariamente, por cierto—frente a unas situaciones ya no inmediatas. Así, para dar un solo ejemplo, la acción en *El doctor Centeno* tiene lugar en 1863–64, el tiempo de la narración se fija en veinte años más tarde, en 1883, el cual coincide con la fecha de composición. En los *episodios*, en cambio, se desarrollan simultáneamente la acción y la narración, y la fecha de composición viene mucho más tarde. Estamos, por tanto, frente a una reconstrucción histórica del pasado que se desarrolla ante nuestros ojos. Ejemplo: *La de los tristes destinos:* tiempo de la acción y de la narración, 1868; fecha de composición, 1907: 39 años más tarde. Además, el narrador de éstos suele ser un personaje destacado en la acción, si bien siempre ficticio—Beramendi, Santiuste, Halconero—mientras que en las *novelas* el narrador, sin estar oculto, es siempre anónimo; suele ser amigo o compañero de los personajes, no muy destacado, pero sí enterado de lo que pasa. Finalmente, hay que notar que en las *novelas contemporáneas* lo que se ha llamado *la historia grande*—los notables acontecimientos externos—tiene poca importancia comparada con *la historia pequeña o chica*, es decir, los incidentes cotidianos que revelan el espíritu de la época [Hinterhäuser, 1963, 233]. Por otra parte, se puede relacionar, en cierta medida, *la historia grande* y *pequeña* con el erizo y el zorro respectivamente, según la famosa distinción que establece Sir Isaiah Berlin en *The Hedgehog and the Fox* [Ribbans 1986: 1–2].

En cuanto a la presencia de la historia en las *novelas*, éstas utilizan las peripecias históricas para ciertos fines determinados que podrán clasificarse en tres grupos:-

La primera categoría será la de los resúmenes históricos que relacionados con algún personaje ficticio dan al lector una síntesis esquemática de ciertos acontecimientos históricos esenciales más o menos recientes. Como veremos, ejemplos de esta categoría nos los dan *Fortunata y Jacinta* (Estupiñá y Doña Isabel Cordero) y *La desheredada* (Las "Efemérides" de José de Relimpio).

La segunda categoría consiste en los incidentes históricos de cierto relieve desarrollados dentro de la actualidad de la trama novelesca. Incluye los casos de amplios paralelismos establecidos entre personajes de las novelas y los grandes movimientos históricos, como el vaivén entre revolución y orden, que desemboca en una Restauración, en la vida privada de Juanito Santa Cruz y la vida pública de España [Ribbans 1970]. Aparte de algunos incidentes específicos que veremos a continuación, también caben en esta categoría muchos casos de rápidas referencias *off-cámara*, para servirnos del término empleado por Farris Anderson,[8] en las que se alude de paso a algún personaje histórico para fijar bien un momento, definir una actitud política o social determinada o enlazar alguna circunstancia política con otra particular. Sirvan como ejemplos la abdicación de Amadeo en *La desheredada*, tan ligada a las defraudadas esperanzas de Isidora, y la entrada triunfal de Alfonso XII en Madrid, tan molesta a la ultrajada Jacinta.

Mi tercera categoría es la que se refiere a acontecimientos históricos de importancia pero definitivamente situados en el pasado; éstos ya no forman parte de ninguna secuencia cronológica que esté en marcha; son, al contrario, episodios aislados, congelados, que proceden del pasado irrevocable, que podrán tan sólo servir de modelos, advertencias o justificaciones de alguna acción que está desarrollándose.

En contraste con las *novelas*, los *episodios* se proponen trazar con cierta coherencia y continuidad una sucesión de acontecimientos históricos externos en el momento en que éstos tienen lugar; se nos presenta a los personajes históricos actuando en el presente—su presente—y sujetos así a los apremios e incertidumbres del momento. Dentro de esta esfera así delimitada tienen un evidente propósito didáctico de suplir datos y de estimular a los lectores a que piensen sobre los problemas del pasado inmediato. Se acude al empleo consistente y meticuloso de detalles históricos que se funden con incidentes ficticios para ofrecer un panorama convincente de la vida colectiva de un período específico; ahora reviste más importancia *la historia grande*, sin excluir que *la historia chica* tenga un papel muy sustancioso, si bien en última instancia queda supeditada a aquélla. Como se explica al principio de *España sin rey*:

Los íntimos enredos y lances entre personas que no aspiraron al juicio de la posteridad son ramos del mismo árbol que da la madera histórica con que armamos el aparato de la vida externa de los pueblos, de sus príncipes, alteraciones, estatutos, guerras y paces. Con una y otra madera, acopladas lo mejor que se pueda, levantamos el alto andamiaje desde donde vemos, en luminosa perspectiva, el alma, cuerpo y humores de una nación. (III, 785)[9]

Se disminuye asimismo el grado de selección que se permite al autor: éste no puede pasar por alto sucesos decisivos ni saltar sin justificación de un período a otro, limitaciones que por otra parte no atañen a las *novelas contemporáneas*. Todo lo cual no elimina, por supuesto, los problemas inherentes al discurso histórico, pero sí les da una orientación muy distinta.

Mérito esencial de los *episodios*, al que, a mi ver, importa dar especial relieve por reflejar una preocupación fundamental galdosiana, es la amplitud de puntos de vista a que da cabida: es lo que Dendle llama su "proteísmo" [1980, 200]. Galdós se afana sobre todo, por medio de personajes ficticios cuidadosamente concebidos y superimpuestos sobre las situaciones reales, por ofrecer un anchísimo espectro de opiniones sacadas de la escena contemporánea. Se trata, no sólo de los criterios que por fin saldrán triunfantes, sino de todas las opciones posibles entre las cuales los participantes de la época tienen que escoger sin saber cuál será el resultado de sus acciones. Ahora bien, en este doble esfuerzo se esconden dos objetivos incompatibles, dado que, por mucho que quiera sumergirse en las condiciones de la época y dejar abiertas las posibilidades, Galdós sabe muy bien, como sabe su público, las tendencias y los individuos que han de prevalecer. Por lo tanto, no puede desdeñar del todo la percepción *a posteriori* que le proporcionan los años transcurridos. Algo hay, forzosamente, de *déjà vu* en la perspectiva histórica de los *episodios*.

¿Cómo quedan, pues, después de lo dicho, los *episodios* como novelas? Hans Hinterhäuser [1963, 233] ha indicado con razón que la historia política goza de evidente prioridad sobre la trama de la ficción y que hay pruebas de que los incidentes históricos se dibujaban antes y se añadía después lo ficticio. Diane Urey [1986, 33] ha indicado el problema esencial de la novela histórica, "an oxymoronic union of fact and fiction at the representational limits inherent in language itself." Esta investigadora ha subrayado la imposibilidad de alcanzar la verdad tanto en la historia como en la ficción; hablando de *Narváez* afirma que "it is left to the readers to understand this history, to form an aesthetic response to this novel, and to define for themselves the truth of these events" [Urey 1983a, 205]; así los *episodios* participan de la calidad abierta y ambigua que veo como intrínseca en su estructura.

Además, es evidente que Galdós, sobre todo a partir de la cuarta serie, abriga dudas muy serias sobre cómo reconciliar los dos elementos heterogéneos que constituyen el *episodio*: "No puede usted figurarse lo difícil y desesperante que es para el escritor colocar forzosamente dentro del asunto novelesco la ringla de fechas y los sucedidos históricos de un episodio" [Montesinos 1968–72, I, 81–82; Dendle 1980b, 79].[10]

Desde un punto de vista purista estos problemas hacen tal vez que el *episodio* sea una forma artística menos adecuada, más híbrida e indudablemente menos universal que la *novela contemporánea*. Si se adopta una visión más pragmática, sin embargo, fijándose en los objetivos extraliterarios a que éstos se dirigen, se echará de ver que le urgía a Galdós imponer unos límites rigurosos sobre la inventiva novelesca para alcanzar estos objetivos. Dado que toda obra narrativa es una avenencia entre imperativos incompatibles, los *Episodios nacionales* ofrecen una solución adecuada a un problema especial que por su alcance y densidad histórica cae fuera de las normas convencionales de la novela.[11] Sin negarles calidad de novelas históricas, creo aconsejable, por tanto, conservar en lo posible su distintiva identidad dándoles su calificativo específico: *episodios nacionales*.

En las *novelas contemporáneas*, al contrario de los *episodios*, los recuerdos históricos, evidentemente, no se remontan a años muy remotos de la actualidad de los personajes (aunque allí está don Plácido Estupiñá para hacernos retroceder hasta la época de José I y para recordarnos que todo lo ocurrido desde la regencia de doña María Cristina al menos era "cosa de ayer"). Bastante vivas, sin embargo, son las huellas de ciertos incidentes relevantes[12] de los primeros años del reinado de Isabel II. El que nos interesa comentar acontece durante la sublevación de más envergadura anterior a la Gloriosa de 1868, es decir, la Revolución de Julio de 1854. Esta fue inaugurada por la batalla librada por O'Donnell en Vicálvaro, respaldada en la popularidad de Espartero y apoyada por espontáneos alzamientos populares, uno de los más intensos en Madrid.[13]

En la lista de Estupiñá se echa de ver, oblicuamente, la difícil alianza de los dos espadones y el éxito de O'Donnell, más astuto que el vano y popular caudillo progresista, en desalojar a éste: "había visto a O'Donnell y Espartero abrazándose; a Espartero, solo, saludando al pueblo; a O'Donnell, solo, todo esto en un balcón" (V, 35). El levantamiento dio lugar a uno de los sucesos más patéticos y espectaculares dentro de los anales del siglo XIX: la matanza de Francisco Chico, el odiado jefe de policía bajo el régimen opresivo de Narváez. A ésta también se refiere Estupiñá, dentro de su repertorio de sucesos célebres, con unas pocas y rápidas precisiones: "Había visto matar a Chico..., precisamente ver no, pero oyó los tiritos hallándose en la calle de las Velas" (V, 35). Es, por supuesto, un ejemplo del primer tipo de referencia histórica.

En los *episodios* la peripecia reviste mucho más importancia. Ya en *La revolución de julio* Chico había aparecido en contacto con el narrador Beramendi: estaba consciente tanto de las dificultades de la tarea que tenía entre manos como de la oposición a la política que él defendía. En *O'Donnell*, sin más narrador que la musa de la historia, doña Clío de Apolo, se nos ofrece una descripción y un comentario detallados de su muerte. Como testigos ella cuenta con don Mariano Centurión y Telesforo del Portillo (*Sebo*) que sostienen posiciones políticas divergentes, si bien los dos aspiran a colocarse en el gobierno que surja. Centurión es de los "hombres templados y de peso," mientras que *Sebo*, antiguo agente de policía que sabe muy bien plegarse a las condiciones vigentes y que ha sido en el *episodio* anterior confidente de Beramendi, se encuentra ahora entre "los jóvenes levantiscos y la turbamulta demagógica." A estos dos, pues, traen noticias las hermanas Hermosilla, llamadas *las Zorreras*, mozas de la calle muy dadas, además, a la política progresista:

—Véanle, véanle—dijeron—. Desde la plazuela de los Mostenses lo *train* ... El *Chico* es el que viene en andas, y *el Cano*, a pie ... Que los *afusilen*, que les den garrote..., que paguen las que han hecho. (III, 118)

Una de ella, Generosa, es la querida de *Pucheta*, personaje histórico que era torero y líder popular del alboroto. La otra, Rafaela, da poco después una relación en pintoresco lenguaje popular del asalto a la casa de Chico y de la decisión que los revolucionarios han tomado de matarle.

Toda la escena tiene una calidad de pesadilla que recuerda a Goya: la procesión espontánea creada por la violencia plebeya, en la cual uno lleva como emblema un palo con un retrato al óleo, otro una pértiga de la cual colgaba un gallo desplumado. Galdós hace hincapié en la serenidad de Chico en medio de esta escena tan repulsiva como grotesca:

Seguían las angarillas cargadas por cuatro, de lo más soez entre tan soez patulea; las angarillas sostenían un colchón, en el cual iba el infeliz Chico, sentado, de medio cuerpo abajo cubierto con las propias sábanas de su cama; de medio cuerpo arriba, con un camisón blanco; en la cabeza, un gorro colorado puntiagudo, que le daba aspecto de figura burlesca. Con un abanico se daba aire, pasándose a menudo de una mano a otra, y miraba con rostro sereno a la multitud que le escarnecía, al gentío que en balcones y puertas se asomaba curioso y espantado. (III, 118–19)

Para rematar lo esperpéntico de la escena, la querida de Chico va corriendo locamente al lado de las angarillas, preparándole su chocolate matutino y suplicando a gritos frenéticos que no le maten.

Mucho empeño tiene Galdós en integrar la matanza dentro de las circunstancias sociales. La intervención de las *Zorreras*, que reflejan el sentimiento popular, tanto en su violencia como en su jerga, da expresión a las legítimas quejas que el pueblo tiene contra la política represiva del gobierno de Narváez, a causa de la cual Chico pagó el pato por el espadón de Loja.[14]

Centurión, como tipo muy representativo de los *episodios*, da, de un modo tal vez un tanto obvio, un comentario mesurado y sesudo sobre los acontecimientos e intenta en vano apaciguar las pasiones, mientras que *Sebo* anda aterrado de que le linchen a él también si descubren su identidad. Un incidente histórico de cierta envergadura se presenta eficazmente dentro de un contexto social ficticio pero auténtico que permite que se ventilen distintos puntos de vista políticos, sean moderados, oportunistas, o exaltados.

Ejemplo, si no de los más brillantes, de nuestra segunda categoría de incidentes históricos que entran directamente en la acción de la novela es el fallecimiento de Pedro Calvo Asensio, periodista y político que murió súbitamente de tifus durante el verano de 1863, menos de un año después de la llegada del joven Galdós a Madrid; su entierro podría haber sido una de sus tempranas experiencias más impresionantes de la Villa y Corte. Todo indica que Galdós, periodista en aquel momento de *La Nación*, tenía en gran estima al vigoroso director de *La Iberia*, órgano del Partido Progresista (los llamados "puros"). Indudablemente su muerte repentina dejó un hueco en la vida política de su época. Aun en la época de la Restauración, José Izquierdo, absurdo demagogo de *Fortunata y Jacinta* que era sumamente parco en sus elogios de los adalides progresistas, se acuerda de éste con vivo aprecio:

¡Si viviera Calvo Asensio! Aquél sí era un endivido que sabía las comenencias, y el tratamiento de las presonas verídicas. ¡Vaya un amigo que me perdí!. . . A cuenta que me cogía del brazo y nos entrábamos en un café, o en la taberna a tomar una angelita . . . porque era muy llano y más liberal que la Virgen santísima. (V, 341–42)

De todas maneras, a su fallecimiento se le concede gran importancia en *El doctor Centeno*, escrito en 1883. Allí se le describe, haciendo hincapié en sus calidades combativas, como:

atleta de las rudas polémicas, . . . luchador que había caído en lo más recio del combate, herido de mortal cansancio y de fiebre; hombre tosco y valiente, inteligencia ruda, que no servía para esclarecer, sino para empujar; voluntad de acero, sin temple de espada, pero con fortaleza de palanca; palabra áspera y macerante; temperamento organizador de la demolición. (IV, 1346)

Tal descripción, no mediada por ningún personaje, parece pecar de superflua en una obra no directamente dedicada a un tema histórico, si bien se integra parcialmente en la trama novelística mediante el progresista estrambótico don Florencio Morales, oriundo del mismo pueblo—la Mota del Marqués (Valladolid)—que Calvo, y quien cuenta anécdotas de la famosa tertulia progresista y de sus prohombres.

El entierro también se inserta en la acción novelística porque el gran atasco que produce impide que Felipín Centeno entregue un importante recado de Miquis a doña Isabel Godoy. Detenido en la Puerta del Sol, escala un farol para ver mejor la inmensa procesión encabezada por "un señor alto y gordo, de presencia majestuosa" (IV, 1347). Así se presenta, de una manera poco llamativa, a Olózaga, el más destacado de los políticos progresistas no militares; don Florencio, dicho sea de paso, le creía uno de los tres hombres grandes, "de talento macho," de Europa con Napoleón III y el cardenal Antonelli (IV, 1307). Si bien esta referencia apenas basta para justificar la parte que tiene el incidente en la novela, al menos no queda completamente aislado de la trama novelística.

Más justificación tienen las varias intervenciones de Calvo Asensio en el *episodio*. Se cuenta su muerte en palabras que recuerdan y amplían la descripción anterior; se subraya igualmente su capacidad polémica y destructora, pero se agrega ahora su potencialidad de esfuerzo constructivo; las calidades rudas y vigorosas que le caracterizan se consideran ligadas a sus raíces castellanas; se enlazan sus profesiones antigua y nueva, la farmacia y el periodismo.

Importa notar, además, cómo se entretejen dentro de la trama del *episodio* la enfermedad y la muerte del político: "*Como no hay manera de separar aquí lo público de lo privado*, digamos que la hermosa y desenvuelta Teresita Villaescusa fue atacada de la misma enfermedad [tifus] que dio con Calvo Asensio en la sepultura" (el énfasis es mío; III, 572). De hecho Teresa recobró su salud, pero quedó transformada, como veremos, en otra persona de destacada importancia: una especie de símbolo de los valores heterodoxos y progresistas. Mucho más que en la *novela contemporánea*, se integra un incidente histórico dentro de la estructura del *episodio*.

Pasemos ahora a considerar el tratamiento que se da a la reina Isabel en las dos formas narrativas. En las *novelas contemporáneas, Tormento* y *La de Bringas*, la Reina apenas aparece en persona, pero se presiente claramente su presencia, *off-cámara*, especialmente en la segunda que se desarrolla en el microcosmo laberíntico del Palacio Real de Madrid. Tenemos, por cierto, la curiosa ambivalencia—ya apuntada—que existe cuando una persona de carne y hueso está metida—aunque sea muy subrepticiamente—en una obra de ficción. Por una parte, mantiene sus esenciales características, sus irreflexivos instintos caritativos, pero a ellas recurre Galdós, no para elucidar su personaje, sino para un propósito novelístico: ella representa la última esperanza de rescate económico de los que la sirven, como doña Cándida o Rosalía. Así ésta piensa constantemente en la Reina como abastecedora universal hasta el punto de que la ausencia veraniega de ella, según indica la muy socarrona Refugio, le quita a Rosalía todo posible apoyo en el momento de máximo apuro:

Si estuviera aquí la *Señora*, no pasaría usted esos apurillos, porque con echarse a sus pies y llorarle un poco . . . Dicen que la *Señora* consuela a todas las amigas que le van con historias y que tienen maridos tacaños o perdularios. (IV, 1663)[15]

No obstante, la consagrada generosidad real ("el recursillo, un tanto gastado ya, de la munificiencia de Su Majestad") ya le ha servido a Rosalía de algo: de estratagema para evitar las consecuencias de sus desvaríos, pues explica a su marido que sus nuevos vestidos son regalos de *la Señora*. La escena está cuidadosamente construida, con un diálogo imaginado muy vivo con la Reina, para dar la sensación de ser auténtica lo que no era más que una trampa de la extravagante esposa:

"Ponte ésa, Rosaliita . . . ¿Qué tal? Ni pintada." En efecto, ni con medida estuviera mejor. "¡Qué bien, qué bien! . . . A ver, vuélvete . . . ¿Sabes que me da no sé qué de quitártela? No, no te la quites . . . " "Pero, señora, por amor de Dios . . . " "No, déjala. Es tuya por derecho de conquista. ¡Es que tienes un cuerpo! Usala en mi nombre, y no se hable más de ello." De esta manera tan gallarda obsequiaba a sus amigas la graciosa soberana . . . Faltó poco para que a mi buen Thiers se le saltaran las lágrimas oyendo el bien contado relato. (IV, 1590)

Aun cuando los Reyes aparecen una vez en persona, al ofrecer comida a los pobres en Palacio después del tradicional lavatorio de los pies del Jueves Santo, la escena, como ha explicado Bly [1981, 63–64], está caracterizada por un efecto de distancia. Sólo la presenciamos a medias por lo que de ella ven desde el techo por unas claraboyas las niñas de Tellería, Lantigua y Bringas. Se disciernen claramente nada más que las doce mujeres; los hombres quedan en la oscuridad. Desde este ángulo todo el escenario y las figuras de la Sala de Columnas resultan grotescos. Aun para los que toman parte, como Cándida y los pobres, la ceremonia es vacía y enojosa; ni siquiera las niñas mantienen la ilusión, si bien la escena impresiona a Isabelita lo suficiente para que aquella noche sueñe con el suceso, con la Reina y su madre, de modo significativo, trastrocadas.

Galdós no oculta su desdén hacia esta farsa al diseñar el comportamiento, ruidoso e impertinente, de los mirones, la autoritaria arbitrariedad de doña Cándida, el aturdimiento de las pobres que apenas comen nada y por fin la prisa con que se recoge la comida restante para llevarla a las fondas. No hay argumento, afirma el narrador, "que nos pueda convencer de que esta comedia palaciega tiene nada que ver con el Evangelio," pero disculpa en cierta medida al matrimonio real, que ostenta "cierto aire de benevolencia y cortesía, única nota simpática en la farsa de aquel cuadro teatral" (IV, 1585). Para ellos, sin duda, constituye un ejemplo más de caridad impensada, con todo lo que esto implica de carencia de responsabilidad auténtica.

Estas características de la Reina ilustradas oblicuamente en *La de Bringas* salen a relucir con más fuerza y más pormenores en los *episodios*. Galdós se afana mucho por presentar a doña Isabel desde un sinfín de fuentes y ángulos de visión en diversos momentos de su reinado. La vemos y oímos en plática, verdadera o imaginada, con el inevitable Fajardo, pronto convertido en el marqués de Beramendi, que actúa como una especie de confidente de ella y de reflector del autor; y también con un surtido de personajes muy diversos, históricos como O'Donnell o imaginarios como Tarfe, que es, por cierto, un O'Donnell en pequeño. Escuchamos los juicios que de ella pronuncian Narváez, Serrano, Beramendi y Eufrasia Carrasco, entre otros. De todo ello espigamos una impresión de conjunto, a la vez multifacética y consistente, de su inmadurez mental, de lo inconsecuentes que son sus palabras y sus acciones, de la facilidad con la que se deja influir y de su favoritismo notorio y antojadizo.

Al arreciarse las disputas entre los moderados en quienes la Reina se apoyaba y los progresistas desposeídos encabezados por Prim, se producen en los postreros años del reinado dos incidentes políticos de gran trascendencia, que ofrecen buenos ejemplos de coincidencia entre *novela contemporánea* y *episodio*. Fijémonos, por falta de espacio, en uno solo. (El otro, la llamada *noche de San Daniel*, viene tratado en Ribbans [1980, 138–39]). Constituye una de las mejores muestras de las distintas técnicas, igualmente válidas, que emplean *novelas contemporáneas* y *episodios*. Se trata del fusilamiento de unos 65 sargentos del cuartel de San Gil tras su fracasado alzamiento del 22 de junio de 1866 [Jover Zamora 1974].

En la *novela contemporánea*—*Angel Guerra*—se evoca, como si estuviera ocurriendo, el sangriento suceso que el joven protagonista presenció y que sigue recordando en pesadillas 17 o 18 años después. Es el caso más destacado de la actualización del pasado dentro de mi tercera categoría, haciendo que éste vuelva a vivir en la conciencia de los personajes y los lectores de la obra. La sublevación en sí no tiene parte en la novela, mientras que en las narraciones históricas tanto la revuelta como la despiadada retribución se desarrollan ampliamente en dos *episodios* consecutivos. En *Prim* se cuentan las peripecias de la sublevación, que formaba parte de la campaña que habían montado los partidarios del héroe epónimo. Galdós nota que en este caso sólo las circunstancias más fortuitas determinaron quiénes eran los traidores y quiénes los leales. Todo el incidente sangriento le arranca a Galdós lo que es quizás su denuncia más sentida y elocuente del inútil derramamiento de sangre:

¡Lástima del brío militar empleado sin fruto y perdido en el torrente político más espumoso! Creyérase que el morir hombres y más hombres era necesario, por ley fatal, para la consolidación de nuestros altares y tronos, de perfecta índole asiática. ¡Vive Dios que ningún poder se asentó jamás sobre tan ancha y alta pila de cadáveres! (III, 651)

El fusilamiento de los desgraciados sargentos se relata al principio de *La de los tristes destinos*. En lo esencial no hay apenas diferencia en las descripciones que se dan del patético incidente en este *episodio* y *Angel Guerra*. En ambos casos una mujer logra pasar por el cordón policíaco, y en la *novela contemporánea* el joven Angel y un forastero no identificado también consiguen colarse allí. No se nombra a las mujeres que ofrecen cigarros y agua a los reos; la atención se centra en el trágico lance individual de éstos. En *La de los tristes destinos*, por contraste, se intensifica mucho más la atmósfera emotiva general, y las amigas acongojadas de los reos resultan ser aquellas mismas *Zorreras* que habíamos conocido antes (no parece que hayan pasado doce años desde la Revolución de Julio). Una de ellas, Rafaela, es la querida de una de las víctimas, Simón Paternina. Así se da ocasión para describirle como un joven excelente, entusiasta partidario de Prim al mismo tiempo que católico muy devoto. Por medio de estos personajes se plantea claramente la cuestión importante de en dónde recae la responsabilidad de las condenas tan rigurosas; se alega con toda justicia que se discrimina contra los no privilegiados:

[Habla Rafaela] Confiábamos en que *la Isabel* perdonaría. Para perdonar la tenemos . . . ¡Bien la perdonamos a ella, Cristo . . . A un general sublevado le das cruces, y a un pobre sargento, ¡pum! . . . Tu justicia me da asco.

—No hables mal de ella—dijo la Pepa con alarde de sensatez—que si no perdona es porque no la deja el zancarrón de O'Donnell, o porque la Patrocinio que es como culebra, se le enrosca en el corazón. (III, 657)

¿Hasta qué grado intervino la Reina en la decisión? ¿Estaba sencillamente mal aconsejada por Sor Patrocinio o por O'Donnell, o se mostró deliberadamente cruel y despiadada? Se presentan estos problemas como preocupaciones del pueblo.[16] En irónico contraste, justo después, Tarfe logra reunir las recomendaciones necesarias e influir personalmente en la Reina para libertar a Leoncio Ansúrez y a Santiago Ibero de ser deportados.

El premio que recibió O'Donnell por su rigor fue el despido: "Me han despedido como despedirán ustedes al último de sus criados," exclama; la camarilla le había permitido recoger el oprobio de las ejecuciones antes de que Narváez fuera llamado al poder. En todo caso, la efusión de sangre había sido inútil y contraproducente. Con amarga ironía Galdós la describe así, relacionándola con otros períodos de la historia española: "heroica medicina contra las enfermedades de autoridad que por aquellos días y en otros muchos días de la historia patria, padecía crónicos achaques y terribles accesos agudos" (III, 655). Antes de terminar el episodio, la Reina ha salido desterrada de España.

En Angel Guerra, ya no tienen importancia los efectos políticos directos del suceso: se recalca exclusivamente la angustia personal que le seguía afligiendo casi veinte años más tarde y que le va a durar toda su vida, al muchacho que lo había presenciado y que se lanzó por esa misma razón a defender la causa revolucionaria y humanitaria. De ahí la atención que se presta a los detalles horripilantes: las variadas posturas que tomaron los cuerpos al caer al suelo; los gritos, humo y polvo; el rematar a quemarropa a los que todavía vivían; la impresión más terrible aún de los cadáveres envueltos en sábanas; y el efecto obsesionante de la figura enloquecida que asistía a la escena. En un caso, la historia se emplea eficazmente como un elemento integral de la ficción, en el otro la historia está sistematizada y vitalizada con acrecentamientos ficticios, sin perder por ello su sentido de autenticidad.

La Revolución de Septiembre constituye el desenlace de La de Bringas, cuya acción novelesca está confinada geográfica y espiritualmente al Palacio Real [Denah Lida 1979]. En los últimos capítulos presenciamos el rápido desmoronamiento de un estilo de vida relacionado con la soberanía de Isabel II, sin la acumulación de las menudencias históricas imprescindible en un episodio. A este fin, o fin aparente, de una dinastía y de un sistema surgen varias actitudes divergentes. Primero, el convencimiento apocalíptico de Bringas, cómicamente exagerado, de que todos los valores tradicionales se han ido a pique y que las guillotinas se erigirán en las calles: "Era el acabamiento del mundo" (IV, 1667). Segundo, el ademán expectante y casi gozoso de Paquito Bringas que ya se interesó, a despecho de su padre, por la revolución y por el krausismo. Tercero, la opinión de doña Cándida, con la falta de consistencia que la caracteriza, de que la Reina no tiene que hacer más que presentarse en Madrid para disipar las fuerzas revolucionarias. Cuarto, la actitud cínica y acomodadiza de Pez y Rosalía que buscan maneras de adaptarse convenientemente a las nuevas circunstancias, con la seguridad de que no va a haber para ellos grandes trastornos. En este sentido el mayor salto es el que da el anónimo narrador de la novela que pasa de ser un amigo intrigante de Pez y de Bringas a encargarse de la administración del Palacio de parte de la Junta Revolucionaria, pero que prudentemente acota el alcance de la protección que ha otorgado previamente a Rosalía.

La primera mitad de *La de los tristes destinos* demuestra en más detalle el proceso y la inevitabilidad del derrumbamiento de la monarquía. Las célebres palabras del dramaturgo y político, Adelardo López de Ayala, "Esa señora es imposible," son repetidas a lo largo del *episodio*. Incluso el viejo Narváez, en conversación con Beramendi, "con la revolución enfrente y la reacción detrás" (III, 689), desespera de evitar el cataclismo. En la última entrevista prerrevolucionaria que tiene con la Reina, Beramendi le profiere una serie de reproches y advertencias mudos sobre la política absolutista y clerical a que tan sin juicio se ha dejado llevar; aquí flaquea un poco, a mi ver, el criterio novelesco: todo resulta algo artificial y pegadizo. Suceden las muertes de O'Donnell y Narváez, "los dos puntales de la Monarquía," y la Reina nombra a González Bravo: "Fue un ademán de suicidio" (III, 732), comenta el narrador.

La esencia de la trama es que la historia de la inminente revolución y la privada de Santiago Ibero corren parejas. Conspirador revolucionario, emigrante y nuevo amante de Teresa Villaescusa, visita con ella la Exposición Universal de París; esta parte, que refleja la visita que había hecho el mismo Galdós, parece algo desgajada del tema. Para su estancia en Inglaterra Galdós también aprovecha sus propias experiencias, pero allí Santiago participa, con Clavería, en las conspiraciones de Ruiz Zorrilla, Prim y Sagasta. En el momento de la batalla de Alcolea, al abandonarle aparentemente Teresa, se juntan la revolución pública y la revolución privada en un cataclismo común (III, 766). Sus aventuras culminan con la búsqueda de su amante en el Palacio Real en el momento en que entran atropelladamente las fuerzas revolucionarias. Allí presencia la gallarda hazaña de Casimiro Muñoz, humilde cajista, que gracias a haberse puesto sus mejores trapos—levita y chistera—puede asumir la dirección de la Junta y salva de saqueo el Palacio; el contraste con el narrador-funcionario oportunista de *La de Bringas* es patente. Allí, entre los aposentos lujosos, Ibero sueña con encontrar a Teresa Villaescusa y allí recibe noticias de su paradero: se acaba un estilo de vida y se inicia otro. Es significativo que esta pareja irregular, que parece representar lo mejor de España, decida dejar España, abandonando así la vida pública en favor de la felicidad privada; al contrario de su ingenuo amigo, Vicente Halconero, a Santiago no le satisface ni siquiera la nueva perspectiva que ofrece la Gloriosa. Si bien deja como representante de un espíritu optimista a Halconero, éste llegará a reflejar en *episodios* siguientes todas las incertidumbres y todos los desalientos de la Revolución para acabar—como tantos—aceptando la acogedora Restauración. Galdós sabe muy bien en 1907 que la revolución tan llevada y traída no será, algunos adelantos constitucionales aparte, más que un desplazamiento momentáneo y parcial del poder, "un lindo andamiaje para revocar el edificio y darle una mano de pintura exterior" (III, 780), en palabras de *Confusio*; en este sentido Pez y Rosalía también llevan la razón.

Si la caída de la dinastía es ineludible, Galdós, sin embargo, de modo típico, no deja de apuntar las posibilidades de salvación, por remotas que sean, que le quedan. Más factible que la idea de doña Cándida (antes indicada) de que Isabel sola hubiera podido hacer frente a la revolución es la sugerencia de Beramendi de que abdique en favor del príncipe Alfonso, a la cual añade Eufrasia que le incumbe ir a Logroño a poner al nuevo Rey bajo la protección de Espartero como regente. Es una idea rechazada como humillante por el amante de la Reina, Marfori. Galdós también indica otras esperanzas políticas, como la posible sucesión de Montpensier, apoyado por Angel Cordero. Se fija mucho, además, en la crianza, descuidada y malsana, del joven príncipe, Alfonso, presenciada por el hijo de Beramendi, quien hace la afirmación contundente—fácil empleo de la percepción posterior—de que regresará el joven Alfonso (III, 778). Y no falta la progresiva elaboración de la *historia lógico-natural* de *Confusio*, que constituye una construcción ideal de lo que España pudiera haber sido, aspecto que tengo estudiado en otra parte [Ribbans 1982].

Es natural que el nombre de Juan Prim, jefe de las fuerzas progresistas, que no sólo llevó la dirección de la Revolución de Septiembre sino que ejerció una autoridad rayana en dictatorial hasta su asesinato en diciembre de 1870, resuene con frecuencia en las *novelas contemporáneas*. En

Fortunata y Jacinta, Prim viene incluido en la lista de Estupiñá de los que protagonizan los acontecimientos históricos presenciados en un balcón: es el personaje que "en fecha cercana" iba "diciendo a gritos que se habían acabado los Reyes" (V, 35). El asesinato recibe, como merece, particular atención, desde múltiples puntos de vista. Así, es significativo que doña Isabel Cordero muera al mismo tiempo que Prim, justamente cuando ha conseguido el triunfo de haber casado a su hija con Juanito. Así es que el joven matrimonio se embarca en su vida conyugal al inaugurarse el período turbulento, a caballo entre el orden y la revolución, que sucede al asesinato. Y en *La desheredada*, su nombre se evoca heroicamente ("¡Soy Plim!") entre la pillería de la calle, cuyos juegos guerreros, protagonizados por Mariano, acaban en la muerte. Más tarde, don José de Relimpio presencia la decisión de Isidora de emprender una vida de deshonra en brazos de Joaquinito Pez en aquel mismo lugar—esquina de la calle del Turco—donde Prim fue matado a tiros: "aquella pared donde a balazos estaba escrita la página más deshonrosa de la historia contemporánea" (IV, 1060): la *historia grande* y la *historia pequeña* se entrecruzan y se compenetran, iluminándose mutuamente, pero sin identificarse del todo [Ribbans 1986, 2; para la opinión contraria: Gilman 1981a, 105]. Se recuerda, además, el vehemente *jamás* tres veces repetido que Prim pronunció contra toda restauración borbónica en la reunión de las Cortes llamada *de los jamases*, declaración que encuentra eco en la boca de doña Lupe. Esta la profiere, un poco incongruentemente, como si Prim viviera aún, como muestra de la falibilidad humana: "Ya te he dicho," afirma a Maxi, "que no es prudente soltar *jamases* tan a boca llena sobre ningún punto que se refiera a las cosas humanas. Ya ves el bueno de don Juan Prim qué lucido ha quedado con sus *jamases*" (V, 361).[17] El hecho es que ni la negativa de ultratumba del general reusense ni la de Maxi vale para el caso: la restauración—doméstica en la novela, política en la esfera pública—se efectúa a pesar de todos los jamases. Don Baldomero lamenta, a raíz de la abdicación de Amadeo en 1873, que Prim no viva, así como Bringas había deplorado la muerte reciente de Narváez—desde un punto de vista muy distinto, pero en circunstancias no del todo disimilares—cuando estalló la Gloriosa. Estos son todos ejemplos de la tercera categoría de sucesos históricos: los que se contemplan a cierta distancia, sucesos arrancados del pasado inmediato, que sirven para ilustrar o justificar alguna actitud de la actualidad. En cambio, cuando Bringas acoge con júbilo la noticia de que en el tumulto de 1868 ha muerto Prim—noticia *off-cámara*, además de falsa, pero que anticipa su asesinato dos años después—, hay la compenetración entre las esferas real y ficticia que caracteriza la segunda categoría. El *episodio, España trágica*, trata de un modo mucho más consecuente el asesinato como suceso contemporáneo, manteniendo cierta ambivalencia en cuanto al autor de la fechoría, hasta el punto de quitar importancia a las pruebas contra Paúl y Angulo, el más sospechoso. Lo que le importa a Galdós no es ofrecer una solución sino mantener indeterminado el asunto tal como lo era para los contemporáneos. Lo que sí establece Galdós es una especie de responsabilidad colectiva de los españoles que parecen víctimas de una locura de masas. Así, según García Fajardo, España ha encontrado a un héroe trágico "para dar cumplimiento al trágico designio de la fatalidad histórica . . . Y ésta nos dice con acento de oráculo infalible: ¡Españoles, matad a Prim!" (III, 975).

En el *episodio* no existe duda sobre la importancia de la desaparición del caudillo, como no la había para José de Relimpio o don Baldomero. Ya el coronel Santiago Ibero había afirmado que "Prim era la clave de la libertad y del porvenir de España . . . si aquel hombre faltase, volveríamos, tarde o temprano, al reino de las camarillas" (III, 945). La conclusión del *episodio* viene a afirmar lo mismo: era "la puerta de los famosos *jamases*," el único baluarte contra el regreso de "seres e institutos condenados a no entrar mientras él viviera" (III, 1008), o sea, contra una restauración dominada por el clero. El epitafio que se le da—demasiado explícitamente, por boca del narrador—al principio de *Amadeo I* subraya tanto su poder como su capacidad de tomar una postura mediana, cortando las alas a la revolución a la vez que resiste las fuerzas de la reacción: busca "una monarquía democrática, como artificio de transición, o *modus vivendi*, hasta que llegara la plenitud de los tiempos" (III, 1011). Para Galdós, hacia 1909, Prim era indispensable para mantener vivo algún destello de la revolución.

Los sucesos clave que preceden el nuevo orden de la Restauración se presentan claramente en las *novelas contemporáneas*: el reinado y abdicación de Amadeo, la proclamación de la República Federal, las luchas cantonales y carlistas, el golpe de estado de Pavía, las actividades de Cánovas en pro de la Restauración, el pronunciamiento de Martínez Campos y la entrada triunfal de Alfonso XII en la Corte—todos estos entran en juego con más o menos detalle en *La desheredada* y en *Fortunata y Jacinta*. Igualmente se destacan estos hechos en los últimos *episodios*, pero, desgraciadamente, éstos ya no gozan, a partir de *Amadeo I*, de la misma autoridad que antes [Gilman 1986; Ribbans 1986]. La coincidencia más significativa es, sin duda, el tratamiento dado al golpe de estado de Pavía en *Fortunata y Jacinta*, una integración magistral de historia y

ficción [Ribbans 1970, 100–02], y en *De Cartago a Sagunto*, en el cual, a
mi parecer, la extensión histórica peca de demasiado amplia, la estructura
narrativa, de muy artificial, y el sermón político, de excesivamente evidente. Lo mismo o peor pasa con *Cánovas*, donde el prurito alegorizante
y la estridencia demogógica quitan buena parte de la eficacia de lo que
hubiera podido ser un enjuiciamiento equilibrado de las alternativas que
se ofrecían a los intelectuales de la época. Evidente otra vez más es la
superioridad de lo sugerido dentro de las *novelas contemporáneas*, en las
cuales se evoca de manera brillante el ambiente de esa Restauración que
ofrece "una confabulación tácita . . . por la cual se establece un turno en
el dominio," de modo que "la moral pública es como una capa de tantos
remiendos, que no se sabe ya cuál es el paño primitivo" (V, 295). Como
mi propósito ha sido comparar los métodos respectivos de las dos formas
en condiciones de igualdad, señalando los méritos que cada una tiene dentro de su zona de actuación, no quiero entrar más en este último momento
de la producción galdosiana. Es de esperar que los ejemplos de las dos
clases de narrativa histórica galdosiana que ofrezco, entre los muchos que
hubiera podido escoger, sirvan para contribuir a elucidar las diferencias de
orientación y de técnica que caracterizan el proceso de integración estructural en una y otra forma narrativa de la triste realidad histórica española
del pasado inmediato.

Brown University

NOTAS

1 Véase Robert C. Spires, *Beyond the Metafictional Mode. Directions in the Modern Spanish Novel* (Lexington: University of Kentucky Press, 1984), pág. 36.
2 *Myth, romance, high mimetic, low mimetic, irony* en Northrop Frye, *Anatomy of
   Criticism: Four Essays* (Princeton: Princeton University Press, 1957), págs 33–
   67. Robert Scholes ofrece un esquema en forma de V, con "history" en el ápice:
   satire, picaresque, comedy (línea descendente), *history, sentiment, tragedy, romance* (línea ascendente) en su *Structuralism in Literature. An Introduction*
   (New Haven: Yale University Press, 1974), págs 117–41. El esquema de Spires es circular (de derecha a izquierda): *metafiction* (punto más alto), *romance,
   tragedy, sentiment, reportorial fiction* (punto más bajo), *comedy, picaresque,
   satire* (págs 4–14).
3 Erich Auerbach, *Mimesis. The Representation of Reality in Western Literature*
   (Princeton: Princeton University Press, 1953), págs 443–44.
4 Georg Lukács, *The Historical Novel* (Harmondsworth: Penguin, 1969), pág. 177.
5 Robert Alter, *Partial Magic: The Novel as Self-Conscious Genre* (Berkeley:
   University of California Press, 1975), págs 84–137.
6 John W. Kronik, "Feijoo and the Fabrication of Fortunata," en *Conflicting*

*Realities: Four Readings of a Chapter by Pérez Galdós ('Fortunata y Jacinta',
Part III, Chapter IV)*, ed. Peter B. Goldman (Londres: Tamesis, 1984), pág. 40.
Spires, págs 25–26.

7 Amado Alonso, "Lo español y lo universal en la obra de Galdós," en su *Materia
y forma en poesía*, 3a ed. (Madrid: Gredos, 1977), pág. 212.

8 Farris Anderson, *Espacio urbano y novela: Madrid en 'Fortunata y Jacinta'*
(Madrid: José Porrúa Turanzas, 1985), págs 12–17.

9 Todas las citas de las obras de Galdós son de las *Obras completas*, ed. F. C. Sainz
de Robles (Madrid: Aguilar), III, 1968; IV, 1964; V, 1961. Se indicarán el
tomo y las páginas en paréntesis después de cada cita.

10 Por otra parte, no estoy de acuerdo con Dendle cuando dice que "The treatment
of history in the fourth series is . . . skimpy to the point of casualness."

11 Hago mías las afirmaciones de Robert Scholes y Robert Kellogg, *The Nature
of Narrative* (Oxford: Oxford University Press, 1966), págs 258 y 282, respectivamente: "Narrative art is an art of compromise in which gains are always
purchased at the expense of sacrifices" y "narrative literature is the most restless
of forms, driven by its imperfections and inner contradictions to an unceasing
search for an unattainable ideal."

12 Otro buen ejemplo es el caso muy curioso del regicida Padre Merino [Cardona
1978].

13 Véase Raymond Carr, *Spain, 1808–1939* (Oxford: Oxford University Press,
1966), pág. 248. Para la Revolución en general, véase V. G. Kiernan, *The Revolution of 1854 in Spanish History* (Oxford: Oxford University Press, 1966).

14 Otra mujer de vida airada, Pepa, apodada *Jumos*, interviene también, pregun-
tando no sin razón, "Pues, si el pueblo no hace la justicia en ese capataz de los
guindillas, ¿quién lo hará?" (III, 120).

15 Como por falta de espacio debo prescindir a contragana en este ensayo de consideraciones de tipo económico (tema, por cierto, muy importante: toda la carrera
de Torquemada, por ejemplo, se presta a sostenidos enfoques socio-económicos,
[Blanco Aguinaga, 1978, 95–124]), dejo de lado el sugestivo paralelo planteado
entre la Reina y Teresa Villaescusa en cuanto a la desamortización; para más
detalles, véase Urey [1986, 36–37]. Urey [1983a: 191–92] también traza un
interesante contraste entre doña Isabel y Lucila Ansúrez.

16 Montesinos [1968–72, III, 239] llama la atención sobre el hecho imaginativo
de que Rafaela se cuida de pagar una misa a su Simón con dinero (media
peseta) ganado honestamente planchando ropa. Además, se figura al pobre reo
explicando a Dios: "Esta es la Historia de España que están haciendo allá *la
Isabel* y el Diablo, *la Patrocinio* y O'Donnell, y los malditos moderados" (III,
659).

17 Carlos Cambronero, *Las Cortes de la Revolución* (Madrid: La España Moderna), pág. 2, describe así la reunión de Las Cortes del 20 de febrero de 1869:
"se levantó Prim y con aquella voz sonora, vibrante, en el tono declamatorio
que le era característico, hizo la apoteosis de la Revolución . . . Después se

aventuró a decir que la dinastía de los Borbones quedaba hecha trizas, y que había desaparecido para *siempre* de España; y aunque es indiscreto aplicar el adverbio *siempre* tratándose de acontecimientos políticos, siempre inseguros y mudables, en aquel caso especial tenía la convicción de que los Borbones no volverían *jamás, jamás, jamás*: frase que produjo un efecto sorprendente, que se recordó ciento de veces, y que hasta dio nombre a la sesión en que fue pronunciada, pues se le designó en aquella época por *la sesión de los jamases.*"

Carlos Blanco Aguinaga

Silencios y cambio de rumbo: sobre la determinación histórica de las ficciones de Galdós

Para Joaquín Casalduero.
En memoria de Steve Gilman.

> *"¡Ay qué gracia, don Tito:*
> *está visto que donde usted*
> *va, allí encuentra la*
> *Historia!"* [1]

Ya en trabajos anteriores sobre varias de las *Novelas contemporáneas* he tratado de demostrar no "lo ya de sobra conocido: que la materia de la forma galdosiana es siempre 'histórica,'" no que en Galdós la Historia tiene, por supuesto, un valor temático, o de trasfondo, o alegórico, o simbólico, y, desde luego, no que "la novela de Galdós sea reflejo de la realidad socio-histórica en el sentido vulgar de la palabra reflejo," sino, muy concretamente, que "la realidad socio-histórica determina las estructuras significativas de la ficción" galdosiana, "de modo que la historia ficticia se estructura según la dinámica misma de la Historia real" o, tal vez mejor aún, según la conciencia que de esa Historia tiene el novelista [Blanco Aguinaga 1978, 109, 91, 16]. En las páginas que siguen intento ver cómo esa misma determinación puede haber operado sobre una de las más largas pausas de la vida-obra de Galdós, provocándola e indicándole las vías de salida del silencio hacia la que llamó su "segunda o tercera manera" (y que, en realidad, es su "tercera manera").

Más que en mis trabajos anteriores estas páginas deben lo que todos debemos no sólo a innumerables artículos sobre los diversos aspectos de la historicidad en las novelas de Galdós, sino también a las obras maestras de Casalduero [1970] y Montesinos [1968–72], al brillante estudio

188 CARLOS BLANCO AGUINAGA

de nuestro querido Steve Gilman [1981a], así como a los libros de Hinterhaüser [1963], Regalado García [1966], Rodríguez Puértolas [1975], Gogorza Fletcher [1973] y, más recientemente, al excelente libro de Peter Bly [1983]. Recojo, pues, hilos propios y ajenos para tratar de avanzar algo más en cierta dirección dentro del que ya es amplio—y sería de suponer que asumido—conocimiento del asunto. Para ello, y venciendo el temor de repetir en exceso mucho de lo ya conocido por todos, iré despacio y empezando por el principio, ya que van a ocuparme aquí, aunque no exclusivamente, muy estudiadas cuestiones de periodización que me importa incorporar a la mencionada propuesta de mis otros trabajos. Y como siempre alecciona volver a los maestros, nada mejor que recordar primero lo que escribió Joaquín Casalduero [1970, 43]:

Galdós no tardó en encontrar el tema de su obra: la sociedad española. No va a la historia para huir de la realidad y el presente; por el contrario, lo que quiere es buscar las raíces de su época en el próximo pasado. El pasado ha de servirle para comprender el presente; al mismo tiempo sentirá el pasado como tal y opuesto al presente . . . Su interés se dirige al siglo XIX, pero cuando haya aislado las características de su mundo ya no le bastará la época actual y se remontará a los orígenes de la España moderna para encontrar la formación de la sociedad en que vive.

Galdós busca primero los comienzos de la España contemporánea, que sitúa en 1820–23—triunfo de los constitucionales—, para rectificar inmediatamente y alejarlo a los últimos años del reinado de Carlos IV.

Así es, en efecto, siendo claves para mi propósito en esta lúcida síntesis la idea de que, para Galdós, el pasado es, a una vez, inseparable del presente y opuesto a él, así como que Galdós llegó a "aislar" las características de su tiempo, un tiempo que—dicho a nuestra manera—es en la historia española una estructura específica que, como toda estructura histórica, tiene su proceso de "formación." Es decir, que Galdós entendió muy pronto que la Restauración, como todo "tiempo" histórico "aislable" en su especificidad, exigía ser captada sincrónica y diacrónicamente.

Ahora bien, aunque Galdós parece haber encontrado "el tema de su obra" ya a los 24–25 años (o sea, cuando escribe *La Fontana de Oro*) no podemos pensar (y dudo que lo piense Casalduero) que ya entonces lo tenía todo claro: de ahí seguramente esa primera "rectificación" de que habla Casalduero, y que consiste en "buscar . . . los comienzos de la España contemporánea" no ya en el trienio liberal, sino "en los últimos años de Carlos IV." Ni el primer intento ni la rectificación deben extrañarnos, porque si Galdós se remonta "a los orígenes de la España moderna para encontrar la formación de la sociedad en que vive," esa sociedad distaba aún de estar definida entre 1867–68 y 1871 (fecha de *El audaz*). Aunque entre *La Fontana de Oro* y *El audaz* ha triunfado la Revolución de Septiembre del 68, nadie ha sabido qué hacer con ella, y aunque—tras conflictivas vacilaciones—ha llegado por fin Amadeo al trono en noviembre del 70, el asesinato de Prim en diciembre del mismo año subraya trágicamente lo inestable de la situación. Los peligros de tal inestabilidad explicarían no sólo la búsqueda de antecedentes en anteriores fracasos liberales (*La Fontana de Oro, El Audaz*), sino el hecho de que, dejando momentáneamente de lado la búsqueda, la segunda de sus tres primeras novelas, *La sombra* (1870), pretenda ser "contemporánea" y resulte ser uno de los pocos ejemplos de "literatura fantástica" en las letras españolas. Tampoco es extraño, por lo tanto, que después de *El audaz* suspenda el incipiente novelista su producción durante casi año y medio, cosa verdaderamente notable en quien sólo una vez más en treinta años descansó más de un año entre novela y novela.

Tras esta larga primera pausa, según sabemos, en enero-febrero de 1873 Galdós inicia con *Trafalgar* la primera serie de *Episodios nacionales*, que termina en febrero-marzo de 1875 con *La batalla de los Arapiles*. A lo largo de estos dos años en que se nos lleva en la ficción desde 1805 hasta 1812, ha dimitido Amadeo (11 febrero 1873), ha creado graves peligros "la cantonada" (liquidada, con el máximo de fuerza en 1873), ha llegado casi como "llovida"—según Galdós—una brevísima república que termina con el golpe de Pavía (3 enero 1874), y la confusión dominante se ha resuelto formalmente con el pronunciamiento de Martínez Campos a favor de Alfonso XII (29 diciembre 1874), quien sube al trono en enero de 1875. Por lo demás, prueba de que no todo está en orden, la tercera guerra carlista, iniciada en 1872–73, no terminará hasta febrero de 1876.

La gran energía creadora que significa esta primera serie de *episodios* en medio de tal desbarajuste histórico indica a las claras la confianza de Galdós en su capacidad de novelar, por lo menos, *una* de las vertientes de su gran tema, la que significa una exploración de las primeras "raíces de su época." Y ya lanzado por esa vía, cuatro meses después de *La batalla de los Arapiles*, inicia en junio-julio de 1875 la segunda serie de *episodios*, que termina en diciembre de 1879 con *Un faccioso más y algunos frailes menos*, llevándonos esta vez la trama novelística de 1812 a 1834. Pero además, claro está, iniciada ya la segunda serie de *episodios*, escribe entre 1876 y 1878 las cuatro primeras de las novelas que, frente a los *episodios*, pretenden ser "contemporáneas": *Doña Perfecta* (1876), *Gloria* (1876–77), *Marianela* (1878) y *La familia de León Roch* (1878).

Parece lógico suponer, por lo tanto, que, superadas las vacilaciones de sus tres primeras novelas, Galdós, ahora sí, ha encontrado lo que—a la manera de Casalduero—podríamos llamar el sentido y forma de su obra: de un lado, la exploración de los orígenes primeros (y decisivos, por supuesto) de su tiempo; de otro, y como atendiendo por fin a su propio llamado de 1870 (que la novela moderna debía ser novela de "costumbres" [Montesinos 1968–72, I, 28–29]), la representación de la sociedad contemporánea, es decir de la Restauración que se estrena precisamente un año antes de *Doña Perfecta*. Diacronía, pues, por un lado, sincronía por el otro, perfectamente separadas entre sí.

El esquema es nítido, coherente y racional; ferozmente mecánico. Y claro está que, aunque las cuatro primeras "contemporáneas" significan un gran avance frente a *La Fontana de Oro* y *El audaz*, algo en el esquema no le funciona al novelista, según lo han notado diversos estudiosos y según se revela si atendemos a un problema al que generalmente se presta poca atención. El problema resulta de que al llegar aquí (*La familia de León Roch*, 1878; final de la segunda serie de *episodios*, 1879) nos encontramos con la ya mencionada segunda y última pausa que hará Galdós en más de treinta años de trabajo: no será hasta algo más de dos años después de *La familia de León Roch* cuando Galdós inicie *La desheredada* (enero-julio, 1881), en tanto que, conviene no olvidarlo, no volverá a escribir *episodios* hasta 19 años más tarde (tercera serie, 1898–1900).

Si dejamos de lado la explicación del más que probable cansancio (no se escriben así como así 24 novelas en seis años, pero tal productividad será siempre característica de Galdós y nunca más volverá a dejar de escribir por tanto tiempo, sino con la vejez), tanto como la explicación de la llegada de su hermano de Cuba [Montesinos 1968–72, II, 1], el inicio del que sería larguísimo abandono de los *episodios* puede explicarse tomando en serio las conocidas palabras del final de *Un faccioso más y algunos frailes menos*, escritas en 1879:

Basta ya.
Aquí concluye el narrador su tarea, seguro de haberla desempeñado muy imperfectamente; pero también de haberla terminado en tiempo oportuno . . . Los años que siguen al 34 están demasiado cerca, nos tocan, nos codean, se familiarizan con nosotros. Los hombres de ellos casi se confunden con nuestros hombres. Son años a quienes no se puede disecar, porque algo vive en ellos que duele, y salta al ser tocado con el escalpelo. (II, 317)

A lo cual añade que "aquí concluyen definitivamente [los *Episodios nacionales*]."

En efecto, la guerra carlista en su tercera forma, terminada en 1876, está demasiado cerca del año en que Galdós escribe estas palabras. Esa cercanía contribuye a que, todavía en 1879, la paz y el equilibrio esperados de la Restauración se sintieran aún como precarios e inestables. Parece natural, por lo tanto, que Galdós, partidario entonces de trabajar los cambios sin extremismos peligrosos, prefiera no novelar una primera guerra carlista por la que necesariamente tendría que pasar para avanzar en la exploración de "las raíces de su tiempo." Muy probable, pues, que debamos tomar sus palabras en serio. Pero, ¿por qué la distancia de más de dos años entre *La familia de León Roch* y *La desheredada*, novelas las dos, a fin de cuentas, "contemporáneas," es decir, que no tendrían por qué exigir dolorosas exploraciones del pasado? Propongo la posibilidad de una segunda y diversa insatisfacción.

Las dos primeras series de *episodios* han permitido a Galdós explorar ampliamente el período clave que va desde el final del Antiguo Régimen hasta la primera guerra carlista. Su conveniente decisión de separar los *episodios* de las *novelas*, en que pretende tratar de la sociedad de su tiempo, debería de haberle permitido dedicar éstas a la exploración de las costumbres contemporáneas, para lo cual—puesto que ha de suponerse una inmersión cotidiana de los lectores en su propio tiempo—podría pensarse que tienden a salir sobrando las referencias a hechos históricos, dolorosos o no. Tal supuesto de inmediatez permitiría una atención narrativa a lo individual-privado, inserto—desde luego—en la problemática ideológica de la época, pero no necesariamente referido a hechos y fechas que, es de suponer, todo lector tendría perfectamente internalizados. ¿Cómo, si no, presentar estrictamente, y según el mecánico esquema, lo sincrónico frente a lo diacrónico?

Sin embargo, según sabemos, la contemporaneidad de estas novelas de su "segunda manera" es sólo relativa y no del todo consistente. Por ejemplo, si bien por algunas referencias a ciertas "partidas armadas," así como, correspondientemente, por la ausencia de datos que nos remonten al primer tercio de siglo, podemos suponer que los hechos narrados en *Doña Perfecta* ocurren en algún momento indeterminado de la tercera guerra carlista, o sea, entre 1872 y 1876 (básicamente, por lo tanto, en el tiempo mismo de la producción de la novela), los hechos de *Marianela*, escrita en 1878, tienen lugar en los años sesenta.[2] Por otra parte, ya que se nos dan algunos "indicadores" históricos, resulta difícil entender que *Doña Perfecta* ocurra en algun año de entre, más o menos, 1872 y 1876 (si es que entre esos años ocurre) sin que encontremos una sola referencia a la Primera República, por ejemplo, o, en el otro extremo, al principio de la Restauración; o que *Marianela* transcurra sin aludir siquiera a las diversas

"tormentas" que llevaron a "la Gloriosa." Bastaría probablemente esta
alusión-elusión de la conflictiva historia del 65 al 75 para calificar estas
novelas de "abstractas," según justamente lo hizo Casalduero en su día,
basándose en otras características de su indecisa "contemporaneidad."
Pero hay más, según entendemos al enfrentar la problemática que se
plantea en estas cuatro novelas, no en balde llamadas de "tesis," con unas
famosas palabras que Galdós escribe en *Los apostólicos*, tres años después
de *Doña Perfecta* y un año después de *La familia de León Roch*. Estamos
en 1879 y el narrador de *Los apostólicos* explica que

La formidable clase media que hoy es el poder omnímodo que todo lo hace y
deshace . . . nació en Cádiz . . . El tercer estado creció abriéndose paso entre
frailes y nobles; y echando a un lado con desprecio estas dos fuerzas atrofiadas
y sin savia, llegó a imperar en absoluto, formando con sus grandezas y defectos
una España nueva. (II, 111)

Siendo esto así, ¿qué sentido podía ya tener plantear conflictos como,
por ejemplo, el que tan brutalmente enfrenta a doña Perfecta (y su frai-
le) con Pepe Rey? Muy justamente escribe Gilman [1981a, 87] que las
novelas del período abstracto "representaban todavía . . . las angustiadas
preocupaciones de la década precedente."
Y algo más. Si en 1879, a los cuatro años de iniciada la Restauración,
Galdós entiende que se vive *ya* en una "España nueva," en la cual han
dejado de dominar los frailes y los nobles, ¿cómo conectar el final de la
trama de *Un faccioso más y algunos frailes menos* (1834) con la realidad de lo nuevo sin volver a unos *episodios* que ha prometido abandonar
para siempre? Porque ha llovido mucho entre 1834 y una Restauración
que para 1879, veremos, parece ir asentándose de modo que empieza a
resultar "aislable." Y es precisamente a lo largo de los años que le faltan a Galdós por novelar, especialmente a finales del reinado de Isabel II,
cuando—"echando a un lado con desprecio" a "frailes y nobles"—se da el
avance definitivo e irreversible de la burguesía española. Son particularmente importantes para el desarrollo financiero e industrial, sin los cuales
la Restauración no se comprende, los años que van de la Revolución del
54 al 66,[3] así como, por supuesto, los años del 68 al 75, el largo y crucial
período que, según sabemos, no novelará Galdós en los *episodios* hasta el
final de la cuarte serie, unos treinta años más tarde. Así, la insatisfacción
a que me he referido resultaría de que si, por un lado, la exploración de las
"raíces" lejanas ("el pasado como tal") no basta para entender el tiempo
"nuevo," también es insuficiente para ello la parca y elusiva referencia
a ciertos hechos históricos relativamente contemporáneos que caracteriza

las novelas de la "segunda manera."

Cierto que *La familia de León Roch*, como también explicó suficientemente Casalduero, aunque relacionada temáticamente con *Doña Perfecta*,
Gloria y *Marianela*, resulta menos abstracta que ellas, aunque sólo sea
porque los hechos narrados no ocurren ya en ficticias y simbólicas Orbajosas y Ficóbrigas; por eso es, precisamente, una novela de transición,
según señalaron ya Casalduero y Montesinos. Pero, ¿de transición hacia
dónde? Porque para nosotros está claro, puesto que conocemos la obra
toda; pero ha de tenerse en cuenta que en 1878 y 1879 Galdós no tenía
frente a sí más que una decidida teoría, la realidad de la que había derivado la teoría, su talento y su enorme capacidad de trabajo. ¿Qué hacer?
¿Cómo salir del *impasse* provocado por la decisión de no seguir con los
episodios y por el descubrimiento de que había de ser más concreto en
la narración de lo contemporáneo, que, por otra parte, no podía ya girar
sobre una problemática, según él mismo, superada?

Esta ha de haber sido en 1879 la duda de Galdós que, conjuntada seguramente con la decepción sufrida a causa de ciertas críticas desfavorables,
provoca el largo silencio del cual saldrá dejando efectivamente de lado
los *episodios* y escribiendo *La desheredada* (1881). Ya de aquí en adelante sólo habrá durante muchos años *novelas contemporáneas*, justamente
así llamadas si entendemos que lo "contemporáneo" en la España del 79
y 81 era una nueva estructura social, "aislable," desde luego, pero in-
comprensible sin el estudio de sus antecedentes inmediatos: los hechos
claves—políticos y económicos—del 65 al 75.

* * *

Volvemos/volvamos al principio. Ya en 1870 Galdós proponía que la novela debía explorar las "costumbres" de su tiempo e insistía en que en
la España de entonces la nueva "clase media" tenía la personalidad suficiente como para que los novelistas pudiesen encontrar en ella *caracteres*
y comportamientos dignos de su atención.[4] Insiste también en el mismo
famoso texto en que el tiempo en que él escribe es ya muy otro que el
de Mesonero Romanos [Montesinos 1968–72, I, 31]. Si así en 1870, en
1879, porque la realidad a ello le obliga, tiene la cosa todavía más clara:
esa "clase media" o "tercer estado" lo domina ya todo.

El siglo XIX español es, pues, para Galdós un continuo (*"nació* en
Cádiz . . . *hoy* es el poder omnímodo"), pero mirando bien desde 1879 a
la primera mitad del siglo ha de entenderse que el producto de la larga y

conflictiva historia es una sociedad nueva y diferente. La nueva estructura social ha sido conformada no sólo por la continuidad, sino por una serie de rupturas decisivas. Por lo tanto, para captar esa nueva estructura en cuanto materia novelable resultará indispensable atender a los años de las rupturas inmediatas claves, sin perder nunca de vista, naturalmente, la continuidad variable de ciertas actitudes y formas ideológicas. En el interior de la continuidad, siempre el cambio. De ahí que, años después, la mayor carga conceptual y narrativa de la serie de *Torquemada*—valga como ejemplo—la lleve la palabra *metamorfosis* [Blanco Aguinaga 1978, 95–124].

Pero esta intuición no podía haber madurado hasta bien entrada la Restauración, durante la cual, según veremos (y según, realmente, se sabe), todo son "metamorfosis." Y es que en los primeros momentos de la Restauración no predominaba la confianza en su continuidad estable y no estaba realmente claro que el sistema político que se pretendía imponer fuese la forma necesaria de un nuevo tipo de sociedad. Predominaban, en cambio, en muy diversos bandos y tendencias (inclusive en Galdós), el cansancio de siete dificilísimos años y la sensación de fracaso de toda tendencia revolucionaria que buscase sus fuentes en las Cortes de Cádiz, en el trienio liberal, o en las revoluciones del 54 y 68. Contra todo optimismo gratuito y contra todo revolucionarismo periclitado, era, por tanto, necesario que se impusiese la voluntad de la clase ya dominante para que la Restauración funcionase. Y si el primer ministerio de Cánovas dura sólo de enero a septiembre de 1875, ya el segundo durará de diciembre del 75 a marzo del 79, en tanto que el tercero durará hasta febrero del 81, que es cuando, turnándose los partidos pacíficamente, entra Sagasta, quien gobierna hasta octubre del 83 (luego otra vez Cánovas, 84–85, y vuelta a Sagasta de 1885 a 1890: el "Parlamento largo"). Sin duda contribuyen a la estabilidad política así creciente el agotamiento popular y de las fuerzas radicales, la constitución conservadora del 76, un rey que, a diferencia de Fernando VII, no se desdice, el final de la tercera guerra carlista (febrero, 1876) y la Paz de Zanjón (10 febrero 1878); pero es clave, muy especialmente, el despegue de la economía que, con todo y la Revolución, venía iniciándose ya desde 1869 y que, al tomar gran impulso a partir de 1877, puede considerarse como un verdadero desarrollo ("boom," nada menos, lo llama Carr[5]), que, aunque con una baja en el 84, dura, por lo menos, hasta finales de los años 80.

Es natural, por lo tanto, que Galdós no pueda percibir claramente la nueva estructura hasta los años que van del 78 al 81. En *La familia de León Roch*, desde luego, vislumbramos ya la percepción que será decisiva: por algo es ésta nada menos que la primera novela en que Galdós entra al Madrid de su tiempo, y por algo aparece en ella por primera vez el mundo de las finanzas que va a dominar la sociedad madrileña de la Restauración. De ahí que, aunque *La familia de León Roch* sea todavía una novela de "tesis" (o de "tema"), su contemporaneidad resulte más convincente que la de las otras tres de su ciclo. Pero la percepción misma de algo tan radicalmente significativo obliga a Galdós a detenerse y a reenfocar su producción. Cuando en 1881 rompa con *La desheredada* el que resultaría haber sido el más largo silencio de toda su vida, entrará ya decididamente al ámbito de lo contemporáneo, entendido como nueva estructura social formada, por supuesto, en su historia. Y entrará, *por lo tanto*, a una manera de novelar.

* * *

Todo lector mínimamente sistemático de Galdós entiende que con *La desheredada* se inicia un cambio decisivo. "Con *La desheredada*—escribe Casalduero [1970, 69]—el novelista toma posesión de la realidad." Y como en la ficción la "realidad" depende de los artificios del narrador, la impresión primera—y seguramente dominante—que produce esta "toma de posesión" es la de una gran soltura narrativa. Todos recordamos lo extraordinario del inicio de la novela en mitad de un discurso parlamentario que resulta ser el discurso de un loco encerrado en Leganés; o, más adelante, los dos capítulos escritos en forma dramática; o el inicio de la Segunda Parte con páginas de un cronista que nos llevan al galope de 1873 a 1875, mezclando los hechos "históricos" con los de la vida privada de Isidora Rufete; o el sensacional capítulo de la misma Segunda Parte en que se nos cuenta, como en un grotesco sermón, quiénes son los "peces" de España. Y a lo largo de toda la novela la presencia de un narrador-personaje marginal que, dado el ocasional empleo del diálogo indirecto libre, por ejemplo, [Gilman 1981a, 98ss] permite confundir algunas fronteras tradicionales entre tercera y primera persona narrativas. Nada es aquí, desde luego, radicalmente nuevo, ni en la novela europea ni en Galdós mismo; pero en ninguna novela anterior había Galdós empleado todos estos procedimientos tan libre y acumulativamente. Por supuesto que en algunos momentos todo ello puede producir una cierta sensación de torpeza (o indecisión) narrativa; pero lo dominante, según de diversas maneras lo ha observado la crítica, es la sensación de soltura (o libertad) controlada.

Simultáneamente, el lector asiduo de Galdós percibe en seguida no sólo una mayor amplitud y complejidad de la trama, sino una serie de ausencias: una carencia de tesis, un menor apego a la representación simbólica y, tal vez por encima de todo y por oposición a *Doña Perfecta*, *Marianela*, etcétera, una ausencia de "tema." Porque ¿"de qué va" *La desheredada* (y luego *El amigo Manso*, *Tormento*, *La de Bringas*)? Por supuesto que, de ser necesario, podríamos explicar que *La desheredada* cuenta la historia de una joven de familia humilde que, porque su padre y un seudo tío le han engañado, cree ser marquesa y etcétera, etcétera. *El amigo Manso*, por su parte..., en tanto que *Tormento* trata de..., y *La de Bringas* de... Pero esas son las tramas, cuestión muy diferente de los "temas" que dominaban las novelas anteriores (el peso de la religion y/o la intolerancia hispánicas; la oposición entre Espíritu y Materia, etcétera). Casalduero [1970, 69] explica que lo abstracto "ahora se torna individual," y así es, en efecto, porque lo que *La desheredada* y las novelas que le siguen cuentan es, sencillamente, las diversas maneras en que personas diversas van tratando de salir adelante en sus vidas. Nada más; pero nada menos. A la vez, según también sabemos, hay en las más de estas novelas de la "tercera manera," y es lo que ha estudiado a fondo Bly [1983], una especie de obsesión por precisar fechas y datos socio-políticos, *todos ellos de entre 1865 y 1876*, básicamente.

¿Qué ha ocurrido para que nos encontremos ahora con tan poca abstracción, tan poco simbolismo, tan poca "temática," tanta libertad narrativa y tanta precisión cronológica acerca del pasado inmediato de la Restauración? Todos recordamos lo esencial de las mejores explicaciones, que—en mi opinión—resultan complementarias. A partir de ciertas críticas negativas y de su propia autocrítica, repensando—como siempre—a Balzac y a Cervantes, bajo la nueva influencia de Zola, y adentrándose decididamente en lo que Gilman [1981a, 101–02] llama el "desposorio" ("betrothal") de lo biográfico con lo histórico (es decir, que los personajes van a verse a sí mismos como productos de la Historia de su tiempo), Galdós ha iniciado firmemente el camino de su madurez. Ahora bien, ¿por qué así en 1881 y no dos, o cinco años antes?

No es absurdo pensar que el factor determinante haya sido Zola, ya que difícilmente podía Galdós haber tenido acceso a su influyente obra antes de 1879–81, puesto que, aunque Zola venía publicando desde finales de los sesenta, sus dos obras decisivas, *L'Assomoir* y *Nana* se publican en 1878 y 1880, respectivamente. Tomando en cuenta que Pardo Bazán publica *Un viaje de novios* en 1881 y *La cuestión palpitante* en 1883, es lógico suponer que el impacto primero del naturalismo en España, y en

Galdós, se da, precisamente, en los años del silencio de que he venido hablando. ¿Será, pues, Zola el factor clave de la ruptura del silencio y del cambio a la "segunda o tercera manera"? Si entendemos el concepto de influencia como proponía Amado Alonso,[6] no veo motivo para dudar del peso decisivo de Zola en este momento crucial de la vida-obra de Galdós. Sin embargo, creo que debemos añadir, como dominante de las diversas y conjuntas determinaciones estrictamente "literarias," el factor implícito en las páginas anteriores: la insatisfacción crítica de Galdós, su nueva manera de retornar a Cervantes y a Balzac, así como su descubrimiento de Zola, sólo pueden entenderse como elementos transformadores en el contexto de su ya clara conciencia de que lo que había de novelar era la vida cotidiana ("costumbres") de una nueva estructura histórica que apenas entonces empezaba a percibirse como tal.

Por supuesto que si consideramos esta determinación de la conciencia histórica como *causa* de la cual se sigue mecánicamente el *efecto* de una cierta manera de novelar, caeremos en el vacío conceptual que siempre nos asfixia cuando tratamos de asociar "causas" y "efectos" de orden distinto: según he tratado de aclarar en otro lugar [1978, 5–16], ninguna determinación socio-histórica exige la aparición de ciertas "formas" *específicas* (literarias o políticas, da lo mismo). Por algo es más manejable—por ejemplo—la posibilidad de que el cambio se deba a cómo tomó Galdós de Zola el diálogo indirecto libre [Gilman 1981a, 94–102]. Es decir, por algo sigue siendo tan útil—aunque tan manipulada—la idea de que la literatura dialoga con la literatura. Sólo que los textos no llegan ni siempre, ni solos a otros textos, según aclararon hace ya mucho los formalistas rusos: son, o pueden muy bien ser, factores decisivamente asociados a "series" no literarias los que lleven al consabido diálogo.

Pero aun teniendo esto en cuenta, tal vez mi propuesta resulte más comprensible si tratamos de ver este momento clave de la vida-obra de Galdós en forma negativa. Formulémoslo así: entre 1878–79 y 1881 Galdós entiende claramente que ya no puede novelar como hasta entonces, ni las mismas cosas, ni—por lo tanto—de la misma manera. Ahora bien, como en todo proceso dialéctico, esta negación se ha de dar frente a algo, y aquí resulta de la existencia ya irrefutable de una sociedad que ya no es como la que hasta entonces ha venido novelando. Importa, por lo tanto, que nos preguntemos ya cómo era, por lo menos para Galdós, esa sociedad de la Restauración que, a distancia de entre cuatro y seis años de 1875, parece ir asentándose.

Sus tres pilares son el orden (política de turnos; constitución de 1876; aparatos represivos del Estado), el desarrollo económico (ferrocarriles, industria y, en Madrid, finanzas) y como consecuencia, y en base al ejemplo del ascenso al poder de la burguesía, la posibilidad o esperanza de movilidad social hacia arriba (la mítica "confusión" de las clases a que se refieren diversos narradores de Galdós). Fracasados, agotados y arrumbados los extremismos y extremistas de todo tipo, la ideología que une y cimienta estos tres pilares podría decirse que se erige a partir de la famosa frase de Alfonso XII: "como todos mis antepasados, buen católico; como hombre del siglo, verdaderamente liberal." Es decir ("a la inglesa," según se insistirá irónicamente en varias de las *novelas contemporáneas*), la pretensión de haber logrado el difícil matrimonio—o, por lo menos, equilibrio—entre factores históricos hasta entonces antagónicos.

Se trata, pues, de una sociedad en la que sólo queda el problema de subsistir acoplándose a lo existente. Lo dirá Máximo Manso, lo dirá Agustín Caballero, lo dirán diversos narradores. Y desde 1886, en *Fortunata y Jacinta*, se lo explicará a sí mismo el ex-carlista Juan Pablo Rubín cuando le resulta ya evidente, a fines de 1874, que va a reinar Alfonso XII: "Cómo ha de ser . . . paciencia. Tengo que ser alfonsino . . . a la fuerza. ¡Vaya un compromiso! . . . ¡Re-dios, qué compromiso!" (III, 57). Todavía en 1907–08 el narrador de *España sin rey* dirá que aquello era "un remiendo, más bien una chapuza" (III, 822). Porque si bien es verdad que, como le dice Juanito a Fortunata, "las conveniencias sociales, nena mía, son más fuertes que nosotros" (III, 104), es igualmente cierto que, una vez logrado el abandono de anteriores exaltaciones (casi todos han ya "pasado por el aro" [Blanco Aguinaga 1978, 49–94]) esas "conveniencias," representadas en los centros del poder por el matrimonio entre la vieja aristocracia venida a menos y la nueva burguesía, se fundan precisamente en actuar como sea "conveniente" para mantener el orden chapucero recién establecido. Así—y valga como ejemplo porque es un asunto absolutamente central en el primer gran ciclo de las *novelas contemporáneas*—, se tolera el adulterio entre cantos a la familia, pero siempre que se guarden las formas (lo que muchas veces no significa siquiera la clandestinidad absoluta, sino la hipocresía, tanto en quienes lo practican como en quienes, estando enterados, lo comentan sólo en voz baja, por lo general irónicamente). Como el Rey en su difícil equilibrio, las familias, y como éstas los políticos y los financieros, que a menudo son los mismos.

Y es que, llegado por fin con la Restauración el momento del capitalismo español, todo gira inevitablemente alrededor del fetichismo de la mercancía (cuyo equivalente universal es, por supuesto, el dinero). Y como necesariamente ocurre dado tal fetichismo, todo se "disfraza" de lo que no es, según los individuos en su alienación se ven reducidos a sí mismos (ya no hay una "gran Historia" socio-política en la cual participar con ilusiones colectivas), a la vez que, sin paradoja alguna, su subsistencia y su ascenso social dependerán de lo bien que sepan trampear con las costumbres e ideas dominantes: al igual que para Alfonso XII, Cánovas y Sagasta, para los más ya no queda sino lo que Galdós mismo llamaba el *pasteleo*.[7] Una sociedad, pues, según tanto se ha dicho (pero remitiéndonos a problemas del Siglo de Oro que poco o nada tienen que ver con la Restauración), cuyo "Ser" se confunde con el "Parecer," sustentados los dos por un "Querer ser" que depende a nivel de base de la especulación y del crédito, porque sólo en el dinero está la posibilidad de ascender en la escala social (o al revés, ascender para tener dinero: Isidora Rufete).

Hay, desde luego, excepciones notables (siempre en Galdós la idea de la libertad, aun bajo el influjo de las técnicas narrativas de Zola): Fortunata, Camila en *Lo prohibido*, "Miau," Amparo en *Tormento*; Nazarín, ya en el siguiente ciclo. Pero Fortunata—tras haber pasado por la prostitución— muere sin el amor de Juanito y engañándose a sí misma con la entrega de su hijo a Jacinta (entrega que, por otra parte, significa un "ascenso" para el futuro "delfín"). "Miau" se suicida. Camila, desde luego, se defiende del adulterio y parece claro en la novela que, a pesar de sus inviolables principios, ella y su marido, Constantino, van a salir adelante; pero ello se debe en gran medida a que José María ha movilizado influencias a favor de Constantino en el Ministerio de Guerra . . . después de haberle regalado un caballo con el que Constantino ha colmado algunas de sus más infantiles obsesiones. En cuanto a Amparo, no acaba, como su hermana Refugio, en la prostitución gracias al amor y a la seguridad económica que le proporciona Agustín Caballero; pero el folletinesco final feliz llega no sólo a precio de excepción, sino de gran ironía ya que, para vivir juntos, Agustín y Amparo han tenido que aceptar el "compromiso" de no casarse y, por lo tanto, de irse a vivir a Francia, puesto que, según se deduce de múltiples referencias a París, el juego de las apariencias no está todavía en España a la altura de Francia. Un mundo, pues, en el cual, con las excepciones que conocemos, y como bien dice Steve Gilman [1981a, 121] a propósito de *La desheredada*, no se tratará, fundamentalmente, para los más "de suicidio, ni de muerte, sino de prostitución."

¿Cómo, pues, novelar estas "costumbres" que ya en 1878/79–81 percibe Galdós como nuevas de la misma forma en que había novelado durante su "segunda manera"? Hemos recordado que las novelas que se inician en 1881 carecen de tesis, huyen de la abstracción, etcétera. Paralelamente, y correspondiendo a los *caracteres* que la sociedad le ofrece, los nuevos personajes tendrán que *carecer* de algo que caracterizaba esencialmente a los personajes anteriores a 1881. Recordemos que, trátese de *El audaz*, los *episodios* o *Doña Perfecta*, los personajes de la "segunda manera" tienden a lo heroico (y hasta tienen variados talones de Aquiles: la poca paciencia de Pepe Rey, por ejemplo); es decir, que actúan a nivel político e ideológico como si fuesen hacedores (agentes) de la Historia. No en vano Pepe Rey es ingeniero; Martín Muriel, un conspirador "inexorable, como lo era la revolución entonces" (IV, 241); Teodoro Golfín, un científico dispuesto a enfrentarse con el misterio; doña Perfecta, cacique defensora de las tradiciones en peligro, etcétera. En cambio, con la sola excepción de Torquemada (y menos preeminentemente, algunos comerciantes como los Santa Cruz), los personajes centrales de las *novelas contemporáneas*, desde Isidora hasta Fortunata, desde Manso hasta "Miau," entrañables y apasionantes en cuanto individuos, por libres que sean (y, sobretodo, por libres que crean ser), carecen de toda dimensión heroica. O si se prefiere, se nos aparecen, más que como hacedores (agentes) de la Historia, como hechos/derrotados por ella. Hasta quienes triunfan junto a políticos y Torquemadas diversos (Villalonga, Manolito Peña, los multiformes Peces . . .) carecen de esa dimensión. No debe ello extrañarnos porque, según leemos en *Tristana* (ya desde el mirador de 1896), la Restauración era para Galdós una "edad . . . de más papel que hierro" (V, 1543), una edad, por tanto, según se queja Rafael en *Torquemada*, que sólo podía producir "Médicis" de "papel mascado" (IV, 1110).

Si así los personajes porque así los *caracteres* de la nueva sociedad, y si Galdós, como buen realista, era sobre todo un creador de personajes, ¿cómo no pensar que, junto a tal negación de la realidad vital antes percibida como central a la historia española, no habían de desaparecer también el abstraccionismo, las tesis, etcétera? Sobre esta base "negativa" podían ya operar no sólo los procedimientos narrativos de Zola, sino, claro está, ciertos aspectos de su determinismo naturalista. Por lo demás, obviamente, la particular forma de salir del largo silencio hacia la que sería su "tercera manera" quedaba en manos del talento de Galdós y de no sabemos cuántos "azares" probables dentro de lo posible.

* * *

En la nueva manera de novelar, según sabemos, será fundamental no sólo la dialéctica personajes-historia, tan bien explicada por Gilman [1981a], sino, como ya he indicado al principio (y según lo estudia Bly [1983]), la dialéctica "pasado formativo inmediato"-"nueva formación social." Así, de las ocho primeras novelas de la "tercera manera" sólo dos, *El amigo Manso* (1882) y *Lo prohibido* (1884–85), son estrictamente contemporáneas en el sentido de que los hechos narrados ocurren en el tiempo mismo de la escritura. Las otras seis nos sitúan narrativamente entre 1863 (*El doctor Centeno*, escrita en 1883) y 1878 (*Miau*, escrita en 1888), aunque centralmente (es decir, en *Tormento, La de Bringas, Fortunata y Jacinta, La desheredada* y *Miau*, por orden de su cronología interna) se nos lleva desde fines del 67 (*Tormento*) hasta 1878 (*Miau*), con una insistencia especial en los años del 67 al 69 (*Tormento, La de Bringas, Fortunata y Jacinta*) y del 72 al 76 (*Fortunata y Jacinta*, Segunda Parte de *La desheredada*). Resulta, pues, evidente la importancia que, según por lo demás ya sabemos, Galdós atribuye como formativos a los 7/8 años que van desde las crisis que preceden a "la Gloriosa" hasta el estreno de la Restauración.

Tanto es así que algunas de las características centrales de la sociedad de la Restauración ya establecida (vivir a crédito, hipocresía, pasteleo, adulterio, prostitución), noveladas con absoluta contemporaneidad, por ejemplo, en *Lo prohibido*, se encuentran ya como fenómenos novelables en *Tormento, La de Bringas* y *La desheredada*, es decir, en las ficciones cuyas tramas nos llevan del 67 al 76. En este sentido importa recordar que en el capítulo I de la Tercera Parte de *Fortunata y Jacinta*, al situarnos desde 1887 en una tertulia de 1874, el narrador nos explica que

Allí brillaba espléndidamente esa fraternidad española en cuyo seno se dan mano de amigo el carlista y el republicano, el progresista de cabeza dura y el moderado implacable. (V, 294–95)

Pensando desde ciertos tópicos trillados de la hispanidad, no podemos sino asombrarnos: ¿qué ha sido de la terrible y violenta intolerancia hispánica, representada insistentemente en antagonismos insuperables que Galdós mismo ha novelado ("Nuestro mapa no es una carta geográfica, sino el plano estratégico de una batalla sin fin"), violencia de la que hablará Unamuno en *En torno al casticismo*, que volverá a ser tema de trágicas meditaciones durante la Segunda República, y en la posguerra obsesión no sólo de un Américo Castro sino del mismísimo Franco? Pero en Galdós casi todo se aclara:

Antiguamente los partidos separados en público, estábanlo también en las relaciones privadas; pero el progreso de las costumbres trajo primero cierta suavidad en las relaciones personales, y, por fin, la suavidad se trocó en blandura. Algunos creen que hemos pasado de un extremado mal a otro, sin detenernos en el medio conveniente, y ven en esta fraternidad una relajación de los caracteres. Esto de que todo el mundo sea amigo particular de todo el mundo es síntoma de que las ideas van siendo tan sólo pretexto para conquistar o defender el pan. (V, 294-95)

A lo que sigue la presentación de Feijoo, de quien se nos dice que "también él había sido loco; pero ya había recobrado la razón, y la razón en política era, según él, la ausencia completa de fe." De tal salud mental y su consiguiente *pasotismo*—irresistible el adecuado término actual—resultan los diversos comportamientos sociales a que me he referido.

Conviene también recordar que a esa misma tertulia acudía Ramón de Villaamil, "Miau," la novela cuyo triste final se sitúa en 1878, o sea, a diez años justos de "la Gloriosa," y cuando Galdós iba a entrar al largo silencio de que salió con *La desheredada*. He aquí el principio de *Miau*:

A las cuatro de la tarde, la chiquillería de la escuela pública de la plazuela del Limón salió atropelladamente de clase, con algazara de mil demonios. Ningún himno a la libertad, entre los muchos que se han compuesto en las diferentes naciones, es tan hermoso como el que entonan los oprimidos de la enseñanza elemental al soltar el grillete de la disciplina escolar y *echarse a la calle* piando y saltando. La furia insana con que se lanzan a los más arriesgados ejercicios de volatinería, los estropicios que suelen causar a algún pacífico transeúnte, el delirio de la autonomía individual, que a veces acaba en porrazos, lágrimas y cardenales, parecen bosquejo de los triunfos revolucionarios que en edad menos dichosa han de celebrar los hombres. (V, 551)

Al iniciar así en 1888 la novela del "tigre inválido" (V, 555), remontándonos en la trama a 1878, el narrador deja más que claro que, a diferencia del 68, las únicas explosiones de libertad sólo pueden ya darse—¿y tolerarse?—en los niños, quienes, por lo demás, volverán al día siguiente al "grillete de la disciplina escolar," y más adelante, (puesto que se trata de una escuela pública), al grillete de las diversas y difíciles maneras de "conquistar el pan." Ya para entonces no habrá manera, ni seguramente mucha voluntad, de "echarse a la calle" (según se deduce, por ejemplo, de las lecciones contrarias de Mauricia la Dura y de Fortunata), puesto que se vive ya de otra forma y *Miau* no es sino la terrible historia de un burócrata honrado y algo loco (tiene la misma obsesión que Torquemada por convertir la deuda externa en interior) a quien, a pesar de sus largos años de servicio (le faltan dos meses para jubilarse) no se le permite ya ni siquiera la "defensa" de sus derechos adquiridos. Con lo que se cierra así en 1888 el ciclo de la particular dialéctica "pasado formativo inmediato"-"nueva formación social" que caracteriza a las ocho primeras *novelas contemporáneas*. A partir de aquí, y con la única excepción de *Torquemada en la hoguera*, todas las demás novelas, desde *La incógnita* (1888–89) hasta *Halma* (1895), serán estrictamente contemporáneas (en el sentido de que ya los hechos no irán fechados). ¿Significa esto que Galdós va a novelar ahora "ahistóricamente," según, en lo esencial, propone Bly [1983]? Puede pensarse así si entendemos, como parece hacerlo Bly, que en Galdós la "Historia" se reduce a hechos/fechas de orden político y militar y que no cumple sino una función alegórica y/o simbólica; no, si entendemos, como he tratado de demostrar en mis otros trabajos, que la visión de la realidad histórica determina en Galdós la estructura misma de sus ficciones. Y nunca ello más claro que en *Lo prohibido*, una de las dos únicas novelas anteriores a *La incógnita* estrictamente contemporáneas, o que en la serie de *Torquemada*, donde, más allá de la primera novela de la serie, desaparecen prácticamente todos esos hechos/datos históricos que caracterizan las novelas anteriores a *Miau*.[8]

Bly [1983, 77–78] parece extrañarse de que tanto en *Lo prohibido* como en la serie de *Torquemada*, los personajes principales, ya "sin historia," se dediquen exclusivamente a buscar, ganar o intercambiar dinero (y otras mercancías, hay que añadir), hasta cuando deberían estar haciendo política. Pero es que todo lo que a nivel político y económico ha ocurrido a lo largo del siglo, y en particular entre 1865 y 1875, ha llevado, según hemos visto, a una forma de sociedad en la que, por el momento, ya no ocurre nada de significativo más que la especulación y el pasteleo. ¿A qué otra cosa iba a dedicarse un hombre inteligente, escéptico y dinámico como Torquemada? Y están también en ello, cada cual a su nivel, el pobre Villaamil, y Rosalía, y Villalonga, y Refugio, y Eloísa . . . (ya he mencionado algunas de las excepciones). Si por "Historia" entendemos "hechos" como los que llegan a 1875/76, puede decirse que en la conciencia hegemónica de la Restauración ya no volverá a haber "Historia" hasta 1895/98 (guerras de independencia de Cuba, Puerto Rico y Filipinas), y hasta que empiece a *verse* la aparición consciente de una nueva clase social.

Porque, claro está, para que existiera ese dinero que determina el quehacer de tantos personajes, tenía que haber empezado por haber ferrocarriles, industria vasca y catalana, inversiones extranjeras, etcétera, el "boom" de que habla Carr. La conjunción de todos esos elementos del desarrollo económico de la Restauración significa no sólo la llegada al poder de la burguesía que Galdós veía venir desde Cádiz, sino la primera aparición importante de una nueva clase obrera, sin cuya explotación no existiría dinero alguno para circular. Por *ahí* vendrán los nuevos "hechos" sociopolíticos determinantes de la historia española, y para 1893–95 (*Torquemada en la cruz, Torquemada en el purgatorio, Torquemada y San Pedro*) ya se vislumbran, puesto que, en 1890, por ejemplo, ya han tenido lugar las primeras celebraciones del primero de mayo, con sus correspondientes huelgas y manifestaciones, así como la toma de Jerez por los campesinos anarquistas (1892). De ahí que Galdós, siempre alerta a la realidad social, escriba un pequeño pero significativo artículo a propósito del 1º de mayo de 1890. Y de ahí que Torquemada sienta en sus propias entrañas el germen de la revolución, al igual que intuye ese futuro su cuñado Rafael del Aguila. Mucho después, en 1912, cuando Galdós vuelva con *Cánovas* a novelar los años de la Restauración, estarán claros los nuevos "hechos" históricos y podrá escribir (retrospectivamente) que "los tiempos bobos" de la Restauración "no crearán una Nación . . . no suavizarán el malestar de las clases proletarias" (IV, 876). Pero Galdós es el novelista de la historia de la burguesía española y ya los nuevos "datos" y "fechas" le llegan demasiado tarde.

Limitado inevitablemente a su tiempo y a su clase, Galdós fue, sin embargo, capaz de superarlos ideológica y políticamente. Ya es mucho hacer; no tenía también por qué ser capaz de iniciar un nuevo tipo de novela sobre nuevos conflictos de clase y sus consecuencias para las vidas personales que tanto le apasionaban. Sí podía, en cambio, y es lo que hizo, seguir novelando un mundo en el que ya no quedaba nada de positivo en una "clase media" que, si bien seguía siendo—claro está—agente de la Historia, era también la promotora de lo que deseaba fuese un estancamiento final de la Historia (por eso "los tiempos bobos"), puesto que ese estancamiento (político) había de ser la prueba de su llegada definitiva al poder, meta en la cual, obviamente, deseaba mantenerse.

Así, y por ejemplo, los pocos intentos de oposición radical a la Restauración madura, como el levantamiento de 1886 en que participa Angel Guerra al principio de su novela, eran absurdos desde la perspectiva de una clase que ya estaba en el poder al que había querido llegar. Las diferencias existentes en el interior de esa clase podían y debían resolverse de otras maneras: "a la inglesa," digamos, y no con revueltas de nostálgicos seudo-revolucionarios. Angel Guerra lo entiende pronto y, por lo tanto, abandona la Historia por mediación de la insoportable santurrona Leré. Pero es Angel Guerra quien abandona la Historia, no Galdós, quien tanto aquí como en *Nazarín*, o como en *Halma*, está ya narrando la confusión y el derrotismo de quienes, en desacuerdo con lo existente y al margen de los intereses de su clase, pero sin percepción de los nuevos conflictos que se avecinaban, resultan totalmente impotentes. Imposible para ellos concebir, como treinta años antes lo había hecho Prim, que era necesario "destruir en medio del estruendo" todo lo existente. Casi me atrevería, al llegar al final de estas páginas, a una formulación de apariencia paradójica:

donde en las novelas de Galdós desaparecen por largo tiempo los "hechos" y "fechas" políticos es donde más claramente se entiende hasta qué grado su profunda conciencia de la historicidad de todo lo humano determinó siempre el "sentido y forma" de sus ficciones.

* * *

Unas últimas palabras. El lector paciente que haya llegado hasta aquí habrá entendido cuánto hay en estas páginas de material y de interpretaciones archiconocidos, por lo menos para los especialistas. Espero que hayan quedado claras también las diferencias. Pero tanto o más me interesa que ese paciente lector piense en una segunda propuesta aquí implícita: que el conocimiento de una realidad cualquiera es, siempre entre rupturas, acumulativo, y en los aciertos, no excluyente (Heisenberg no invalida a Newton). De ahí que estas páginas hayan arrancado de palabras del siempre maestro Casalduero, y que hayan remitido al lector, directa o indirectamente, a Montesinos, a Bly y a tantos otros, pero, sin duda, en especial a nuestro inolvidable Steve Gilman, siempre inteligente, siempre compañero, "hispanista" para quien Galdós fue bastante más que objeto de estudio.

University of California at San Diego

NOTAS

1 Benito Pérez Galdós, *Obras completas*, ed. F. C. Sainz de Robles, III (Madrid: Aguilar, 1950), 1280. Todas las citas de las obras de Galdós son de esta edición, y se indicarán los tomos y las páginas en paréntesis después de cada una.

2 La inscripción de la tumba de Marianela reza así: "R.I.P. María Manuela Téllez. Reclamóla el cielo en 12 de octubre de 186. . . " (IV, 755).

3 Véanse Gabriel Tortella, "Ferrocarriles, economía y Revolución," y Nicolas Sánchez-Albornoz, "El trasfondo económico de la Revolución," en *La Revolución de 1868: historia, pensamiento, literatura*, eds Clara E. Lida e Iris M. Zavala (Nueva York: Las Américas, 1970), págs 126–37, y 64–79, respectivamente.

4 Importa recordar que Galdós habla de *caracteres* que la sociedad ofrece y de *personajes* que la novela ha de crear según esos *caracteres*.

5 Raymond Carr, *Spain 1808–1939* (Oxford: Clarendon, 1966), pág. 390.

6 Amado Alonso, "Estilística de las fuentes literarias. Rubén Darío y Miguel Angel," en su *Materia y forma en poesía* (Madrid: Gredos, 1955), págs 381–97.

7 Véase mi "Positivismo y pasteleo de personajes y narradores de las Contemporáneas," en *Homenaje a Koldo Mitxelena* (Vitoria: Universidad del País Vasco, 1985), págs 835–41.

8 Cfr. Alda Blanco, "Dinero, relaciones sociales y significación en *Lo prohibido*," *AG*, 18 (1983), 61–73.

III. BIBLIOGRAFÍA

ALAS, Leopoldo. *Galdós*. Madrid: Renacimiento, 1912.

ALBERTI, Rafael. "Un episodio nacional: Gerona." *Cursos y Conferencias*, 24 (1943), 13–24.

ALDARACA, Bridget. "The Revolution of 1868 and the Rebellion of Rosalía Bringas." *AG*, 18 (1983), 49–60.

ALONSO CORTÉS, Narciso. "Precursores de Galdós." En su *Quevedo en el teatro y otras cosas*. Valladolid: El Colegio Santiago, 1930, págs 121–28.

ALTAMIRA Y CREVEA, Rafael. "Galdós y la historia de España." En su *Psicología y literatura*. Barcelona: Heinrich, 1905, págs 192–98.

––––––. "La de los tristes destinos." *Atenea*, núm. 77 (1943), 151–59.

ALVAR LÓPEZ, MANUEL. "Novela y teatro en Galdós." En su *Estudios y ensayos de literatura contemporánea*. Madrid: Gredos, 1971, págs. 52–110.

––––––. "La ópera *Zaragoza* y Galdós. (Comentarios y documentos)." *Actas 1*, págs 421–61.

AMORÓS, Andrés. "El ambiente de *La de Bringas*." *Reales Sitios*, 6 (1965), 61–68.

ARAYA, Guillermo. "*La Fontana de Oro* de Galdós: cien años de lucidez política." *EFil*, 8 (1972), 89–104.

ARMAS AYALA, Alfonso. "Galdós, diputado por Puerto Rico." *Actas 2*, II, 103–11.

ARNÁIZ AMIGO, Palmira. "En torno a la I serie de los *Episodios nacionales* de Galdós y *La guerra y la paz* de Tolstoy." *Actas 2*, II, 113–33.

AVALLE-ARCE, Juan Bautista. "*Zumalacárregui*." *CHA*, núms. 250–52 (1970–71), 356–73.

BALBÍN DE UNQUERA, Antonio. "Novela y novelistas históricos en España." *Revista Contemporánea*, núm. 131 (1905), 385–407.

BALSEIRO, José Agustín. "Anticlericalismo y religiosidad en Benito Pérez Galdós. (Desde los primeros *Episodios nacionales*)." *La Torre*, núm. 67 (1970), 63–83.

BARROS ARANA, Diego. "Revista bibliográfica." *Revista Chilena*, 4 (1876), 307–08.

BATAILLON, Marcel. "Les Sources historiques de *Zaragoza*." *BH*, 23 (1921), 129–41.

BENÍTEZ, Rubén. "Jenara de Baraona, narradora galdosiana." *HR*, 53 (1985), 307–27.

BERKOWITZ, H. Chonon. *Pérez Galdós: Spanish Liberal Crusader*. Madison: University of Wisconsin Press, 1948.

BEYRIE, Jacques. *Galdós et son mythe*. 3 tomos. Lille: Université de Lille, 1980.

BLANCO AGUINAGA, Carlos. "On 'The Birth of Fortunata.' " *AG*, 3 (1968), 13–24.

———. *La historia y el texto literario. Tres novelas de Galdós*. Madrid: Nuestra Cultura, 1978.

BLANCO GARCÍA, Francisco. *La literatura española en el siglo XIX*. 2 tomos. 3a ed. Madrid: Sáenz de Jubera Hermanos, 1910.

BLANQUAT, Josette. "De Lázaro (*La Fontana de Oro*) à José Campos." *Les Langues Néo-Latines*, 71, núm. 4 (1977), 33–74.

BLY, Peter A. "Galdós, the Madrid Royal Palace and the September 1868 Revolution." *RCEH*, 5 (1980), 1–17.

———. Benito Pérez Galdós: *La de Bringas*. Londres: Tamesis y Grant and Cutler, 1981.

———. *Galdós's Novel of the Historical Imagination. A Study of the Contemporary Novels*. Liverpool: Francis Cairns, 1983.

———. " 'Too Many Indians, Not Enough Chiefs': Galdós' Search for the Ideals of Leadership in Modern Spain." En *Colloquium Hispanicum in Honour of Arthur M. Fox*. Kingston, Ontario: Queen's University, Department of Spanish and Italian, 1983, págs 17–36.

———. "For Self or Country? Conflicting Lessons in the First Series of the *Episodios nacionales?*" *KRQ*, 31 (1984), 117–24.

———. *Vision and the Visual Arts in Galdós. A Study of the Novels and Newspaper Articles*. Liverpool: Francis Cairns, 1986.

———. "La comitiva borbónica en la obra galdosiana: hacia una tipología." *Actas del VIII Congreso de la Asociación Internacional de Hispanistas*. Eds. A. David Kossoff *et al*. Madrid: Istmo, 1986, I, 255–62.

BOSCH, Rafael. "Galdós y la teoría de la novela de Lukács." *AG*, 2 (1967), 169–84.

BOUSSAGOL, G. "Sources et composition du *Zumalacárregui* de B. Pérez Galdós." *BH*, 26 (1924), 241–64.

BROWNSTEIN, Leonard A. "*Gerona*: novela y drama de Benito Pérez Galdós." *Yelmo*, núm. 23 (1975), 37–41.

BRUTON, Jack Gordon. "Galdós visto por un inglés y los ingleses vistos por Galdós." *Revista de las Indias*, 17 (1943), 279–83.

BUSH, Peter. "The Craftsmanship and Literary Value of the Third Series of *Episodios nacionales*." *AG*, 16 (1981), 33–56.

———. "*Montes de Oca*: Galdós' Critique of 1898 *quijotismo*." *BHS*, 61 (1984), 472–82.

BUSTILLO, Eduardo. *Campañas teatrales*. Madrid: Sucesores de Rivadeneyra, 1901.

CABAÑAS, Pablo. "Comella visto por Galdós." *RL*, 29 (1966), 91–99.

———. "Moratín en la obra de Galdós." *Actas del II Congreso Internacional de Hispanistas*. Nimega: Universidad de Nimega, 1967, págs 217–26.

CARDONA, R. "Apostillas a los *Episodios nacionales* de Benito Pérez Galdós de Hans Hinterhäuser." *AG*, 3 (1968), 119–42.

———. "Fuentes históricas de *Santa Juana de Castilla*." *Actas I*, págs 462–69.

———. "Don Benito el prudente." *AG, Anejo* (1978), 127–52.

CARRANZA, Matilde. *El pueblo visto a través de los episodios nacionales*. San José: Universidad Nacional de Costa Rica, 1942.

CASALDUERO, Joaquín. *Vida y obra de Galdós (1843–1920)*. 3a ed. Madrid: Gredos, 1970.

———. "Sor Simona y Santa Juana de Castilla." *LdD*, núm 8 (1974), 117–33.

———. "*Bárbara*." *AG, Anejo* (1978), 119–26.

CHAMBERLIN, Vernon A. "Galdós' Sephardic Types." *Symposium*, 16–17 (1963–64), 85–100.

———. "Galdós and the 'Movimiento Pro-Sefardita.'" *AG*, 16 (1981), 91–103.

CIPLIJAUSKAITÉ, Biruté. "Galdós y los noventayochistas frente a la historia." *PSA*, núm. 264 (1978), 197–223.

CLAVERÍA, Carlos. "El pensamiento histórico de Galdós." *Revista Nacional de Cultura*, núm. 121 (1957), 170–77.

COLIN, Vera. "Tolstoy and Galdós' Santiuste: Their Ideology on War and Their Spiritual Conversion." *Hispania*, 53 (1970), 836–41.

DE CONTRERAS, A. R. "La evolución galdosiana." *RyF*, 20 (1908), 82–92.

DE LA CUESTA, Leonel-Antonio. *El audaz: análisis integral*. Montevideo: I.E.S., 1973.

DENDLE, Brian J. "Galdós and the Death of Prim." *AG*, 4 (1969), 63–71.

———. "The First Cordero: *Elia* and the *Episodios nacionales*." *AG*, 7 (1972), 103–05.

———. "A Note on the Genesis of the *Episodios nacionales*." *AG*, 15 (1980), 137–40.

———. *Galdós: The Mature Thought*. Lexington: University of Kentucky Press, 1980.

———. "Isidora, the 'mantillas blancas' and the Attempted Assassination of Alfonso XII." *AG*, 17 (1982), 51–54.

———. "Gabriel Araceli and the First Series of *Episodios nacionales*." *CH*, 7 (1985), 1–8.

———. "Galdós and Sol y Ortega." *HR*, 53 (1985), 437–47.

———. *Galdós. The Early Historial Novels*. Columbia: University of Missouri Press, 1986.

——— y Joseph SCHRAIBMAN. Eds. *Benito Pérez Galdós: los artículos políticos en la 'Revista de España', 1871–1872*. Lexington, Kentucky: 1982.

DENNIS, Ward H. *Pérez Galdós: A Study in Characterization. Episodios nacionales: First Series*. Madrid: 1968.

——— . "Guerrilla Warfare in the *Episodios nacionales.*" En *Homenaje a Andrés Iduarte . . . al cuidado de Jaime Alazraki et al.* Clear Creek, Indiana: *TAH*, 1976, págs 99–103.

DÉROZIER, Albert. "El *pueblo* de Pérez Galdós en *La Fontana de Oro.*" *CHA*, núms 250–52 (1970–71), 285–311.

——— . "La Notion de protagoniste au terme de la première série des *Episodios nacionales* de Benito Pérez Galdós." *Annales Littéraires de l'Université de Besançon*, núm. 233 (1979), 63–76.

DEVOTO, Daniel. "Novela, historia y alegoría en *Cádiz.*" *RLC*, 45 (1971), 145–58.

DOMÍNGUEZ JIMÉNEZ, Josefina. "*Gerona, episodio nacional* y *Gerona, drama.*" *Actas 1*, págs 152–63.

ENGUÍDANOS, Miguel. "Mariclío, musa galdosiana." *PSA*, núm. 63 (1961), 235–49.

ESTÉBANEZ CALDERÓN, Demetrio. "Evolución política de Galdós y su repercusión en la obra literaria." *AG*, 17 (1982), 7–23.

——— . "El lenguaje político de Galdós: 'revolución' y 'restauración' en *Fortunata y Jacinta* y en los *Episodios* de la última serie." *BBMP*, 61 (1985), 259–83.

FAUS SEVILLA, Pilar. *La sociedad española del siglo XIX en la obra de Pérez Galdós.* Valencia: 1972.

FERRER BENIMELI, José A. *La masonería en los Episodios nacionales de Pérez Galdós.* Madrid: Fundación Universitaria Española, 1982.

FERRERAS, Juan Ignacio. "Los cinco protagonistas de los *Episodios nacionales.*" *TAH*, I, núm 5 (1976), 12–15.

——— . "Una estructura galdosiana de la novela histórica." *Actas 2*, I, 119–27.

FINKENTHAL, Stanley. *El teatro de Galdós.* Madrid: Fundamentos, 1980.

FLINT, Noma y Weston. "More on Galdós's *La Fontana de Oro.*" *RomN*, 17 (1976), 146–51.

FUENTES, Víctor. *Galdós, demócrata y republicano. (Escritos y discursos, 1907–1913).* La Laguna: Cabildo Insular de Gran Canaria y La Universidad de La Laguna, 1982.

GAMERO Y DE LAIGLESIA, Emilio G. *Galdós y su obra. Tomo I. Los Episodios nacionales.* Madrid: Blass, 1933.

GARCÍA BARRÓN, Carlos. "Fuentes históricas y literarias de *La vuelta al mundo en la Numancia.*" *AG*, 18 (1983), 111–24.

GARCÍA FIGUERAS, Tomás. "Don Benito Pérez Galdós y su *Aita Tettauen.*" En *Recuerdos centenarios de una guerra romántica. La guerra de Africa de nuestros abuelos (1859–60).* Madrid: Consejo Superior de Investigaciones Científicas, 1961, págs 89–92.

GARCÍA MERCADAL, José. "Galdós, Aragón y la ópera *Zaragoza.*" *CHA*, núms. 250–52 (1970–71), 727–36.

GILMAN, Stephen. "Realism and the Epic in Galdós' *Zaragoza.*" En *Estudios hispánicos: homenaje a Archer M. Huntington.* Wellesley: 1952.

_____. *Galdós and the Art of the European Novel: 1867–1887.* Princeton: Princeton University Press, 1981.

_____. "Judíos, moros y cristianos en las historias de don Benito y don Américo." En *Homenaje a Antonio Sánchez Barbudo: ensayos de literatura española moderna.* Eds. Benito Brancaforte *et al.* Madison: University of Wisconsin, 1981, págs 25–36.

_____. "The Fifth Series of *Episodios nacionales*: Memories of Remembering." *BHS,* 63 (1986), 47–52.

GIMENO CASALDUERO, Joaquín. "Los dos enlaces de *La Fontana de Oro*: origen y significado." *AG, Anejo* (1978), 55–69.

_____. "*El terror de 1824*: la transfiguración de Romo." *Actas 2,* I, 135–54.

_____. "Galdós y la reaparición de personajes: las Porreño, Garrote y Coletilla." En *Studies in Honor of José Rubia Barcia.* Eds. Roberta Johnson y Paul C. Smith. Lincoln, Nebraska: Society of Spanish and Spanish American Studies, 1982, págs 59–70.

GLENDINNING, Nigel. "Psychology and Politics in the First Series of the *Episodios nacionales*." *Galdós Studies.* Ed. J. E. Varey. Londres: Tamesis, 1970, págs 36–61.

DE GOGORZA FLETCHER, Madeleine. *The Spanish Historical Novel 1870–1970.* Londres: Tamesis, 1973.

_____. "Galdós' *Episodios nacionales*, Series I and II: On the Intrinsic-Extrinsic Nature of the Historical Genre." *AG,* 11 (1976), 103–08.

GOLDMAN, Peter B. "Galdós and the Politics of Conciliation." *AG,* 4 (1969), 73–87.

_____. "Galdós and the Nineteenth-Century Novel: the Need For an Interdisciplinary Approach." *AG,* 10 (1975), 5–18.

GÓMEZ DE BAQUERO, Eduardo. "La tercera serie de los *Episodios nacionales*, de D. Benito Pérez Galdós. La vocación de la novela histórica en Galdós: *Zumalacárregui*." *La España Moderna,* núm. 115 (1898), 172–82.

_____. "*Mendizábal*, por B. Pérez Galdós." *La España Moderna,* núm. 121 (1899), 171–74.

_____. "*De Oñate a La Granja; Luchana* (Episodios nacionales), por B. Pérez Galdós." *La España Moderna,* núm. 125 (1899), 188–93.

_____. "*La campaña del Maestrazgo y La estafeta romántica*, por D. Benito Pérez Galdós." *La España Moderna,* núm. 132 (1899), 128–36.

_____. "*Vergara* (*Episodios nacionales*) por D. Benito Pérez Galdós. Sobre la novela histórica. Los hombres de *Vergara*." *La España Moderna,* núm. 135 (1900), 123–30.

_____. "*La revolución de julio*, por D. Benito Pérez Galdós. Volumen IV de la cuarta serie de *Episodios nacionales*." *La España Moderna,* núm. 185 (1904), 162–71.

_____. "*Bárbara*." *La España Moderna,* núm. 197 (1905), 170–80.

———. "*Carlos VI en la Rápita*: VII episodio nacional de la cuarta serie por D. Benito Pérez Galdós." *La España Moderna*, núm. 201 (1905), 172–79.

———. "Los *Episodios nacionales* de la cuarta serie: *Prim*, por D. Benito Pérez Galdós, Madrid, 1906." *La España Moderna*, núm. 216 (1906), 154–61.

———. *Novelas y novelistas*. Madrid: Calleja, 1918.

GÓMEZ DE LA SERNA, Gaspar. *España en sus episodios nacionales*. Madrid: Ediciones del Movimiento, 1954.

GÓMEZ GALÁN, Antonio. "Wellington y los *Episodios nacionales* de Galdós. Nota en un centenario." *Arbor*, núms 285–86 (1969), 37–49.

GOYTISOLO, Juan. "Lectura de Galdós." *Iberoamericana*, núms 13–14 (1981), 137–41.

GUIMERÁ PERAZA, Marcos. *Maura y Galdós*. Las Palmas: Excmo Cabildo Insular de Gran Canaria, 1967.

GULLÓN, Germán. "Tanteos en el arte de novelar, *La Fontana de Oro*." *CHA*, núm. 317 (1976), 374–83.

———. "Narrativizando la historia: *La corte de Carlos IV*." *AG*, 19 (1984), 45–52.

GULLÓN, Ricardo. *Galdós, novelista moderno*. Madrid: Taurus, 1960.

———. "La historia como materia novelable." *AG*, 5 (1970), 23–37.

———. "*La de Bringas*." En su *Técnicas de Galdós*. Madrid: Taurus, 1970, págs 103–34.

———. "Los *Episodios*: la primera serie." *PQ*, 51 (1972), 292–312.

———. "*Episodios nacionales*: problemas de estructura. El folletín como pauta estructural." *LdD*, núm. 8 (1974), 33–59.

———. "*El terror de 1824*, de Galdós." En *El comentario de textos, 3: la novela realista*. Ed. Andrés Amorós. Madrid: Castalia, 1979, págs 143–202.

GUTIÉRREZ, Jesús. "La 'pasión' de *Santa Juana de Castilla*." *EECIT*, 18 (1974), 203–14.

HALSEY, Martha. "Juana la Loca in Three Dramas of Tamayo y Baus, Galdós and Martín Recuerda." *MLS*, 9, núm. 1 (1978–79), 47–59.

HEARD, Martha. "La dualidad esencial de *Alma y vida*." *Actas 2*, II, 223–32.

HERRERO, Javier. "La 'ominosa década' en los *Episodios nacionales*." *AG*, 7 (1972), 107–15.

HILT, Douglas. "Galdós: the Novelist as Historian." *History Today*, 24 (1974), 315–25.

HINTERHÄUSER, Hans. *Los 'Episodios nacionales' de Benito Pérez Galdós*. Tr. José Escobar. Madrid: Gredos, 1963.

HOAR, Leo J., Jr. " 'Dos de mayo de 1808, Dos de septiembre de 1870' por Benito Pérez Galdós, un cuento extraviado y el posible prototipo de sus *Episodios nacionales*." *CHA*, núms 250–52 (1970–71), 312–39.

———. "More on the Pre- and Post- History of the *Episodios nacionales*. Galdós' Article 'El Dos de Mayo' (1874)." *AG*, 8 (1973), 107–20.

———. "Politics and Poetry. More Proof of Galdós's Work for *Las Cortes*."

MLN, 88 (1973), 378–97.

HUERTA, Eleazar. "Galdós y la novela histórica." *Atenea*, núm. 77 (1943), 99–107.

JOHNSON, Carroll B. "The Café in Galdós' *La Fontana de Oro*." *BHS*, 42 (1965), 112–17.

JOVER ZAMORA, José María. "Benito Pérez Galdós: *La de los tristes destinos* (caps I y II)." En *El Comentario de Textos 2: de Galdós a García Márquez*. Madrid: Castalia, 1974, págs 15–110.

LANDE, Louis. "Le Roman patriotique en Espagne." *Revue des Deux Mondes* (1876), 934–45.

LARREA, Elba M. "Epica y novela en *Zaragoza*." *RHM*, 30 (1964), 261–70.

LECUYER, M.C. y C. SERRANO. "B. Pérez Galdós: *Aita Tettauen*." En *La Guerre d'Afrique et ses répercussions en Espagne. Idéologies et colonialisme en Espagne 1859–1904*. París: Presses Universitaires de France, 1976, págs 295–356.

LEDESMA, Enrique. "Isabel II: Galdós y Valle-Inclán." En *Estudios de historia, literatura y arte hispánicos ofrecidos a Rodrigo A. Molina*. Ed. Wayne H. Finke. Madrid: Insula, 1977, págs 201–08.

LE GENTIL, G. "Remarques sur le style de *La estafeta romántica*." *BH*, 13 (1911), 205–27.

LETEMENDÍA, Emily. "Galdós and Chateaubriand: *Los cien mil hijos de San Luis*." *BHS*, 57 (1980), 309–19.

––––––. "Galdós and the Spanish Romantics: *Los apostólicos*." *AG*, 16 (1981), 15–32.

LIDA, Clara E. "Galdós y los *Episodios nacionales*: una historia del liberalismo español." *AG*, 3 (1968), 61–77.

LIDA, Denah. "Galdós y el 68: dos perspectivas." En *Perspectivas de la novela. Ensayos sobre la novela española de los siglos XIX y XX, de distintos autores*. Ed. Alva V. Ebersole. Valencia: Albatros/Hispanófila, 1979, págs 37–48.

LLORÉNS, Vicente. "Galdós y la burguesía." *AG*, 3 (1968), 51–59.

––––––. "Historia y novela en Galdós." *CHA*, núms. 250–52 (1970–71), 73–82.

LLORÉNS BARGÉS, César. "El diputado señor Pérez Galdós." *Actas 2*, II, 329–40.

LÓPEZ GÓMEZ, Rafael. "Cádiz en Galdós. (Historia hecha literatura)." *NE*, núm. 38 (1982), 74–76.

LÓPEZ-MORILLAS, Juan. "Historia y novela en el Galdós primerizo: en torno a *La Fontana de Oro*." *RHM*, 31 (1965), 273–85.

LORENZO-RIVERO, Luis. "Lo grotesco en Galdós: recurso para la sátira política de los últimos *episodios*." *EIA*, 11 (1985), 109–23.

LOVETT, Gabriel H. "Some Observations on Galdós's *Juan Martín el Empecinado*." *MLN*, 84 (1969), 196–207.

––––––. "Two Views of Guerrilla Warfare: Galdós' *Juan Martín el Empecinado* and Baroja's *El escuadrón del Brigante*." *REH*, 6 (1972), 335–44.

——— . "Galdós' Alleged Francophobia in the *Episodios nacionales*." *REH*, 13 (1979), 115–34.

——— . "Dos visiones del pueblo: *El 19 de marzo y el 2 de mayo* de Galdós." En *Perspectivas de la novela. Ensayos sobre la novela española de los siglos XIX y XX, de distintos autores*. Ed. Alva V. Ebersole. Valencia: Albatros/Hispanófila, 1979, págs 27–35.

LOWE, Jennifer. "Galdós' Use of Time in *La de Bringas*." *AG*, 15 (1980), 83–88.

MACDERMOTT, Doireann. "Inglaterra y los ingleses en la obra de Pérez Galdós." *FMod*, núms 21–22 (1965–66), 43–58.

MARAÑÓN, Gregorio. "El mundo por la claraboya." En su *Obras completas*. Tomo IV. Madrid: Aguilar, 1968, págs 867–70.

MARTÍNEZ RUIZ, Juan. "Ficción y realidad judeoespañola en el *Aita Tettauen* de Benito Pérez Galdós." *RFE*, 59 (1977), 145–82.

MENÉNDEZ ONRUBIA, Carmen. "Constantes sociopolíticos en los dramas de Galdós entre 1890 y 1900." *Segismundo*, núms 35–36 (1982), 163–87.

——— . *Introducción al teatro de Benito Pérez Galdós*. Madrid: Consejo Superior de Investigaciones Científicas, 1983.

MENÉNDEZ Y PELAYO, Marcelino. "Don Benito Pérez Galdós." En su *Estudios y discursos de crítica histórica y literaria*. Tomo V. Madrid: Consejo Superior de Investigaciones Científicas, 1942.

MONTES HUIDOBRO, Matías. "*El audaz*: desdoblamiento de un ritual sexo-revolucionario." *Hispania*, 63 (1980), 487–97.

MONTESINOS, José F. *Galdós*. 3 tomos. Madrid: Castalia, 1968–72.

NAVARRO GONZÁLEZ, Alberto. "Los *Episodios nacionales* extractados por Galdós." *Actas 1*, págs 164–76.

NAVARRO Y LEDESMA, Francisco. "*Narváez* (tomo II de la cuarta serie de *Episodios nacionales*), de B. Pérez Galdós." *La Lectura*, 3 (1902), 468–73.

——— . "*Los duendes de la camarilla* por Benito Pérez Galdós." *La Lectura*, 3 (1903), 89–93.

NAVAS-RUIZ, Ricardo. "*Zaragoza*: problemas de estructura." *Hispania*, 55 (1972), 247–55.

NAVASCUÉS, Miguel. "Patricio Sarmiento: trayectoria de un liberal exaltado en los *Episodios nacionales*." *HisJ*, 4, núm. 2 (1983), 135–44.

OBAID, Antonio H. "La Mancha en los *Episodios nacionales* de Galdós." *Hispania*, 41 (1958), 42–47.

——— . "Sancho Panza en los *Episodios nacionales* de Galdós." *Hispania*, 42 (1959), 199–204.

O'CONNOR, D.J. "Galdós' First Two Series of *Episodios nacionales* as a Model for the Realist Novel." *REH*, 19, núm. 3 (1985), 97–115.

OLIU, Thomas. "Individuo e historia en la novela histórica: la figura del afrancesado en *La batalla de los Arapiles*." *Les Langues Néo-Latines*, núm. 228 (1979), 66–80.

ORTIZ ARMENGOL, Pedro. *Aviraneta y diez más*. Madrid: Prensa Española,

1970.

_____. "Gibraltar en los *Episodios nacionales*." *EstLit*, núm. 534 (1974), 4–7.

_____. "Tres apuntes hacia temas de *Fortunata y Jacinta*." *LdD*, núm. 8 (1974), 241–59.

_____. "Unos personajes barojianos en los orígenes de los *Episodios nacionales*." *Actas 1*, págs 177–85.

PALLEY, Julian. "Aspectos de *La de Bringas*." *KRQ*, 16 (1969), 339–48.

PARADISSIS, Arístides G. "Una influencia balzaciana en los *Episodios nacionales* de Benito Pérez Galdós." *Thesaurus*, 33 (1978), 446–61.

_____. "Observaciones sobre la estructura y el significado de *La corte de Carlos IV*." *AG*, 14 (1979), 97–102.

PARDO BAZÁN, Emilia. "*Gerona*." En su *Obras completas*. Madrid: Aguilar, 1973, págs 1133–37.

PATTISON, Walter T. "The Prehistory of the *Episodios nacionales*." *Hispania*, 53 (1970), 857–63.

_____. *Benito Pérez Galdós*. Boston: Twayne, 1975.

_____. "*La Fontana de Oro*. Its Early History." *AG*, 15 (1980), 5–9.

PEDRAZ GARCÍA, Margarita María. *La influencia del Quijote en la obra de Pérez Galdós*. Santiago: Imprenta Veloz, 1971.

PÉREZ VIDAL, José. "Acercamiento a *La Fontana de Oro*." *Actas 2*, I, 202–29.

PETIT, Marie-Claire. *Galdós et La Fontana de Oro. Genèse de l'oeuvre d'un romancier*. París: Ediciones Hispanoamericanas, 1972.

PONS, Joseph-Sebastien. "Le Roman et l'histoire: de Galdós à Valle-Inclán." En *Hommage à Ernest Martinenche*. París: d'Artrey, 1939, págs 381–89.

REGALADO GARCÍA, Antonio. *Benito Pérez Galdós y la novela histórica española 1868–1912*. Madrid: Insula, 1966.

DE LA REVILLA, Manuel. *Críticas*. 2a serie. Burgos: Timoteo Arnáiz, 1885.

RIBAS, José M. "El episodio nacional *Gerona* visto por un gerundense." *AG*, 9 (1974), 151–65.

RIBBANS, Geoffrey. "Contemporary History in the Structure and Characterization of *Fortunata y Jacinta*." En *Galdós Studies*. Ed. J. E. Varey. Londres: Tamesis, 1970, págs 90–113.

_____. "*Historia novelada* and *novela histórica*: the Use of Historical Incidents From the Reign of Isabella II in Galdós's *episodios* and *novelas contemporáneas*." En *Hispanic Studies in Honour of Frank Pierce*. Ed. John England. Sheffield: The University, 1980, págs 133–47.

_____. "The Portrayal of Queen Isabella II in Galdós' *Episodios* and *Novelas contemporáneas*." En *La Chispa '81. Selected Proceedings of The Second Louisiana Conference on Hispanic Languages and Literatures*. Ed. Gilbert Paolini. New Orleans: Tulane University, 1981, págs 277–86.

_____. "'La historia como debiera ser': Galdós's Speculations on Nineteenth-Century Spanish History." *BHS*, 59 (1982), 267–74.

_____. "Galdós' Literary Presentations of the Interregnum, Reign of Amadeo and the First Republic (1868–1874)." *BHS*, 63 (1986), 1–17.

RICARD, Robert. "Notes sur la genèse de l'*Aita Tettauen* de Galdós." *BH*, 27 (1935), 473–77.

―――. "Pour un cinquaintenaire: structure et inspiration de *Carlos VI en la Rápita* (1905)." *BH*, 57 (1955), 70–83.

―――. "Cartas de Ricardo Ruiz Orsatti a Galdós. Acerca de Marruecos (1901–1910)." *AG*, 3 (1968), 99–117.

―――. "Mito, sueño, historia y realidad en *Prim*." *CHA*, núms 250–52 (1970–71), 340–55.

ROBIN, C. N. "*La de los tristes destinos*: un roman historique tardif de B. Pérez Galdós." *Annales Litteraires de l'Université de Besançon*, núm. 207 (1977) 211–49.

―――. "Une genèse des *Episodios nacionales*. (Les articles de *Política interior* de Pérez Galdós dans *La Revista de España* en 1872)." *Les Langues Néo-Latines*, núm. 224 (1978), 65–80.

―――. "Gabriel Araceli, ou l'histoire du roman au XIXe siècle." *Les Langues Néo-Latines*, núm. 232 (1980), 75–91.

RODRÍGUEZ, Alfred. "Shakespeare, Galdós y *Zaragoza*." *CHA*, núm. 166 (1963), 89–98.

―――. "Unos Don Juanes de Galdós." En *Studies in Honor of M.J. Benardete*. Nueva York: Las Américas, 1965, págs 167–76.

―――. "El uso de los clásicos en *Zaragoza*." En su *Aspectos de la novela de Galdós*. Almería: Artes gráficas, 1967, págs 131–36.

―――. *An Introduction to the 'Episodios nacionales' of Galdós*. Nueva York: Las Américas, 1967.

―――. "Cervantes, Lord Byron y Galdós." En su *Estudios sobre la novela de Galdós*. Madrid: José Porrúa Turanzas, 1979, págs 3–11.

RODRÍGUEZ PUÉRTOLAS, Julio. "La degollina de frailes en el Madrid de 1834. Tres puntos de vista: Ayguals de Izco, Galdós, Baroja." En su *Galdós: burguesía y revolución*. Madrid: Turner, 1975, págs 177–202.

ROGERS, Paul Patrick. "Galdós and Tamayo's Letter-Substitution Device." *RR*, 45 (1954), 115–20.

ROJAS FERRER, Pedro. *Valoración histórica de los Episodios nacionales de B. Pérez Galdós*. Cartagena: Baladre, 1965.

RUBIO, Isaac. "*Alma y vida*, obra fundamental del teatro de Galdós." *EECIT*, núm. 18 (1974), 173–93.

RUBIO JIMÉNEZ, Jesús. "*Alma y vida*: el teatro de Galdós en la encrucijada de dos siglos." *Segismundo*, núms 35–36 (1982), 189–209.

RUIZ SALVADOR, Antonio. "La función del trasfondo histórico en *La desheredada*." *AG*, 1 (1966), 53–62.

SÁNCHEZ, Roberto G. "The Function of Dates and Deadlines in Galdós' *La de Bringas*." *HR*, 46 (1978), 299–311.

SARRAILH, J. "Quelques sources du *Cádiz* de Galdós." *BH*, 23 (1924), 33–48.

SCATORI, Stephen. *La idea religiosa en la obra de Benito Pérez Galdós*. París: Henri Didier, 1927.

SCHIAVO, Leda. "Diálogos intertextuales: Estévanez, Galdós, Valle-Inclán." *Insula*, núm. 395 (1979), 1,12.

SCHRAIBMAN, José. "Espacio histórico/espacio literario en *Gerona*." *TAH*, 2, núm. 12 (1976), 4–7.

SCHYFTER, Sara E. "Christians, Jews and Moors: Galdós' Search for Values in *Aita Tettauen* and *Carlos VI en la Rápita*." En su *The Jews in the Novels of Benito Pérez Galdós*. Londres: Tamesis, 1978.

———. "The Fabrication of History in *Santa Juana de Castilla*." *AG*, 19 (1984), 53–60.

SECO SERRANO, Carlos. "Los *Episodios nacionales* como fuente histórica." *CHA*, núms. 250–52 (1970–71), 256–84.

SHERZER, William M. "Character Creation in *Un voluntario realista*." *AG*, 16 (1981), 9–14.

SHOEMAKER, William H. "Galdós' *La de los tristes destinos*, and Its Shakespearian Connections." *MLN*, 71 (1956), 114–19.

SILVA VILDÓSOLA, C. "*Zumalacárregui*. La nueva serie de *Episodios nacionales* de Pérez Galdós." *La Revista de Chile*, 3, núm.4 (1899), 113–17.

SINNIGEN, John H. "Individual, Class and Society in *Fortunata y Jacinta*." En *Galdós Studies II*. Ed. Robert J. Weber. Londres: Tamesis, 1974, págs 49–68.

SMIEJA, Florián. "An Alternative Ending of *La Fontana de Oro*." *MLR*, 61 (1966), 426–33.

SMITH, Alan E. "El epílogo a la primera edición de *La batalla de los Arapiles*." *AG*, 17 (1982), 105–08.

TENREIRO, Ramón María. "*España sin rey. España trágica*." *La Lectura*, 9 (1909), 172–75.

———. "*Amadeo I. La primera República*." *La Lectura*, 11 (1911) 63–66.

———. "*De Cartago a Sagunto*." *La Lectura*, 12 (1912), 63–66.

———. "*Cánovas*." *La Lectura*, 12 (1912), 278–81.

TIERNO GALVÁN, Enrique. *Galdós y el episodio nacional Montes de Oca*. Madrid: Tecnos, 1979.

UREY, Diane F. "Isabel II and Historical Truth in the Fourth Series of Galdós' *Episodios nacionales*." *MLN*, 98 (1983), 189–207.

———. "Linguistic Mediation in the *Episodios nacionales* of Galdós: *Vergara*." *PQ*, 62 (1983), 263–71.

———. "The Confusion and the Fusion of History and Fiction in the Third Series of Galdós' *Episodios nacionales*." *PQ*, 64 (1985), 459–73.

———. "Names for Things: the Discourse of History in Galdós' *O'Donnell*." *BHS*, 63 (1986), 33–46.

URRELLO, Antonio. "Isabel II y su reinado en una novela de Valle-Inclán y un episodio galdosiano." *Hispano*, núm. 46 (1972), 17–33.

VARELA, Antonio. "Galdós's Last *Episodios nacionales*." *Hispania*, 70 (1987),

31–39.

VARELA JÁCOME, Benito. "La renovación novelística de Galdós." En su *Estructuras novelísticas del siglo XIX*. San Antonio de Calonge: Hijos de José Bosch, 1974.

VÁZQUEZ ARJONA, Carlos. "Cotejo histórico de cinco *Episodios nacionales* de Benito Pérez Galdós." *Revue Hispanique*, 68 (1926), 321–550.

——. "Un episodio nacional de Benito Pérez Galdós: *El 19 de marzo y el 2 de mayo* (cotejo histórico)." *BH*, 33 (1931), 116–39.

——. "Un episodio nacional de Galdós: *Bailén*: cotejo histórico." *BSS*, 9 (1932), 116–23.

——. "Introducción al estudio de la primera serie de los *Episodios nacionales* de Pérez Galdós." *PMLA*, 48 (1933), 895–907.

VEGA, José. "Una 'trampa' de Galdós: el episodio *Zumalacárregui*." *Indice de Artes y Letras*, núm. 97 (1957), 13.

VILLEGAS, Francisco F. "Impresiones literarias." *La España Moderna*, núm. 51 (1893), 199–207.

VINCENT, Ephrem. "Lettres espagnoles." *Mercure de France*, 27 (1898), 305–07.

——. "Lettres espagnoles." *Mercure de France*, 29 (1899), 272–73.

WHISTON, James. "Two Versions of Trafalgar: Galdós's *Trafalgar* (1873) and Manuel Marliani's *Combate de Trafalgar* (1850)." *FMLS*, 20 (1984), 154–64.

WRIGHT, Chad C. "The Representational Qualities of Isidora Rufete's House and Her Son Riquín in Benito Pérez Galdós' Novel, *La desheredada*." *RF*, 83 (1971), 230–45.

YNDURÁIN, Francisco. *Galdós entre la novela y el folletín*. Madrid: Taurus, 1970.

ZLOTCHEW, Clark M. "Galdós and Mass Psychology." *AG*, 12 (1977), 5–19.

——. "The Genial Inquisitor of *El audaz*." *AG*, 20, núm. 1 (1985), 29–34.